AAN DE GRENS VAN HET LEVEN

H. A. Kramers Kruiser
Haarlem 1948

AAN DE GRENS VAN HET LEVEN

EEN INLEIDING IN HET VIRUSPROBLEEM

door

Dr H. L. BOOIJ

Ingeleid door
Prof. Dr A. J. KLUYVER

1947
H. E. STENFERT KROESE'S UITGEVERS-MAATSCHAPPIJ N.V.
LEIDEN

Dit boek wordt opgedragen aan de
nagedachtenis van
Christine Henriëtte Booij-Van Staveren

INHOUD.

INLEIDING.

De schrijver heeft mij verzocht zijn boek eenige woorden ter inleiding mede te willen geven. Ik heb hieraan gaarne gevolg gegeven, omdat het mij spoedig duidelijk was, dat in dit boek een jong Nederlandsch onderzoeker getuigt van het beste wat in hem is: zijn groote liefde voor en overgave aan de studie van één der heden ten dage meest actueele vraagstukken der biologie, het virus-probleem.

Het is nu bijna een halve eeuw geleden, dat een groot Nederlandsch geleerde door zijn nauwgezette waarnemingen en scherpzinnige interpretatie der waargenomen feiten de grondslagen der hedendaagsche viruswetenschap heeft gelegd. In een in 1898 verschenen publicatie toch sprak onze beroemde, in 1931 overleden landgenoot MARTINUS WILLEM BEIJERINCK voor het eerst de meening uit, dat er microscopisch onzichtbare levende ziekteverwekkers bestaan, welke geen corpusculair karakter zouden bezitten en welke zich daarom z.i. het best lieten omschrijven ,,*contagium vivum fluidum*''. Met profetischen blik wijst BEIJERINCK tevens op het groote practische en theoretische belang aan een verder onderzoek van deze op dat oogenblik nog zoo geheimzinnige biologische agentia verbonden.

Het mag nu mijns inziens bijzonder verheugend worden geacht, dat de heer BOOIJ zich het voor talrijke Nederlandsche onderzoekers zoo steriele, laatste jaar der bezetting ten nutte heeft gemaakt door het samenstellen van een overzicht van den huidigen stand van onze kennis der virussen. Hij heeft dit gedaan met een grondigheid, welke eerbied afdwingt en welke hem in staat heeft gesteld de zoo uiteenloopende aspecten van het ook thans nog geenszins tot oplossing gebracht virus-vraagstuk te belichten. Hij heeft daaraan verbonden een synthese der door de afzonderlijke studie-richtingen verkregen gezichtspunten, welke culmineert in een pleidooi voor het aanvaarden van een continuïteit van de ,,levende'' en ,,doode'' materie. Zijn samenvattende beschouwingen zijn zeker alleszins geschikt om tot nadenken te stemmen en tot voortgezet onderzoek te stimuleeren.

Alles bijeen genomen, legt dit eerste in de Nederlandsche taal geschreven samenvattend overzicht van het ,,submicroscopische leven'' er getuigenis van af, dat het Herrijzend Nederland ook op natuurwetenschappelijk gebied niet aan ,,brains'' ontbreekt. Wanneer wij hiertegenover moeten constateeren, dat ons land in de laatste decennia op het terrein van het fundamenteele biologische onderzoek niet meer die plaats inneemt, waarop het een halve eeuw geleden nog trotsch mocht zijn — men denke aan namen als HUGO DE VRIES, M. W. BEIJERINCK en F. A. F. C. WENT — dan vindt dit ten deele zeker zijn verklaring in het feit, dat in latere jaren de ,,bricks'', d.w.z. de materieele uitrusting van den onderzoeker, een steeds belangrijker factor voor het welslagen van het onderzoek zijn geworden. Want het laat zich niet ontkennen, dat aan de huidige generatie van jonge natuurwetenschappelijke onderzoekers met belangstelling voor vraagstukken van niet-onmiddellijk practisch belang niet een uitrusting is geboden, welke hen in staat stelt den concurrentiestrijd met hun buitenlandsche collega's met succes te strijden.

Moge dit boek er toe bijdragen, dat de verantwoordelijke instanties in een Hersteld Nederland blijk zullen geven te beseffen, dat er ook op dit gebied nog een taak voor hen is weggelegd. Voor wat betreft het virus-onderzoek zullen zij door de lezing van het eerste deel van het boek van den heer BOOIJ een indruk kunnen krijgen, welke eminente practische belangen door een verdieping van onze kennis der virussen mede zouden zijn gediend.

Delft, 1 September 1945.   A. J. KLUYVER.

VOORWOORD.

Het is niet netjes om op een muziekavondje — en dan nog wel een clandestien avondje in bezettingstijd — over het virusprobleem te praten. De verontschuldiging ligt voor de hand — de bezetting maakte elk contact met de wetenschappelijke wereld onmogelijk — en zoals OLIVER LA FARGE in zijn ,,Scientists are lonely men'' schrijft ,,The only person I could talk to was my self'' [1]). Wanneer men deze regel overtreedt en er zich onder het gehoor een uitgever bevindt dan is het resultaat natuurlijk: men wordt verzocht een boek te schrijven. Toen daarna het gebrek aan gas en electriciteit alle experimentele werk onmogelijk maakte en de razzia's de bewegingsvrijheid tot een minimum beperkten, was het ogenblik gekomen om te trachten mijn ideeën over het virusprobleem op schrift te stellen.

Zeer veel mensen — medici, biologen, chemici — hebben rechtstreeks of zijdelings met het virusprobleem te maken. Voor hen is het in het algemeen moeilijk om zich een idee te vormen van het werk van andere studierichtingen; de chemicus zal het werk van een medicus moeilijk kunnen lezen en omgekeerd. Daarom werd dit boek geschreven. Het poogt zowel het praktische als het theoretische virusprobleem van verschillende kanten te benaderen.

Ik weet, dat het gebied te groot is om door één persoon tot in de finesses overzien te kunnen worden. Daarom zal dit boek zijn gebreken hebben. Men neme het mij niet al te zeer kwalijk; ik ben een jonge biochemicus die geprobeerd heeft zijn grote enthousiasme voor zijn vak neer te schrijven. Bij het behandelen van het onderwerp moest ik mij buiten de grenzen van mijn eigenlijke vak begeven en ik hoop, dat ik de in andere takken van wetenschap heersende opvattingen althans in principe — misschien niet in finesses — goed weergegeven heb.

Wat de techniek van het lezen van dit boek betreft, het is in twee scherp gescheiden delen verdeeld en het is niet onmogelijk om met het tweede deel te beginnen. Er zijn veel mensen die zich meer voor de theoretische dan voor de praktische zijde van het vraagstuk interesseren. Dezen kunnen met het tweede deel beginnen, alleen zullen zij ter oriëntatie af en toe iets in het eerste praktische gedeelte na moeten slaan. Ook de wijze van behandeling van het onderwerp loopt in de beide delen uiteen. In het eerste deel wordt de heersende overtuiging weergegeven, terwijl in het tweede deel het probleem door personen — dus subjectief —

---

[1]) In H. SHAPLEY en anderen: A Treasury of Science, New York 1943.

besproken wordt. Dan zal blijken, dat velen, o.a. de schrijver, het dikwijls met de algemeen aanvaarde opvattingen niet eens zijn.

Het ligt niet in de bedoeling van dit boek om een volledig overzicht van de literatuur te geven. Daarvoor kan ik verwijzen naar het mooie ,,Handbuch der Virusforschung", geredigeerd door de Zwitsers DOERR en HALLAUER. Wel kan men aan het einde van elk hoofdstuk enkele verwijzingen naar belangrijke artikelen vinden.

Het boek is vanzelfsprekend een natuurwetenschappelijke verhandeling. Evenwel komen wij dicht bij philosophische problemen: ,,Wat is het leven?" Over deze vraag zal iedere bioloog of biochemicus zich een idee moeten vormen. Hoewel ik mij bij deze besprekingen niet op philosophisch terrein gewaagd heb hoop ik, dat de conclusies van dit natuurwetenschappelijke onderzoek een bijdrage kunnen vormen voor een philosophische beschouwing van het levensprobleem. Misschien zal dit boek dan ook de philosooph interesseren en ik heb er naar gestreefd om het aantal wetenschappelijke vaktermen zo klein mogelijk te houden. Daarom is het niet uitgesloten dat de vorm van Homo sapiens die men in de rubriek met de zonderlinge titel ,,ontwikkelde leken" plaatst, dit geschrift kan waarderen.

Tenslotte betuig ik mijn grote dank aan Prof. Dr A. J. Kluyver, die direct bereid was om mijn boek in te leiden en aan wiens opmerkingen ik veel gehad heb. Ik hoop dat de geest van zijn bekende redevoering ,,'s-Levens Nevels" in dit boek terug te vinden is. De geestelijke en materiële steun, die ik bij het schrijven van dit boek van mijn vrouw gehad heb, laat zich niet met het eenvoudige woord dankbaarheid afdoen. Moge het in druk verschijnen van dit geschrift een compensatie zijn voor de vele dagen die zij met typen, corrigeren etc. doorbracht. Mijn uitgever — de Heer H. E. Stenfert Kroese — ben ik dank verschuldigd voor het enthousiasme waarmee hij mij aan het schrijven bracht en de belangstelling waarmee hij mijn eindeloze verhalen over het virusprobleem heeft aangehoord.

Er zijn reeds vele maanden verlopen sinds het manuscript persklaar was. De moeilijkheden met de papierdistributie e.d. hebben het verschijnen van mijn boek ernstig vertraagd. Intussen is de Amerikaanse en Engelse literatuur op dit gebied bekend geworden. Waar dit te pas kwam, heb ik aan de tekst enkele opmerkingen toegevoegd. Gelukkig kon het boek vrijwel ongewijzigd blijven, want van dramatische veranderingen in de heersende inzichten is geen sprake. De belangstellende lezer zij verwezen naar het boek ,,Virus Diseases", waarin een zestal lezingen van vooraanstaande geleerden — RIVERS, STANLEY, KUNKEL, SHOPE, HORSFALL en ROUS — zijn opgenomen.

Vele opmerkingen die mijn vrienden Dr. H. Veldstra en Dr. K. C. Winkler naar aanleiding van het manuscript maakten, hebben tot verbeteringen in de tekst geleid. Ik ben hen daarvoor zeer erkentelijk.

1 Juli 1946.   H. L. BOOIJ.

Research Laboratorium
Combinatie N.V. en Amsterdamsche,
Bandoengsche en Nederlandsche Kininofabriek

EERSTE DEEL: DE PRAKTIJK

HOOFDSTUK I

DE BETEKENIS VAN HET VIRUSPROBLEEM

1. *Hoe komen wij aan het begrip virus?*

In de laatste helft van de vorige eeuw boekten de bacteriënjagers hun grote successen. Ongeveer 200 jaren moesten verlopen sinds de ontdekking van de microben door LEEUWENHOEK, voordat men de grote rol begon te beseffen die deze oneindig kleine organismen vervullen. Onder de invloed van het werk van PASTEUR, KOCH, ROUX en anderen gaat men dan omstreeks het midden van de negentiende eeuw inzien, dat vele ziekten door bacteriën, schimmels, amoeben en andere microben veroorzaakt worden. Het ligt voor de hand, dat deze ontdekkingen een groot enthousiasme voor deze tak van de biologie — de microbiologie — opwekken. Dit enthousiasme is zo groot, dat men in die tijd — aan het einde van de vorige eeuw — meent van elke ziekte de microbe die er de oorzaak van is op den duur wel te zullen vinden. De bacteriologische wetenschap gaat in dit tijdperk met sprongen vooruit; het microscoop wordt steeds verbeterd en het aantal ziekten waarvan de verwekker gevonden wordt neemt toe. Er was dus aan het einde van de vorige eeuw alle reden om hoopvol gestemd te zijn.

Deze optimistische verwachtingen werden nauwelijks getemperd door de omstandigheid, dat van vele bekende ziekten de verwekkers nog niet gevonden waren. De beroemde onderzoekingen van PASTEUR over de hondsdolheid leverden de mensheid een afdoende bestrijdingsmiddel tegen deze vroeger zo gevreesde ziekte, maar de verwekker werd niet gevonden. Hoewel REED in het begin van deze eeuw vond, dat de gele koorts door muskieten wordt overgebracht, de verwekker van deze ziekte kon hij niet ontdekken. Wat kan de reden van deze en vele andere mislukkingen zijn? Bij vele door microben veroorzaakte ziekten verspreiden de parasieten zich door het gehele aangevallen organisme. Onder de invloed van deze algemene aanval op het lichaam gaat het organisme dan na enige tijd de ziekteverschijnselen vertonen. Niet alle bacteriën gaan evenwel tot een dergelijke algemene aanval over. Er zijn er ook — de diphteriebacil is daarvan het bekendste voorbeeld — die zich op een bepaalde plaats in het lichaam vastzetten. Van deze plaats uit — bij de diphteriebacil in de keelholte — verspreiden zij hun vergiftige stofwisselingsproducten of toxinen door het lichaam. In een dergelijk geval

kan het buitengewoon lastig zijn om de bacterie te vinden. Men kon zich
nu voorstellen, dat bijvoorbeeld de gele koorts door een bacterie veroorzaakt wordt die zich op een heel onopvallende plaats verbergt. Gezien
uit dit oogpunt is het heel begrijpelijk, dat aan het einde van de vorige
eeuw de verwachting leefde: van elke ziekte zullen wij de verwekker
onder het microscoop te zien krijgen!

In 1894 publiceert IWANOWSKY een reeks onderzoekingen over een
ziekte die men later tot de virusziekten bij uitnemendheid zal rekenen:
de mozaïkziekte van de tabaksplant. CHAMBERLAND — een medewerker
van PASTEUR — had een methode ontworpen waarmee vloeistoffen vrij
van bacteriën gemaakt konden worden zonder dat de bacteriën daarbij
gedood werden. Hij liet filters van gebrande porceleinaarde vervaardigen
waarbij de poriën zo nauw zijn, dat een bacterie het filter niet kan passeren. IWANOWSKY nu filtreerde het sap van zieke tabaksplanten door
dergelijke filters en zag tot zijn verbazing, dat hij met het gefiltreerde sap
— volgens alle regelen van de kunst bacterievrij gemaakt — gezonde
planten ziek kon maken. Hoe groot de invloed van de geest van de tijd
was blijkt uit het feit, dat IWANOWSKY ook deze proeven wil verklaren
met de stelling, dat de verwekker van de mozaikziekte een bacterie is.
Deze bacterie zou weer een vergift uitscheiden; dat vergift passeert
natuurlijk het filter waarop de bacterie achterblijft. Met de gefiltreerde
vloeistof — die het vergift bevat — kunnen wij weer nieuwe planten
ziek maken. Op praktisch dezelfde manier had ROUX het diphterie-
toxine gevonden. ROUX verklaarde door zijn werk de merkwaardige
tegenstelling tussen het kleine aantal bacteriën, dat zich slechts plaatselijk
in het lichaam van de patiënt bevindt en de sterke ziekteverschijnselen
die niet tot die ene plaats beperkt blijven. Hij maakte een cultuur van
diphteriebacillen met een CHAMBERLAND-filter vrij van bacteriën en kon
daarmee toch bij Guinese biggetjes de ziekte veroorzaken. De bacterië
moeten dus een gevaarlijk vergift afscheiden, dat de eigenlijke ziekteverschijnselen teweegbrengt en dat door een bacteriefilter filtreerbaar is.
Wel is deze experimenteel veroorzaakte ziekte in zoverre niet gevaarlijk,
dat door de afwezigheid van de bacteriën de diphterie niet op een gezond
dier overgebracht kan worden.

Aan onzen landgenoot BEIJERINCK komt de grote verdienste toe, dat
hij als eerste het gebaande pad — elke ziekteverwekker is een microbe —
verlaten heeft. Ook hij hield zich — enkele jaren na en onafhankelijk van
IWANOWSKY — bezig met de mozaikziekte van de tabak. Hij verrichtte
dezelfde proef, maar zijn uitleg van het experiment was heel anders.

Omdat hij in het gefiltreerde sap noch met het microscoop, noch met behulp van bacteriologische cultures microben aan kan tonen komt hij tot de voorstelling, dat deze ziekteverwekker geen organisme is. Hij noemt een dergelijke ziekteverwekker een *,,contagium vivum fluidum"* (een vloeibare levende ziekteverwekker). Zijn experimenten om deze theorie te bewijzen zijn naar onze huidige inzichten niet voldoende; belangrijk is vooral, dat hij op het bestaan van andere ziekteverwekkers naast de microscopisch zichtbare microben wijst. Deze groep van ziektekiemen, die dus door een bacteriefilter passeren, noemen wij tegenwoordig ,,virus". Zoals wij gezien hebben passeren ook bacterievergiften door een CHAMBERLAND-filter. Het grote verschil tussen deze toxinen en het virus is evenwel, dat het virus zich in het aangevallen organisme vermeerdert, wat bij het levenloze toxine natuurlijk niet het geval is.

Steeds meer ziekten werden er nu bekend waarvan de verwekkers door een CHAMBERLAND-filter te filtreren waren. Zo bewijzen LÖFLER en FROSCH in 1897, dat de verwekker van het mond- en klauwzeer filtreerbaar [1]) is. Voor de verklaring van hun proeven denken zij aan twee mogelijkheden. Allereerst kan het zijn, dat de verwekker van de ziekte een bacterie is die een filtreerbaar toxine afscheidt. Deze mogelijkheid lijkt hun zeer onwaarschijnlijk, aangezien de gefiltreerde vloeistof nog in grote verdunning besmettelijk is. Uit het werk van ROUX wisten zij reeds, dat het diphterie-toxine pas in hoge concentratie werkzaam is. Het ligt dus voor de hand, dat zij deze mogelijkheid uitschakelden. Op een andere manier verklaren zij nu hun proeven: zij nemen aan, dat de ziektekiem zo klein is, dat hij de poriën van een bacteriefilter zonder bezwaar passeert. Het is weer tekenend, dat zij deze ziekteverwekker een organisme noemen, hoewel de kiem te klein is om microscopisch waargenomen te kunnen worden.

Oorspronkelijk vatte men onder het begrip virus alle vergiften van dierlijke oorsprong samen. Langzamerhand verandert het begrip in ,,contagium", d.w.z. een stof die van het zieke dier op het gezonde overgedragen kan worden en waardoor het gezonde dier ziek wordt. In deze zin gebruikt PASTEUR het woord virus, wanneer hij de optimistische tendentie van de vorige eeuw in 1889 samenvat in de zin: ,,tout virus est un microbe". Wanneer nu bij een aantal ziekten alle moeite om de verwekkers te vinden tevergeefs is en wanneer blijkt dat — al-

---

[1]) Wanneer in het nu volgende het woord filtreerbaar gebruikt wordt dan betekent dit: filtreerbaar door een bacteriefilter.

thans bij een deel van deze ziekten — de kiemen filtreerbaar zijn, dan gaat men langzamerhand een verschil maken tussen ziekten die veroorzaakt worden door microben en ziekten waarbij de kiem filtreerbaar is. De term virus reserveert men dan voor deze laatste groep [1]).

2. *Wie hebben er last van virusziekten?*

Terwijl ik dit hoofdstuk zit te schrijven moet ik telkens naar mijn zakdoek grijpen om mijn verkouden neus in toom te houden — een virusziekte. De mensheid heeft veel last van virusziekten. Zeer kwaadaardige ziekten horen in deze groep thuis: pokken, gele koorts, kinderverlamming, maar ook goedaardige zoals: mazelen en verkoudheid. Voor de veehouders is de meeste gevreesde virusziekte het mond- en klauwzeer, een ziekte die jaarlijks zeer veel slachtoffers onder de runderen kan maken. Ook bij de landbouwers staan de virusziekten in een kwade reuk. Er is bijna geen cultuurgewas te vinden, dat niet aangetast wordt. Of wij nu de aardappelen, het fruit, de tabak, de rijst, de bloembollen of noem maar op welk gewas bekijken, overal veroorzaken de virusziekten grote schadeposten voor de kwekers.

Het spreekt vanzelf, dat zeer veel mensen in de weer zijn om te trachten de middelen te vinden waarmee deze ziekten bestreden moeten worden. De studie van de virussen wordt natuurlijk zeer bemoeilijkt door de kleine afmetingen van de virussen. Alleen de allergrootsten zijn met behulp van speciale kleuringen onder het microscoop als kleine puntjes te zien. De meesten zijn microscopisch volkomen onzichtbaar. Het beste hulpmiddel van de bacteriën-jager — het microscoop — is dus voor de virusbestrijder van ondergeschikt belang. De bacterioloog beschikt nog over een andere zeer belangrijke methode. Hij kan bacteriën laten groeien op kunstmatige voedingsbodems. Dit heeft voor hem het grote voordeel, dat hij de bacteriën in onbeperkte hoeveelheden in handen kan krijgen. Een bijkomende pleizierige omstandigheid voor hem is nog, dat elke bacterie zich op de voedingsbodems op de hem eigen wijze vermeerdert. Er ontstaan dan bacteriënkolonies waarvan de vorm kenmerkend is voor de bacterie in kwestie. Een geoefende bacteriënjager kan dus zijn bacteriën (ten minste een groot deel daarvan) reeds op de voedingsbodem

---

[1]) Eigenlijk sprak men oorspronkelijk van ,,ultravirus'' (d.w.z. onzichtbaar virus). Evenwel werd de term virus voor de zichtbare microben steeds minder gebruikt, zodat nu het begrip virus slechts de filtreerbare vormen van ziekteverwekkers omvat.

herkennen. Ook wat dit betreft is de virusbestrijder sterk in het nadeel. Het is nog nooit gelukt om een virus op een kunstmatige voedingsbodem te kweken. Het virus vermeerdert zich uitsluitend in levend weefsel en dan nog dikwijls alleen in een bepaald weefsel van een bepaald organisme.

Men denke zich eens in met welke moeilijkheden de wetenschappelijke werkers over een virusziekte, b.v. de kinderverlamming, te kampen hadden en nog hebben. In de eerste plaats is dit een sporadisch optredende ziekte, waarbij de wijze van overbrenging duister is. Men kan dus niet — zoals bijvoorbeeld bij de gele koorts — de bestrijding van de ziekte vinden in een strijd tegen het overbrengende insect. Wij weten dat er bij patiënten die overleden zijn aan kinderverlamming grote verwoestingen in het ruggemerg en in het centrale zenuwstelsel te vinden zijn. Jarenlang poogde men om de ziektekiem over te brengen op alle mogelijke dieren, maar steeds met negatief resultaat. Een grote stap vooruit was het toen bleek dat men het virus over kon brengen op een bepaalde apensoort. Dit lukte alleen als men de apen in de hersenen inspoot met weefselbrei van pas overleden mensen. Het virus was dus experimenteel over te brengen en nu kon de studie beter aangepakt worden. Maar men beseft wat de moeilijkheid is : apen vragen een zeer goede verzorging en zijn niet zoals andere laboratoriumdieren in grote hoeveelheden te krijgen. De ziekte heeft praktisch altijd een dodelijke afloop, dus de bestudering kost veel dieren. Het gevolg is dan ook, dat slechts enkele laboratoria zich met de bestudering van deze ziekte kunnen bezighouden.

Bij verschillende andere virusziekten (pokken, hondsdolheid) was de bestrijding veel langer bekend dan de ziekteverwekker. In hoofdzaak komen de bestrijdingen er op neer, dat men de mens immuun maakt tegen de ziekte. Het dierlijke organisme is in staat om tegen verschillende bacteriën en virussen afweerstoffen te maken. Dit is de reden, dat vele mensen die een ziekte doorstaan hebben voortaan voor een tweede aanval van dezelfde ziekte niet vatbaar zijn. Het is natuurlijk veel te gevaarlijk om iedereen met pokkenvirus in te spuiten. Het resultaat zou een ontzaggelijk groot aantal slachtoffers zijn, maar de mensen die niet bezweken zouden inderdaad immuun tegen pokken zijn. Het middel zou evenwel erger wezen dan de kwaal. Gelukkig bestaan er methoden om de ziekteverwekkers te verzwakken. Zo wordt het pokkenvirus verzwakt door een passage in een ander organisme (het kalf). Met dit verzwakte virus worden de inentingen bij jonge kinderen verricht. Het resultaat is een hele lichte pokkenaanval die toch een landurige immuniteit achterlaat.

Op vele wijzen kan een virus een organisme aanvallen. Er zijn er, die de cellen waarin zij zich bevinden volkomen vernietigen. Is de destructie van de cel volledig, dan barst deze en het virus — dat zich ten koste van de celinhoud vermeerderd heeft — verspreidt zich over de nabijgelegen cellen. Zo woekert het proces voort. Pokken en mond- en klauwzeer kunnen als vertegenwoordigers van deze groep genoemd worden. Een ander deel van de virussen stimuleert juist de cellen tot versterkte celdelingen. Wij krijgen dan bepaalde gezwellen die zich min of meer onafhankelijk van het organisme en ten koste van het organisme vergroten. De voorbeelden zijn: hoenderpest, wratten en bepaalde vogeltumoren. Hier raakt het virusprobleem aan een probleem waarover reeds vele jaren vergeefs gewerkt is: het kankervraagstuk. Ook kankerweefsel groeit min of meer onafhankelijk van het lichaam en ten koste van het lichaam. Het ligt voor de hand dat men getracht heeft overeenkomsten tussen kanker en virusziekten vast te stellen. Hierover later meer. Een derde groep van virusziekten kenmerkt zich door de vorming van bepaalde insluitingen in de aangevallen cellen. Vooral bij plantenziekten treedt dit verschijnsel vrij vaak op.

Voor de plantkundige, die zich bezighoudt met de bestrijding van virusziekten van planten is de praktische zijde van het virusvraagstuk heel anders dan voor de medicus. Hij kan er niet aan denken om zijn planten immuun te maken op dezelfde wijze als men dierlijke organismen immuun maakt, want planten hebben geen bloedvaatstelsel. Eventueel gevormde afweerstoffen worden niet door de hele plant verspreid. Bij een plant is het in het algemeen van weinig belang of een deel — bijvoorbeeld een tak van een boom — verwijderd wordt. De delen van een dier vormen veel meer een geheel. Bacteriën kunnen zich op een bepaalde plaats in het dierlijke organisme vastzetten en toch — door hun toxinen — het dier volkomen ziek maken. Dit komt bij planten niet voor. Wanneer hier de ziekteverwekker zich niet over de plant verspreidt, dan blijft de ziekte van plaatselijke aard. Een enkele maal kan de plaats waar microben e.d. zich ontwikkelen funest voor de plant zijn, zo bijvoorbeeld als het ziekteproces in de voedingsvaten (bast of phloëem) plaats grijpt.

Herstel van planten na een ziekte komt praktisch niet voor. Veelal veroorzaken virusziekten een sterke achteruitgang van de oogst. De oogst aan knollen van viruszieke aardappelen is dikwijls maar een vijfde tot een derde van de oogst van normale aardappelplanten. Dit betekent, dat een viruszieke aardappel te vergelijken is met een onkruid; hij neemt voedingszouten uit de bodem op en levert geen tegenprestatie. Telen wij deze zieke knollen verder dan wordt de oogst steeds minder. Het is dus van zeer groot belang om zieke planten zo snel mogelijk te verwijderen. Vele virusziekten worden door insecten — vooral bladluizen — overgebracht. Hoe eerder dus een zieke plant verwijderd wordt, des te minder kans lopen de andere planten om besmet te worden. De landbouwer zal er dus goed aan doen om zijn gewas geregeld te controleren. Voor de plantkundige is er nog een andere mogelijkheid ter bestrijding van de virusziekten, nl. het kweken van plantenvariëteiten die tegen het virus in kwestie bestand zijn. In enkele gevallen is men er in geslaagd tot deze oplossing te komen. Evenwel rest ons de grote massa der cultuurplanten waarvoor het vraagstuk van de virusziekten nog steeds op de oplossing wacht. Over de reeds bereikte resultaten vertelt een van de volgende hoofdstukken.

3. *Vormen de virussen een homogene groep?*

Tot nu toe weet de lezer van het begrip virus alleen dat het een ziekteverwekker is die zo klein is, dat hij een bacteriefilter passeert. Deze kleine afmeting maakt het onmogelijk om een virus met behulp van het microscoop te zien. Hoe sterk de vergroting van een microscoop ook opgevoerd wordt, er is een bepaalde grens gesteld aan het prestatievermogen van het apparaat. Deze grens ligt niet in het technische kunnen van de mens, maar aan het gebruikte licht. Men zal met een bepaalde lichtsoort nooit deeltjes kunnen zien die kleiner zijn dan de helft van de golflengte van het gebruikte licht. Dit betekent, dat men met het gewone zichtbare licht geen deeltjes zal kunnen zien die kleiner zijn dan ongeveer 200 tot 250 m μ (1 μ is 0,001 mm, 1 mμ is 0,000001 mm). De grootste virussen hebben een diameter van 200 tot 250 mμ en zijn na speciale kleuringen met het microscoop als puntjes te zien. Van een bestudering van de structuur van deze virussen is geen sprake, daarvoor zijn ze veel te klein. De kleinste virussen (hiertoe behoort b.v. het mond- en klauwzeervirus) hebben een diameter van 8 tot 10 mμ. Deze virussen vallen dus ver beneden de zichtbaarheidsgrens van het microscoop. De afmetingen van de virussen worden in het algemeen aangegeven door de diameter te vermelden. Wij zien dan, dat de grote virussen een diameter hebben, die 25 maal zo groot is als die van kleine virussen. Dit betekent, dat zij zich ongeveer verhouden als een olifant tot een duif, m.a.w. hun gewichten lopen zeer ver uiteen. Het gewicht van een groot virus zal ongeveer 15.000 maal zo groot zijn als dat van het kleinste virus.

Pas in de laatste jaren heeft men in het electronenmicroscoop een middel gevonden om meer over de vorm van de virussen te weten te komen. Het ligt voor de hand om — in analogie met de biologische wetenschap — deze vorm als basis voor een systeem van de virussen te nemen. Immers er blijken (zie fig. 5 en 6) grote verschillen in de vormen van de virussen te bestaan.

Nu rijst dus de vraag, of deze virussen, waarvan de afmetingen zo geweldig uiteen lopen, een homogene groep vormen. Hebben zij gemeenschappelijke kenmerken, die hen onderscheiden van andere groepen? Laten wij eerst eens de grens van de veronderstelde virusgroep met de reeds lang bekende organismen (bacteriën, eencellige dieren enz.) bekijken. Is er een scherpe grens tussen de bacteriën en de virussen? Deze grens zou dus — wat de afmetingen van de resp. deeltjes betreft — ergens moeten liggen bij de zichtbaarheidsgrens van het microscoop. Op zich zelf zou het natuurlijk enigszins merkwaardig zijn, dat een natuurlijke groep van organismen (de bacteriën) juist zijn grens zou hebben bij het prestatievermogen van een door mensen geconstrueerd apparaat. Het is natuurlijk niet uitgesloten, dat deze grens lager ligt of dat de grens tussen bacteriën en virussen fictief is. Deze veronderstelde grens zou dan het gevolg zijn van het feit, dat de mens lange tijd niet over de technische hulpmiddelen beschikte om organismen van een afmeting, kleiner dan ongeveer 250 mμ te vinden. Wat het andere kenmerk betreft — virussen passeren bacteriefilters — ook dat is niet zo dwingend, als het op het eerste gezicht lijkt. Deze filtreerbaarheid is natuurlijk afhankelijk van de poriën in het filter. Hoe meer soorten bacteriefilters er gemaakt werden, des te meer variatie ontstond er in de poriënwijdte. Al in 1898 wordt er een organisme gevonden — de verwekker van de pleuropneumonie, een runderziekte — die door bepaalde bacteriefilters te filtreren is en die daarnaast toch microscopisch te vinden is. Het spreekt van zelf, dat hier gewerkt werd met bacteriefilters met wijde poriën. Belangrijk was in dit geval, dat deze ziektekiem in een cultuurvloeistof kunstmatig te kweken was, wat, zoals men weet, bij virussen niet gelukt. Wij zien hier dus, dat het kenmerk van de filtreerbaarheid niet samenvalt met dat van de microscopische onzichtbaarheid. Al met al is het duidelijk, dat de grens virus-bacterie niet zeer scherp is. Velen zullen de verwekker van de pleuropneumonie tot de bacteriën rekenen (omdat deze zich in een voedingsoplossing laat kweken), anderen zullen de ziektekiem tot de virussen rekenen (wegens de afmeting).

Is dus de grens tussen virussen en bacteriën moeilijk te definiëren, in principe bestaat de mogelijkheid, dat bij de kleinste virussen wel een scherpe grens aanwezig is. Tot het jaar 1935 leek het hier wel op, maar in dat jaar publiceerde STANLEY de meest opzienbarende ontdekking op virusgebied. Het gelukte hem om bij zuivering van het virus van de mozaikziekte van de tabak dit virus in kristalvorm te krijgen. Het bleek, dat het virus bestaat uit een gecompliceerd eiwit. Van alle andere stoffen die een gewoon organisme — laten wij zeggen een bacterie — kenmerken, werd geen spoor gevonden. Nu is het de moeite waard om na te gaan of de afmetingen van de virussen anders zijn dan die van de bekende eiwitten. En dan blijkt, dat ook hier geen scherpe grens bestaat; de grootste eiwitmoleculen (haemocyanine, de bloedkleurstof van mollusken) zijn zelfs groter dan de kleinste virussen. Het spreekt van zelf, dat deze vondst tot uitgebreide speculaties over de natuur van de virussen geleid hebben. De vraag rees ogenblikkelijk of deze eiwitdeeltjes van het mozaikvirus nog levend genoemd mochten worden.

Wij zien uit deze beschouwingen, dat de groep der virussen — als deze al als een aparte groep te definiëren is — geen scherpe grenzen heeft. En nu de groep zelf; hebben alle virussen gemeenschappelijke kenmerken? Wanneer wij eerlijk zijn dan moeten wij toegeven, dat de virussen slechts enkele algemene eigenschappen vertonen. De diameter van de virusdeeltjes ligt beneden 250 mμ en zij vermeerderen zich uitsluitend in levende cellen. Zoals U ziet, een pover resultaat, als wij dit eens vergelijken met het grote aantal eigenschappen, waardoor b.v. de zoogdieren zich van de andere gewervelde dieren onderscheiden. Het is dus lang niet uitgesloten, dat de virusgroep zal blijken te bestaan uit verschillende groepen, die niets met elkaar te maken hebben.

Zo valt binnen deze definitie van de virusgroep een organisme of deeltje — de meningen zijn nog verdeeld over het al of niet levend zijn hiervan — dat door D'HERELLE ontdekt is. Hij nam waar, dat bepaalde bacteriën in voedingsoplossingen eensklaps aan een „ziekte" gingen lijden: in vrij korte tijd losten de bacteriën op en verdwenen dus uit de vloeistof. Wanneer hij een dergelijke opgeloste bacteriecultuur door een bacteriefilter zuiverde, dan bleek de gefiltreerde vloeistof in staat te zijn gezonde bacteriën aan te tasten en in korte tijd op te lossen. De verwekker van deze „ziekte" noemde hij „bacteriophaag", in de wandeling kortweg phaag genaamd. Ongetwijfeld hebben deze phagen ietwat andere eigenschappen dan de „gewone" virussen. Dit is dan ook de reden, dat door vele auteurs de phagen als een aparte groep — onafhankelijk van de virussen — opgevat worden. Anderen zijn van mening, dat — gezien het vage karakter van de virusgroep — de phagen een afdeling van deze groep vormen. Voorlopig lijkt de laatste opvatting de beste; het is alleen zeer waarschijnlijk, dat men op den duur zoveel van de ziekteverwekkers met een diameter beneden 250 mμ te weten zal komen, dat men de virus- groep in natuurlijke afdelingen zal kunnen splitsen. Tot nu toe zijn wij nog niet zo ver. Rekent men de phagen tot de virusgroep, dan wordt het virusprobleem er niet eenvoudiger op. Onlangs zijn er phagen geisoleerd, die een diameter van slechts 4 mμ hebben. Dit zou betekenen — wanneer deze experimenten van KALMONSON en BRONFENBRENNER bevestigd worden — dat de onderste grens van de virusgroep verschuift. Deze phagen zijn niet groter dan de eenvoudigste eiwitmoleculen. Het wordt dan heel moeilijk om aan te nemen, dat men met levende organismen te doen heeft. Aan de andere kant krijgt men bij de beschouwing van de nieuwste foto's (plaat I) zeker niet de indruk dat de phagen eenvoudige moleculen zijn. Evenwel is het laatste woord op dit gebied nog lang niet gesproken.

En dan is er nog het grote onopgeloste raadsel van de medische weten- schap: het kankerprobleem. Het is nog niet zo lang geleden, dat er tussen het virusvraagstuk en het kankerprobleem geen verband bestond. Hoogstens veronderstelde men, dat de kankerverwekker wel eens een virus zou kunnen zijn. Deze mening was eigenlijk alleen gebaseerd op het feit, dat men geen microbe kon vinden, die kanker veroorzaakt. Evenwel is en blijft het bezwaar tegen de virustheorie dat kanker alleen over te brengen is op een gezond organisme door het transplanteren van een stukje kankerweefsel in dat organisme. Het lukt niet om de ziekte over te brengen met een celvrij filtraat van ziek weefsel. Hiermee schijnt aan de virustheorie de vaste grond ontnomen te zijn, want de voorwaarde van de hypothese is natuurlijk, dat de verwekker een deeltje is, dat een bacteriefilter kan passeren. Nieuwe steun ontving de theorie weer toen ROUS bij vogels een bepaalde soort gezwellen ontdekte, waarvan de kiem filtreerbaar was. Deze gezwellen vertonen enige overeenkomst met kankergezwellen en het is moeilijk om aan te nemen, dat deze twee soorten gezwellen niets met elkaar te maken hebben. Vooral ook, omdat geen enkele andere kankertheorie volkomen bevredigend was, heeft deze ont- dekking van ROUS een nieuw leven aan de virustheorie van de kanker gegeven. Het ligt dus voor de hand, dat in een boek over het virusprobleem ook aandacht aan het kankervraagstuk gegeven zal moeten worden.

Wij wezen al op de mogelijkheid, dat de virusgroep niet homogeen is, maar bestaat uit onafhankelijke groepen, die naar hun organisatiegraad

P anologon : Een metastase, die uit versleept Ca-weefsel zich heeft vastgezet en dan verderspoeit
Een soort homoiotransplantatie, die dus in vele gevallen kan aanslaan

en hun ontstaan niets met elkaar te maken hebben. De algemene eigenschappen van de virussen zijn te onbepaald om deze mogelijkheid van te voren af te wijzen. Het zou bijvoorbeeld kunnen zijn, dat de kleinere virussen op eiwitten lijken en dus geen organismen zijn, terwijl de grotere virussen aansluiten bij de groep van de bacteriën. Wanneer wij evenwel de afmetingen van alle bekende virussen met elkaar vergelijken en deze virussen in een reeks volgens afnemende grootte plaatsen, dan zullen wij nergens in de reeks een hiaat vinden. Het vinden van een hiaat in deze reeks zou natuurlijk op het aanwezig zijn van twee onafhankelijke groepen kunnen wijzen; dat dit onderzoek negatief uitvalt, zegt voor de beantwoording van het probleem heel weinig.

Vat men de virussen op als op levende cellen parasiterende organismen, dan heeft dit de volgende consequenties. Dierlijke en plantaardige parasieten stammen altijd af van vrij levende organismen. In een bepaalde groep organismen vindt men altijd naast elkaar parasieten en nietparasieten (b.v. in de groep van de wormen: de parasitaire spoelworm naast saprophytisch levende vormen) en het ligt voor de hand om de parasitaire vormen uit de vrij levende organismen af te leiden. Van welke organismen stammen de virussen af? Sommigen menen: uit de groep van de bacteriën. Op een andere mogelijkheid wijzen LAIDLAW en ELFORD, die uit rioolmodder een saprophytisch organisme konden isoleren met een diameter van slechts 200 mμ. Deze organismen, die ook op kunstmatige voedingsbodems te kweken zijn, noemen zij saprophytische virussen. Dit lijkt een slecht gekozen term, aangezien wij het begrip virus liever voor ziekteverwekkers willen reserveren. Belangrijk is natuurlijk, dat er blijkbaar vrij levende organismen bestaan, die wat hun afmetingen betreft in de virusklasse geplaatst zouden kunnen worden. Het ligt voor de hand, dat bij de vraag naar de afstamming van de virussen tegenwoordig veel aan deze kleine vrij levende organismen als stamvaders gedacht wordt.

Op de vraag of de virussen een homogene groep vormen zijn wij na de voorgaande beschouwingen geneigd een negatief antwoord te geven. De grenzen van de groep zijn naar beide kanten vaag en in de groep bevinden zich eenheden met nogal uiteenlopende eigenschappen. Het antwoord is natuurlijk — gezien de grote lacunes in onze kennis van de virussen — voorbarig. Er zal nog veel studie nodig zijn om hier tot een definitieve beslissing te komen.

4. *Inleiding tot de problemen*

Wie het machteloze gevoel kent van de arts, die aan het ziekbed van een stervende patiënt zit; wie de stemming aanvoelt van de plantkundige die — staande aan de rand van een aardappelveld — tegen de boer moet zeggen: ,,Het is beter, dat je ze maar meteen opruimt", die beseft, welke problemen de virusziekten met zich meebrengen. En dan spreken wij nog niet eens over degene, die een dierbaar leven ziet te gronde gaan aan een ziekte, waarvan de verwekker niet eens gezien kan worden en die niet bestreden kan worden of over de landbouwer, die misschien een groot deel van zijn kapitaal in één middag hoort veroordelen. Ongetwijfeld zullen vele leken de oppervlakkige indruk hebben, dat de medische weten-schap slechts langzaam vooruitkomt. Wie uit ervaring weet hoeveel energie er nodig is om een bepaald probleem een klein beetje verder te te brengen en hoeveel teleurstellingen en tegenslagen daarbij blijmoedig gedragen moeten worden, die staat verbaasd over de vooruitgang van onze kennis over de virussen in de laatste jaren. Natuurlijk staat ons weten over de virussen nog in de kinderschoenen, maar het lijkt op dit tijdstip toch niet onmogelijk om een verslag te geven over datgene, wat op dit gebied reeds bereikt is en over de talrijke problemen, die nog voor ons liggen.

Allereerst de praktische problemen. De grote moeilijkheid bij het virus-onderzoek is natuurlijk de onzichtbaarheid van het deeltje. Dit brengt met zich mee, dat het virus in een gewoon laboratorium niet afdoende bestudeerd kan worden, want de studie eist zeer bijzondere en kostbare apparaten. Het virusonderzoek moet dus in het algemeen geconcentreerd worden in zeer goed uitgeruste laboratoria. Dikwijls wordt dit soort onderzoek uit zuiver wetenschappelijke belangstelling aangepakt. Dat wil zeggen, dat de studie soms in het geheel niet poogt om een praktische vraag op het gebied van de virusziekten te beantwoorden. Toch werpt een dergelijk zuiver wetenschappelijk onderzoek bijna altijd na kortere of langere tijd zijn vruchten af voor de oplossing van praktische pro-blemen. Zo is het theoretisch zeer belangrijke onderzoek van STANLEY over de zuivering en de kristallisatie van tabaksmozaikvirus voor de landbouwwetenschap een grote stap vooruit geweest. Wanneer dan ook in dit boek het wetenschappelijke onderzoek gescheiden behandeld wordt van de praktische problemen waarvoor de medische wetenschap en de landbouwkunde staan, dan betekent dit vanzelfsprekend niet, dat de laatste twee geen wetenschappelijk onderzoek zouden verrichten. Alleen heeft het eerste een iets meer theoretisch karakter; bij de laatste twee valt de nadruk op de praktische kanten van het vraagstuk. Een scherpe scheiding is natuurlijk niet mogelijk en ook niet gewenst.

Wij hebben gezien, hoe belangrijk de afmetingen van de virussen zijn; zij worden immers door hun geringe afmetingen gekenmerkt. Vandaar dat onze aandacht het eerst zal vallen op de methoden om de afmeting en de vorm van de virussen te bepalen. Hiervoor worden de modernste methoden van de biochemie gebruikt en men staat vaak over de grote scherpzinnigheid van de onderzoekers verbaasd. Het is waarlijk geen geringe opgave om een deeltje te meten dat een diameter van enkele millioenste delen van een millimeter heeft!

Een tweede probleem, waarvoor iedere virusonderzoeker staat, is: hoe toon ik een bepaald virus aan? De oplossing van deze vraag heeft grote praktische betekenis. Het wordt dan mogelijk om de weg, die een virus in een organisme aflegt, te bepalen. Waardoor is bijvoorbeeld de door PASTEUR gevonden inenting tegen hondsdolheid mogelijk? Deze inenting berust op het feit, dat de voornaamste plaats, waar het virus zijn vernietigende werk doet — het centrale zenuwstelsel — met steeds grotere hoeveelheden verzwakt virus immuun gemaakt wordt. Hiervoor is natuurlijk een vrij lange tijd nodig. Dat deze inenting lukt, is nu te danken aan het feit dat het virus zich heel langzaam naar de hersenen toe beweegt. De weg die het virus naar de hersenen toe neemt ligt vermoedelijk in de zenuwbanen en de tijd die het virus nodig heeft (dikwijls twee of drie weken) is meestal langer dan de tijd die de arts nodig heeft om de hersenen tegen het virus immuun te maken.

Het kweken van virussen is tot nu toe in een levenloos milieu niet gelukt. Het grote gemak, dat de bacterioloog van het kweken van bacteriën op kunstmatige voedingsbodems heeft, rechtvaardigt alle pogingen om ook de virussen in dit opzicht te temmen. Voor de bestrijding van de virusziekten zou een positieve vondst op dit gebied een onmetelijke stap in de goede richting betekenen. Een stap — zij het een kleinere — in de goede richting is al gedaan. Het is mogelijk om de virussen te bestuderen in weefselcellen, die in kunstmatig milieu — dus buiten het organisme — gekweekt worden. Dit geeft weer een nieuw aanknopingspunt aan de vraag waar de virussen zich in het algemeen vermeerderen.

Bij bacteriën treden dikwijls veranderingen in het infectievermogen en in het ziekteverwekkende vermogen op. Ook bij de virussen is dit een bekend verschijnsel; wij denken hier natuurlijk aan de ,,koepokinenting'', dus de enting met een virus dat door passage in een ander organisme veranderd en wel verzwakt is. Deze veranderingen in de eigenschappen van de virussen zijn van grote praktische betekenis. Alleen vragen wij ons af: kan een virus ook de voor ons verkeerde kant op veranderen? Ook deze veranderingen blijken voor te komen; een feit waarmee bij het immuun maken van organismen terdege rekening gehouden moet worden.

Dan zal men — als men tenminste een virus zuiver in handen kan krijgen — de invloed van allerlei verbindingen op dat virus bepalen. Dit alles natuurlijk om tot een chemische bestrijding van het virus in kwestie te komen. Men zoekt dan naar een stof, die het virus inactiveert in concentraties, die voor het organisme niet schadelijk zijn. Met deze pogingen heeft men tot dusver praktisch geen resultaat gehad. De reden ligt voor de hand: het virus vermeerdert zich in de levende cel en zal daardoor beschermd worden tegen invloeden van buiten.

De problemen, waarvoor de arts en de landbouwkundige in de praktijk staan, zijn van enigszins andere aard, of liever, hun mogelijkheden zijn zeer beperkt, zodat de meeste problemen methodisch nog onoplosbaar zijn. Door hun verschillende objecten (de mens, respectievelijk de cultuurplant) staan hun methoden zo ver van elkaar af, dat een gescheiden bespreking de aangewezen weg is.

De arts kan praktisch nooit een experiment doen (behalve natuurlijk in een medisch laboratorium) en hij moet dus uit de waargenomen ziekteverschijnselen zijn diagnose opbouwen. Heeft hij te doen met een bekende ziekte, dan neemt hij de nodige maatregelen ter genezing van de patiënt en om te voorkomen, dat de ziekte zich over de familie en de omgeving van de patiënt verspreidt. Praktisch is er voor hem weinig verschil tussen een bacterieziekte en een virusziekte. Hem interesseert natuurlijk vooral de vraag hoe het virus overgebracht wordt, of de ziekte voor de patiënt gevaarlijk is en welke maatregelen hij moet nemen. Dit zijn precies dezelfde vragen die voor een bacterieziekte belangrijk zijn. En de beantwoording van de vragen is al net zo gevarieerd als bij de bacterieziekten.

Het medische laboratorium is in staat om vele van de praktische vragen van de arts nader te bestuderen, omdat het wel experimenten over de virusziekten kan verrichten. Vele dieren hebben hun leven moeten geven voor het goede doel om de mensheid te bevrijden van de haar belagende ziekten. Elke nieuwe beschermingsmaatregel tegen een bepaalde ziekte wordt eerst afdoende met laboratoriumdieren bevestigd. Daarna komt pas het grote experiment, de toepassing bij de mens. Ook het zoeken naar de verwekkers van reeds lang bekende, maar niet te bestrijden ziekten kan eigenlijk alleen in het laboratorium plaats hebben.

De plantkundige is in sommige opzichten beter af dan de arts. Hij stelt zijn diagnose naar de aard en de kleur van de vlekken of naar de vergroeiingen of andere abnormaliteiten die zijn planten vertonen. Het is alleen maar onaangenaam, dat vele van die symptomen zo veel op elkaar lijken. Maar hij heeft — tenminste in enkele gevallen — een methode om een virus nader te bepalen. Hij kan met het sap van een zieke plant een gezonde plant inwrijven en zo de ziekte overbrengen. Er zijn bepaalde planten, die zeer verschillend reageren op verschillende virussen, zodat in zo'n geval een determinatie van een onbekend virus mogelijk is. Ook bij de planten vinden wij virussen, die erg kwaadaardig zijn en andere, die mildere verschijnselen vertonen. Herstel van planten die eenmaal aangetast zijn treedt heel weinig op, zodat het oordeel van de plantkundige, bij een positieve virusvondst, meestal zal luiden, dat de planten vernietigd moeten worden.

De landbouwwetenschap staat in zoverre bij de medische wetenschap achter, dat de virusziekten bij cultuurplanten niet genezen kunnen worden en dat voorbehoedende maatregelen — zoals het immuun maken van de mens — nauwelijks bekend zijn. Het belangrijkste wat zij voorlopig kan doen is het verwijderen van zieke exemplaren uit een veld, waardoor het aantal besmettingshaarden vermindert. Daarom is het belangrijkste werk van de plantkundige het herkennen van zieke planten. Hierbij moeten verschillende praktische problemen overwonnen worden.

De hiervoor besproken praktische problemen zijn voor het bepalen van het begrip virus heel belangrijk. Toch zijn zij voor de meeste mensen niet zo interessant als de gevolgtrekkingen, die uit verschillende ontdekkingen op het gebied van de virussen getrokken moeten worden. Deze theoretische problemen hebben daarom zoveel aandacht, omdat de ontdekking van enkele eigenschappen van de virussen aanleiding is geweest om het begrip leven aan een nader onderzoek te onderwerpen.

Het belangrijkste tijdstip in het virusonderzoek is 1935. STANLEY bewijst in dat jaar, dat het virus van de mozaikziekte van de tabak een gecompliceerd eiwit is, dat in kristal-vorm af te scheiden is. Tot aan dat jaar is men het in het algemeen over de natuur van de virussen eens. De door de virussen veroorzaakte ziekten onderscheiden zich praktisch niet van de bacterieziekten. Er was dus geen principieel bezwaar tegen, om de virussen als kleine organismen te zien. De filtreerbaarheid van de virussen was wel wat moeilijk met het idee van een levend organisme te verenigen, meenden sommigen. Evenwel heeft de conceptie van

BEIJERINCK — het *contagium vivum fluidum* — niet veel weerklank gevonden.

Dan komt STANLEY met zijn opvatting, dat het virus een levenloos eiwit is. Dit idee is voor velen volkomen onaanvaardbaar, voornamelijk omdat zij zich niet voor kunnen stellen, dat een levenloos eiwit net als een bacterie een plant of dier ziek kan maken en zich kan vermeerderen ten koste van dit zieke organisme. Op alle mogelijke manieren probeert men dan de betekenis van de vondst van STANLEY te verkleinen. Maar de feiten blijven spreken. Zowel naar de afmetingen, als naar de hoedanig-heden vormen de virussen een aaneengesloten reeks tussen de bacteriën en de levenloze eiwitten. Voor ieder, die over de zin van het leven probeert na te denken ligt hier een ontzaggelijk probleem. Is er een scherpe grens tussen leven en niet-leven? Wanneer deze vraag bevestigend beantwoord wordt — en velen menen dit antwoord te moeten geven — dan volgt direct de vraag: waar ligt de grens tussen leven en niet-leven? Eerlijkheids-halve moeten wij zeggen, dat degenen die de eerste vraag bevestigend beantwoorden, dit meestal doen, omdat hun levens- en wereldbeschouwing geen ander antwoord toelaat. Zij moeten evenwel beseffen, dat op hen de taak rust nu de tweede vraag te beantwoorden. Hoe moeilijk dit is blijkt wel uit de verschillende antwoorden, die gegeven zijn. Theoretisch zijn er op deze vraag drie oplossingen te bedenken en alle drie deze oplossingen worden hardnekkig verdedigd. Er zijn auteurs, die zeggen, dat alle virussen levend zijn en dit met tal van natuurwetenschappelijke argu-menten en experimenten bewijzen. Voor hen blijft altijd de moeilijkheid die STANLEY aangesneden heeft — het virus van de mozaikziekte van de tabak is een eiwit en het is dus, vergeleken met een bacterie, zeer een-voudig gebouwd. Andere schrijvers geven de tegenovergestelde mening: alle virussen zijn levenloze eiwitten. Ook deze stelling wordt met even fraaie argumenten en experimenten verdedigd. Voor hen is de vermeer-dering van die levenloze eiwitten het grote struikelblok. Tenslotte zoekt een derde groep schrijvers een middenweg, door de grens dwars door de virusgroep te leggen. Oppervlakkig gezien lijkt dit een veelbelovende poging, maar ook hier zijn grote moeilijkheden te overwinnen. Een werke-lijk scherpe grens is in de virusgroep eigenlijk niet te vinden.

Onder de invloed van deze pogingen gaat men zich afvragen, wat het leven nu eigenlijk is. Om van een virus te kunnen zeggen of het leeft of niet, moet men de natuurwetenschappelijke definitie van het leven vast leggen. Poogt men dit te doen, dan ziet men al gauw in, dat een dergelijke definitie niet te geven is! Het begrip leven is geen natuurwetenschappelijk begrip en het is dus zinloos om zich af te vragen of een virus al dan niet leeft. Speculaties en hypothesen op dit gebied zijn gedoemd om onvruchtbaar te zijn. Het is dus het beste om zich aan de bestudering van de virussen te houden en de vraag of de virussen levend zijn of niet te negeren.

Het lijkt niet waarschijnlijk, dat deze extreme richting het pleit zal winnen. Wij geven direct toe, dat het leven niet te definiëren is, maar daarmee is het probleem leven niet verdwenen. Iedereen voelt ogenblikkelijk aan, dat er een verschil is tussen een paard en een kristal van keukenzout. De negatie van het begrip leven is dan ook een slechte oplossing van het probleem en dit antwoord kunnen wij niet aanvaarden. Ook de pogingen om een scherpe grens tussen de begrippen leven en nietleven aan te brengen kunnen wij als niet geslaagd kenmerken. Er blijft ons slechts één mogelijkheid over. Wij moeten aannemen dat zich tussen het leven en het levenloze een grensgebied bevindt, het gebied van ,,'s levens nevels'' zoals KLUYVER het zo treffend typeert. In dit gebied bevinden zich de virussen, waarvan ieder naar eigen smaak kan zeggen of zij levend zijn of niet. Van elk virus kan men nagaan, in hoeverre het op een organisme lijkt en in hoeverre het daarnaast eigenschappen heeft, die in een andere richting wijzen. Zo zal men — naar onze smaak — van het pokkenvirus en van het mozaikvirus van de tabak niet kunnen zeggen of zij levend zijn. Wel kan men zeggen, dat het pokkenvirus op een hogere organisatietrap staat dan het mozaikvirus. Het eerste lijkt in zijn chemische samenstelling en in andere eigenschappen meer op de bacteriën dan het tweede; dus het pokkenvirus is meer levend en minder levenloos dan het mozaikvirus. Het heeft geen zin om nu te zeggen, dat het eerste levend en het tweede levenloos is.

Dit vervagen van de grenzen tussen het levende en het levenloze zal voor velen moeilijk aanvaardbaar zijn. Evenwel lijkt het de schrijver, dat de ontdekking en bestudering van de virussen onvermijdelijk tot deze conclusie leidt. In de laatste vier hoofdstukken van dit boek is een poging gedaan, om de voornaamste oplossingen van het virusprobleem weer te geven. Daarbij is getracht de voornaamste argumenten van elke theorie zo goed mogelijk te laten spreken. Het is natuurlijk onvermijdelijk, dat de mening van de schrijver bij de behandeling van de theorieën, waar hij het niet mee eens is, van invloed is. Het is gemakkelijker om zijn eigen mening, dan om een tegengestelde mening te verdedigen. Hopelijk zijn de meningen van anderen met voldoende objectiviteit weergegeven!

LITERATUUR

BAWDEN, F. C. Plant viruses and virus diseases. Leiden 1939.

DOERR, R. Die Entwicklung der Virusforschung und ihre Problematik. In DOERR und HALLAUER: Handbuch der Virusforschung I, 1—125, 1938.

DOERR, R. Die Natur der Virusarten. In DOERR und HALLAUER: Handbuch der Virusforschung Erg. Band I, 1—87, 1944.

DOERR, R. General characteristics of viruses, including bacteriophage. Proc. 2 nd Int. Congr. Microbiol. London 68—70, 1936.

FLU, P. C. Het ultravirus als ziekteoorzaak, zijn eigenschappen en een critisch overzicht van de opvattingen omtrent zijn aard. Ned. Tijdschr. v. Geneesk. *84*, 3198—3211, 1940.

JANSSEN, L. W. Inleiding tot het virusprobleem met mond- en klauwzeer als voorbeeld. Chem. Weekbl. *36*, 684—688, 1939.

KLUYVER, A. J. 's Levens nevels. Handel. 26e Ned. Natuur-Geneesk. Congr 82—106, 1937.

LOGHEM, J. J. VAN. Het raadsel der vira. Ned. Tijdschr. v. Geneesk. *88*, 284—286, 1944.

LYNEN, F. Das Virusproblem. Angew. Chemie *51*, 181—185, 1938.

SCHWALB, H. Abriss über den derzeitigen Stand der Virusforschung. Der Züchter *14*, 167—175, 1942.

STANLEY, W. M. Properties of viruses. Proc. 3 d Int. Congr. Microbiol. N.Y. 43—53, 1939.

HOOFDSTUK II

HET WETENSCHAPPELIJKE VIRUSONDERZOEK

1. *Het meten van een virus*

Wie de schitterende moderne microscopen vergelijkt met de eenvoudige glaasjes van LEEUWENHOEK zou in de verleiding komen om te veronderstellen dat er aan de mogelijkheden van de moderne optische techniek geen grenzen gesteld zijn. Evenwel — ABBE wees er in de vorige eeuw op— is er aan de mogelijkheden van een microscoop een bepaalde grens gesteld en wel een grens die ligt in de aard van het gebruikte licht. Het zogenaamde oplossende vermogen van een microscoop (d.i. de kleinste afstand waarbij twee punten nog afzonderlijk waargenomen kunnen worden, dus met andere woorden de diameter van het kleinste deeltje dat nog als deeltje gezien kan worden) kan in het beste geval ongeveer zo groot zijn als de helft van de golflengte van het gebruikte licht. Dit betekent dat wij onder de meest gunstige omstandigheden met een gewoon microscoop nog deeltjes kunnen zien met een diameter van 200 tot 250 mμ. Beneden die grens zullen de deeltjes als puntjes zichtbaar zijn en zijn de deeltjes veel kleiner dan kunnen wij hen in het geheel niet zien. De zichtbaarheid van een deeltje hangt natuurlijk ook af van het verschil in brekingsindex tussen het deeltje en het milieu waarin het deeltje zich bevindt. De zichtbaarheid van een druppel olie in water berust op dit verschil in brekingsindex; hoe kleiner het verschil, hoe moeilijker het object te zien is. Biologische objecten hebben meestal een groot watergehalte, m.a.w. hun brekingsindex ligt dikwijls in de buurt van die van water. Vandaar dat deze objecten moeilijk zichtbaar zijn en dat de bioloog veel naar een ander middel grijpt om zijn objecten zichtbaar te maken: hij kleurt hen met de een of andere kleurstof. Het liefste gebruikt hij dan kleurstoffen die een zekere affiniteit voor bepaalde cellen of weefsels hebben, zodat hij in zijn preparaat die cellen of weefsels aan de kleur herkennen kan. Ook de bacterioloog heeft naar dit wapen gegrepen om zijn dikwijls heel moeilijk te vinden bacteriën op te sporen. Het spreekt wel vanzelf dat de methode ook in het virusonderzoek ingevoerd is. De buitengewoon moeilijk zichtbare virussen worden door een geschikte kleuring iets beter te bestuderen. Maar het ligt in de aard van de afmetingen van de virussen dat de waarde van deze methode beperkt is. Hoe fraai een deeltje ook gekleurd is, de grens van de mogelijkheden van het microscoop verschuift er niet door. Alleen de allergrootste virussen zijn op deze manier te vinden. De moeilijkheid van de methode ligt hierin dat men een kleurstof moet vinden die alleen het virus en niet de weefselelementen van het zieke organisme kleurt. Er zijn dan ook slechts enkele kleurstoffen die voor dit doel te gebruiken zijn. PASCHEN vond met een specifieke kleuringsmethode de zogenaamde lichaampjes van PASCHEN bij patiënten die aan pokken leden. Het zijn zeer kleine, miscroscopisch nauwelijks zichtbare deeltjes, waarvan hij vermoedde dat het de ziekteverwekkers waren. Anderen bestreden deze opvatting en zagen in de deeltjes een reactieproduct van de zieke cel. Tegenwoordig neemt men algemeen aan dat de lichaampjes inderdaad als de virusdeeltjes te beschouwen zijn.

Het zoeken naar zeer selectieve kleurstoffen leverde niet veel resultaat op. Het meeste wordt gewerkt met de kleurstof Victoriablauw, die HERZBERG in het onderzoek betrok. Hij heeft vele virussen met behulp van deze kleurstof onderzocht en interessante zaken gevonden. Vooral de vermeerdering van de virussen heeft zijn aandacht en hij meent bij het pokkenvirus vele malen delingsstadia van de deeltjes gezien te hebben. Uit een en ander trekt hij de conclusie, dat deze virussen als organismen te beschouwen zijn.

Omdat de gewone kleuringen betrekkelijk weinig resultaat opleveren, heeft men de virussen ook volgens een heel bijzondere methode gekleurd. Er zijn kleurstoffen, die in gewoon daglicht geen kleur hebben, maar die, wanneer zij bestraald worden met het voor ons onzichtbare ultraviolette licht een zichtbaar licht — b.v. groen licht — gaan uitstralen. Dit verschijnsel noemt men fluorescentie. Men ,,kleurt" dan de virussen met een fluorescentiekleurstof (hiervan is dan in daglicht niets te zien) en bekijkt ze met ultraviolet licht. Het microscoop moet dan van een belichtingsinstallatie van kwarts voorzien zijn omdat dit — in tegenstelling met gewoon glas — de ultraviolette stralen doorlaat. Maar ook hier geldt weer, dat de grens van de zichtbaarheid van de deeltjes niet verlaagd wordt, want wij zien het deeltje ten slotte alleen door het zichtbare licht, dat het uitstraalt, dus de golflengte daarvan bepaalt de zichtbaarheid.

Op een principieel andere basis staat de methode van de fotografie met ultraviolet licht. De zichtbaarheid van deeltjes onder het microscoop hangt af van de golflengte van het gebruikte licht. Nemen wij nu licht met een kleine golflengte (ultraviolet licht) dan zullen wij dus kleinere deeltjes kunnen ,,zien" dan met gewoon licht. Het grote bezwaar is natuurlijk, dat het ultraviolette licht voor onze ogen onzichtbaar is en dat dus de deeltjes op andere wijze waargenomen moeten worden. Wij kunnen de deeltjes wel fotograferen, want fotografische platen en films zijn zeer gevoelig voor ultraviolet licht. Doordat de camera, waarmee de foto's gemaakt worden, niet ingesteld kan worden op de deeltjes (want die zijn immers voor ons oog in het gebruikte ultraviolette licht onzichtbaar) moeten er altijd een hele serie opnamen gemaakt worden, waarvan er maar enkele bruikbaar zijn. Verder eist deze methode zeer speciale apparaten — een lichtbron voor ultraviolet licht, een microscoop waarbij de lenzen voor ultraviolet licht doorlaatbaar zijn enz. enz. Het zal iedereen duidelijk zijn, dat de methode buitengewoon moeilijk en dus slechts op een paar plaatsen ter wereld in gebruik is. Daarbij komt, dat de fotografie met behulp van ultraviolet licht ons niet eens zo veel verder brengt dan de observatie van virussen met gewoon licht. De grens van de deeltjesgrootte, die met ultraviolet licht nog juist te onderscheiden

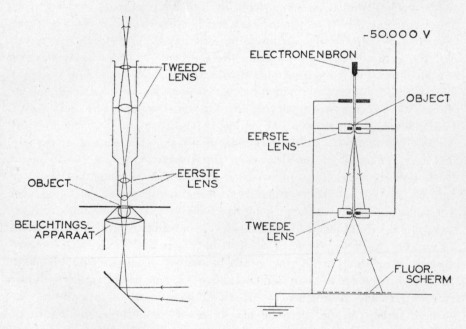

FIGUUR 1

Een vergelijking tussen een gewoon microscoop (links) en een electronenmicroscoop (naar DORGELO). De principiële overeenkomst is duidelijk: van het object dat zich vlak voor de eerste lens bevindt wordt een beeld gevormd dat door de tweede lens vergroot wordt. Maar het electronenmicroscoop werkt met snelle electronen als ,,lichtstralen'', met electrische of magnetische in plaats van glazen lenzen, terwijl het beeld gefotografeerd wordt (voordat men de foto maakt kan men het beeld bekijken op een fluorescerend scherm).

is, ligt ongeveer bij 100 mμ. Dit is plus minus tweemaal zo laag als de grens bij het gebruik van daglicht. Ook met deze methode kunnen dus alleen maar de grotere virussen bestudeerd worden.

De nieuwere natuurkunde heeft ons vertrouwd gemaakt met het idee dat electronen niet alleen opgevat kunnen worden als zeer kleine geladen deeltjes, maar ook als discrete groepen golven. Uitgaande van dit idee werd een microscoop geconstrueerd, waarbij als ,,licht" een straal electronen gebruikt wordt. De golflengte is zeer klein, zodat in principe alle virussen gefotografeerd kunnen worden. Een dergelijk microscoop ziet er heel anders uit dan een gewoon microscoop. In een gewoon microscoop worden de lichtstralen in lenzen gebroken. In het electronenmicroscoop wordt de functie van de lenzen overgenomen door electrische of magnetische velden, waarin de electronen uit hun baan gebogen worden. Een groot bezwaar van de methode is het geringe doordringingsvermogen van de electronen. Het preparaat moet dan ook in droge toestand op een dun collodiumvliesje ,,bekeken" worden. De electronen worden geleverd door een gloeidraad en zij krijgen hun grote snelheid doordat in het apparaat een spanning van 50.000 Volt of hoger heerst. Zij vallen op het object en worden daarna door electrische of magnetische lenzen ,,gebroken". In lucht wordt de snelheid van de electronen zeer geremd, vandaar dat in het apparaat een vacuum aanwezig moet zijn. Daarom moet het object van te voren gedroogd worden, om daarna via vacuumsluizen in het microscoop gebracht te worden. Van de bestudering van levende organismen is dus geen sprake. Het electronenmicroscoop is nog zeer jong maar heeft ondanks zijn jeugdige leeftijd al fraaie resultaten opgeleverd. O.a. zijn mooie foto's gemaakt van het mozaikvirus van de tabak en van vele andere virussen. Dat de afmetingen van de virussen — wanneer de vergroting van het apparaat bekend is — uit de foto's bepaald kan worden spreekt wel van zelf. Ook deze — eveneens voor andere takken van wetenschap belangrijke — methode eist kostbare apparaten. De veelzijdigheid van de methode zal evenwel — in tegenstelling tot de fotografie met ultraviolet licht — maken, dat deze apparaten op vele plaatsen opgesteld zullen worden (ook in Delft bevindt zich een opstelling voor het maken van opnamen met electronen).

Stel U voor, dat wij een mengsel van grint, zand en klei hebben en dat wij willen weten hoe groot de verschillende bestanddelen ongeveer zijn. Op de lagere school leerden wij reeds hoe wij dat kunnen bereiken: wij zeven het mengsel door een serie zeven met verschillende maaswijdten. Eerst een grove zeef die het grint tegenhoudt, zodat wij een mengsel van zand en klei overhouden. Dan nemen wij een fijne zeef, waarop het zand blijft liggen, maar waarbij de kleinere kleideeltjes ongehinderd passeren. Zie fig. 2. Wanneer wij nu precies willen weten hoe groot de zandkorrels zijn, dan nemen wij zeven met verschillende bekende maaswijdten en proberen welke zeef nog juist het zand doorlaat en welke zeef het zand nog juist tegenhoudt. De afmeting van de zandkorrels (voor het gemak veronderstellen wij natuurlijk dat alle zandkorrels even groot zijn) ligt dan tussen de twee maaswijdten van deze zeven in.

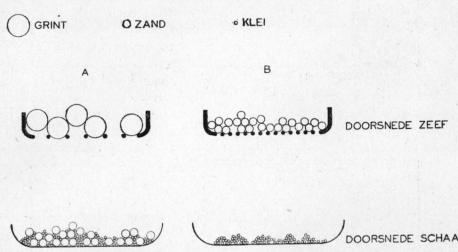

FIGUUR 2

Een mengsel van grint, zand en klei kan met behulp van zeven in de drie componenten gescheiden worden. Vervang in deze figuur de woorden grint door cel, zand door virus en klei door eiwit en de figuur geeft een beeld van de zuivering van een virus door middel van filters.

Op dezelfde manier, maar dan natuurlijk met veel fijnere zeven of filters, bepalen wij de diameter van virussen. Wanneer wij uitgaan van een ongezuiverde virusoplossing, dan moeten wij eerst de grovere deeltjes (bacteriën, cellen van het zieke organisme en dergelijke) verwijderen. Dit gebeurt met een bacteriefilter, waardoor zoals wij gezien hebben het virus passeert. Wanneer wij in fig. 2 het woord grint door bacterie of cel, zand door virus en klei door kleine eiwitmoleculen (afkomstig uit het zieke organisme) vervangen, dan demonstreert fig. 2A dit proces. Nemen wij na deze zuivering een filter dat het virus tegenhoudt maar kleinere eiwitmoleculen laat passeren, dan krijgen wij het virus vrij zuiver op het filter (zie fig. 2B). Willen wij de diameter van dit virus meten, dan moeten wij over filters met poriën van bekende diameter beschikken. Wij bepalen dan weer welk filter het virus nog net tegenhoudt en welk filter nog juist gepasseerd wordt. De diameter van het virus ligt tussen deze twee waarden in (zie fig. 3). De filters die voor dit werk nodig zijn worden op

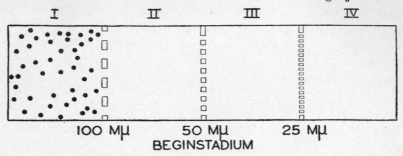

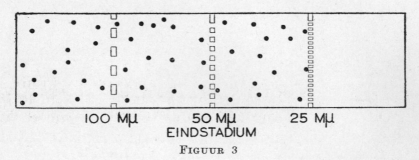

FIGUUR 3

Schematische voorstelling van het meten van de grootte van een virus met behulp van filters met verschillende poriën. Wij beginnen met het virus in compartiment I te brengen. De deeltjes verspreiden zich dan volgens de wetten van het toeval over de compartimenten, wanneer de gaten in het filter ten minste groot genoeg zijn om het virus te laten passeren. In dit geval wordt na het beëindigen van de proef geen virus in compartiment IV gevonden, m.a.w. het virus is groter dan 25 mμ.

pijnlijk zorgvuldige wijze gemaakt uit bepaalde soorten collodium. Het spreekt van zelf, dat de poriën zo gelijkmatig mogelijk moeten zijn. EL-FORD heeft deze techniek tot een grote nauwkeurigheid opgevoerd. Hij bepaalt de gemiddelde poriënwijdte door de stroming van water door de filters te meten. Hoe groter de stromingssnelheid, des te groter zijn de poriën in het filter. Om deze methode te kunnen toepassen moet men

in staat zijn om de hoeveelheid virus in een bepaald compartiment te
meten (de opstelling zoals fig. 3 die laat zien is schematisch; meestal
gebruikt men voor elk filter een nieuw apparaat). Over het meten van
de hoeveelheid virus vindt men meer in een volgende paragraaf; de opgave wordt natuurlijk door de onzichtbaarheid van de virussen bemoeilijkt.

Op de lagere school demonstreerde de meester ons nog een andere
manier om een mengsel van grint, zand en klei te scheiden. Hij schudde
het mengsel in een cylinderglas met water en zette dit op het raamkozijn

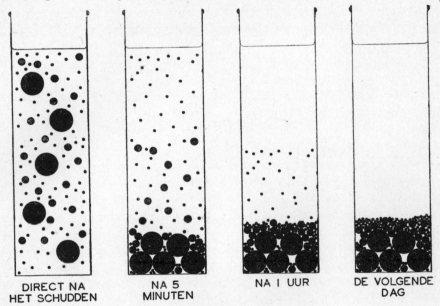

DIRECT NA   NA 5   NA I UUR   DE VOLGENDE
HET SCHUDDEN   MINUTEN   DAG

FIGUUR 4

Sedimentatie van een mengsel van grint, zand en klei in water. Wordt op
een virusdeeltje, dat normaliter in oplossing blijft, een zeer sterke kracht
uitgeoefend (ultracentrifuge) dan zal het ook sedimenteren en de sedimentatiesnelheid is een maat voor de grootte van het virus.

Na 5 minuten zagen wij, dat het grint op de bodem lag, na een uur was
het zand bezonken en de volgende dag lag ten slotte de klei op de bodem
(fig. 4). De sedimentatiesnelheid van een bepaald deeltje is afhankelijk
van de straal en het soortelijke gewicht van het deeltje en natuurlijk
van de grootte van de kracht die op het deeltje werkt (in ons geval is
dat de zwaartekracht). Hoe kunnen wij een grote kracht op het deeltje
uitoefenen? Door het geheel in een centrifuge te brengen en deze snel
rond te draaien. De kracht die nu op het deeltje wordt uitgeoefend is

evenredig aan de tweede macht van het aantal omwentelingen dat de centrifuge per minuut maakt. Tot voor kort kon men met de laboratorium-centrifuges wel deeltjes van de grootte van bacteriën neerslaan, maar met virusdeeltjes was dit onmogelijk. SVEDBERG heeft enige jaren geleden, in zijn laboratorium in Upsala, centrifuges geconstrueerd die een geweldig toerental hebben (z.g. ultracentrifuges). Hiermee kunnen krachten op de te centrifugeren deeltjes uitgeoefend worden die 1.000.000 maal zo groot zijn als de zwaartekracht. Een dergelijke centrifuge maakt 160.000 omwentelingen per minuut! Welke buitengewone eisen aan het materiaal van de ultracentrifuges gesteld worden blijkt wel uit het feit dat een plaat lood in een krachtenveld van 100.000 maal de zwaartekracht in enkele minuten dun uitgesmeerd wordt. Zelfs de beste staalsoorten zijn op den duur niet tegen deze enorme krachten bestand. Het gevaar voor „explosie" van de draaiende delen van de centrifuge is niet gering, zodat het apparaat in een aparte kamer met wanden van gewapend beton opgesteld moet worden.

Met deze ultracentrifuge nu kunnen wij de diameter van virussen bepalen, want virusdeeltjes worden onder invloed van deze grote krachten wel neergeslagen. De sedimentatiesnelheid van de deeltjes is — zoals wij weten — o.a. afhankelijk van de straal van de deeltjes, dus als wij de sedimentatiesnelheid kunnen meten dan kan daaruit de afmeting van het virus bepaald worden. De sedimentatiesnelheid bepalen wij het gemakkelijkst door de verschuiving van de bovengrens van de deeltjes in de loop van de tijd na te gaan (zie b.v. in fig. 4 het verschil tussen de toestanden 1 en 3. De bovengrens van de kleideeltjes blijft zeer scherp tijdens de sedimentatie). Op de techniek van de fotografie van de bovengrens van de virusdeeltjes kunnen wij niet nader ingaan. Alleen nog dit: wij kunnen natuurlijk de centrifuge niet stilzetten om een opname te maken en dus moet de foto gemaakt worden in de draaiende centrifuge. Dat dit grote technische moeilijkheden oplevert, spreekt wel vanzelf.

De oorspronkelijke — zeer kostbare — ultracentrifuge van SVEDBERG wordt aangedreven door middel van olieturbines. Het draaiende deel (de rotor) is vervaardigd van chroomnikkelstaal. Later werden er veel goedkopere ultracentrifuges geconstrueerd die door samengeperste lucht voortbewogen worden. De rotor is daarbij gemaakt van duraluminium, een materiaal dat door zijn grote trekvastheid en zijn lage soortelijke gewicht met succes het staal vervangen heeft. Een ander voordeel is, dat de rotor niet in lagers loopt maar als een draaiende tol op een luchtkussen ligt. De fotografie van de verschuivende sedimentatiegrens geschiedt door de as van het apparaat.

Vooral de studie van de voor gewone chemische methoden zo weinig toegankelijke eiwitten is door deze nieuwe methode zeer bevorderd. Opmerkelijk is, dat het moleculairgewicht van de meeste eiwitten een veelvoud is van 17.000. Dit wijst er op, dat er in de natuur veel minder eiwitten voorkomen dan men theoretisch uit het aantal animozuren zou afleiden en het zou kunnen zijn, dat alle eiwitten volgens een zeer bepaald schema gebouwd zijn. Hoewel bijvoorbeeld de rode bloedkleurstof (haemoglobine) van alle gewervelde dieren enigszins verschillend is, vinden wij voor het moleculairgewicht steeds 68.000 (waarbij een molecuul haemoglobine altijd 4 atomen ijzer bevat). De enige uitzondering hierop vormt het haemoglobine van sommige prikken, waarbij het moleculairgewicht slechts 17.000 bedraagt (en dit vier maal zo kleine molecuul bevat ook maar één atoom ijzer). Ondanks de grote verschillen in de chemische eigenschappen vermoeden wij dus een principiële overeenkomst in de bouw van deze moleculen.

Buitengewoon belangrijk is de besproken methode voor het onderzoek van de virussen. Vele virussen zijn namelijk zeer gevoelig voor veranderingen in het milieu en kunnen daarom niet met chemische middelen gezuiverd worden. Vandaar de betekenis van de ultracentrifuge voor het virusonderzoek: het is mogelijk om de virussen door gefractionneerde sedimentatie te zuiveren. Bij de eerste onderzoekingen op dit gebied bleek direct dat de virusdeeltjes in vergelijking met de kleinere eiwitten een groot moleculairgewicht hebben. Zoals wij gezien hebben is het moleculairgewicht van de kleinste eiwitten 17.000; dat van de kleinste virussen loopt in de millioenen. Dit betekent niet dat er een hiaat tussen de eiwitten en de virussen is, want ook de grootste niet-levende eiwitmoleculen kunnen een dergelijk gewicht bereiken. Zo is het moleculairgewicht van de blauwe bloedkleurstof haemocyanine in enkele gevallen 32.000.000.

Een fraaie toepassing vindt de ultracentrifuge nog bij de bepaling van de homogeniteit van een eiwit. Om dit in te zien is het goed nog eens naar fig. 4 te kijken. Wanneer bijvoorbeeld de kleideeltjes niet allemaal even groot waren, maar bestonden uit deeltjes van een bepaalde afmeting en een fractie met tweemaal zo grote deeltjes, dan zouden wij twee scherpe sedimentatiegrenzen waarnemen (zoals wij zowel bij zand als bij klei een scherpe grens zien). Bestaat de klei uit deeltjes die wat hun afmetingen betreft variëren, dan zien wij een diffuus grensgebied optreden. Op dezelfde manier kan men bij eiwitmoleculen of virusdeeltjes uitmaken

of men met een homogene stof te doen heeft. Is er één scherpe grens
dan is dit het geval, zijn er twee of meer scherpe grenzen dan ligt het
voor de hand om te denken aan de aanwezigheid van twee of meer stoffen.
Zien wij geen scherpe maar een verlopende grens, dan zal de stof bestaan
uit deeltjes van verschillende diameter.

Wanneer wij de uitkomsten van de voornaamste methoden ter bepaling van de diameter van de virussen met elkaar vergelijken, dan zien
wij dat voor vele virussen de verschillende methoden ongeveer dezelfde
resultaten opleveren. Evenwel zijn er bij enkele virussen zeer belangrijke
afwijkingen. Het mozaikvirus van de tabak heeft gemeten met de ultracentrifuge een diameter van 30 mμ, maar volgens de ultrafiltratiemethode
is de diameter slechts 15 mμ. Dit wil zeggen — als wij het virus een bolvorm toekennen — dat de inhoud in het eerste geval acht maal zo groot
is als in het tweede. Het ligt dan voor de hand om aan de bolvorm te
twijfelen. Dan kunnen wij ook begrijpen waarom de uitslagen in deze
twee gevallen zo verschillend zijn. Bij de ultracentrifuge nemen wij een
verschuiving van de sedimentatiegrens waar en berekenen daaruit de
diameter van de deeltjes. Bij deze berekening maken wij gebruik van
de wet van STOKES, die evenwel slechts voor bolvormige deeltjes geldt.
Is een deeltje dus vele malen langer dan breed, dan kunnen wij deze
afmetingen niet direct uit de proeven berekenen. Wij zullen altijd tot
een getal komen dat tussen de lengte en de breedte in ligt. Bij de proeven
over de ultrafiltratie speelt natuurlijk alleen de breedte van het deeltje
de hoofdrol (zoals wij een naald door een klein gaatje kunnen steken).
Wij leiden dus uit deze proeven af dat de breedte van het mozaikvirus
15 mμ is. De lengte kunnen wij uit een combinatie van de ultracentrifuge-
en de ultrafiltratieproeven berekenen en deze blijkt 330 mμ te zijn. Het
mozaikvirus is dus 22 maal zo lang als breed. Het moleculairgewicht bedraagt ongeveer 40.000.000. De gevonden waarden — die dus indirect
bepaald werden — zijn later door opnamen met behulp van het electronenmicroscoop bevestigd.

Ongetwijfeld is het voorgaande een handicap voor de ultracentrifuge-
methode. Een ander bezwaar is nog dat de te meten deeltjes elkaar kunnen
beïnvloeden, terwijl onze berekeningen er op gebaseerd zijn dat de deeltjes
zich volkomen vrij bewegen. Zo zijn de afwijkingen bij het virus van de
kinderverlamming ernstig. TISELIUS en GARD onderzochten een vorm
van dit virus die bij muizen voorkomt en vonden met verschillende
physische methoden (o.a. met de ultracentrifuge) de afmetingen 14 bij
640 mμ. Opnamen met het electronenmicroscoop gaven echter een heel

ander beeld. In hun viruspreparaat zagen zij lange dunne draden waarvan de lengte niet vast te stellen was. De dikte bedroeg slechts 5 mμ. Was het virus in hoge concentratie aanwezig dan werd een netvormige structuur vastgesteld. Het is duidelijk dat wij hier te doen hebben met een geval waarbij de deeltjes elkaar sterk beïnvloeden. Hier zijn de ultracentrifuge en de ultrafiltratie geen geschikte methoden om meer over de afmetingen van het virus te weten te komen.

In de volgende figuur (fig. 5) wordt een overzicht gegeven van de meest op de voorgrond tredende virussen. Ter vergelijking zijn ook enkele

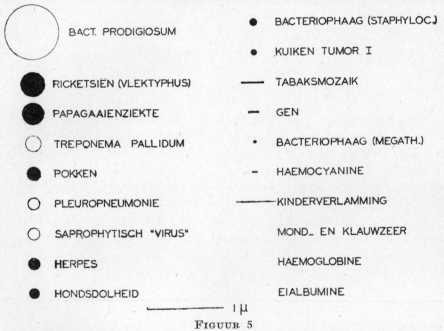

FIGUUR 5

Afmetingen van enige levende cellen, virussen, eiwitten e.d. (naar figuren van KLUYVER, STANLEY, ELFORD en anderen). Vormen die zich niet buiten levende cellen vermeerderen zijn zwart getekend (dit hoeft niet te betekenen, dat deze vormen niet levend zouden zijn; vergelijk het tweede deel van dit boek).

bacteriën en een klein aantal niet levende moleculen opgenomen. Het is voor iedereen duidelijk, dat wij hier te maken hebben met een doorlopende reeks virusdeeltjes die wat hun afmetingen betreft aan de ene kant aansluiten aan de bacteriën en aan de andere kant aan de levenloze eiwitmoleculen. Op den duur zal men deze reeks van schematische beelden kunnen vervangen door een reeks opnamen met het electronenmicroscoop. In de oorlogsjaren werden er reeds enige virussen met het electronenmicroscoop gefotografeerd (fig. 6 en platen 0 tot 0). Wij zien, dat de meest uiteenlopende vormen bestaan en dit was voor RUSKA aanleiding om een systeem van de virussen op te stellen, dat gebaseerd is op de vorm van de

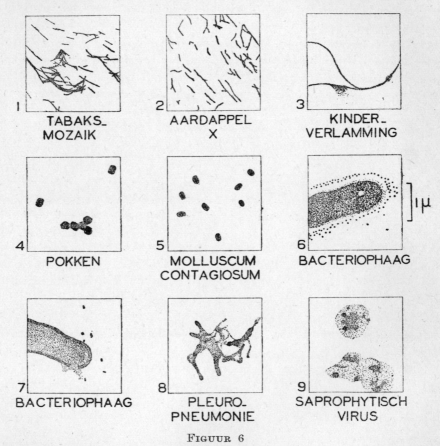

1 TABAKS-MOZAIK	2 AARDAPPEL X	3 KINDER-VERLAMMING
4 POKKEN	5 MOLLUSCUM CONTAGIOSUM	6 BACTERIOPHAAG
7 BACTERIOPHAAG	8 PLEURO-PNEUMONIE	9 SAPROPHYTISCH VIRUS

FIGUUR 6

Uit het fotoalbum van de virussen. Tekeningen naar opnamen met het electronenmicroscoop door RUSKA, PFANKUCH, GARD en anderen.

virussen. Voorlopig moeten wij ons, wat de meeste virussen betreft, tevreden stellen met indirecte metingen, maar wij twijfelen er niet aan, dat binnen niet al te lange tijd een volledig „fotoalbum" van de virussen tot onze beschikking zal staan. Daaruit zullen wij over de vermoedelijke verwantschap tussen de verschillende virussen veel kunnen leren.

2. *De bepaling van het virusgehalte*

Laten wij veronderstellen, dat een dier of een plant ongewone ziekte-verschijnselen gaat vertonen en dat wij iets over deze ziekte te weten willen komen. De eerste opgave is dan, dat wij moeten pogen de ziekte-verwekker in handen te krijgen. Daarna moeten wij nagaan, in welke groep de ziekte thuis hoort en of de ziekteverwekker misschien al bekend is. Is de ziekteverwekker tot nu toe nog niet beschreven, dan moeten wij vaststellen met welke bekende ziektekiemen de onbekende verwant is. Tenslotte is het voor tal van vraagstukken belangrijk om te weten welke hoeveelheid ziekteverwekkers er in de verschillende organen voorkomt. Met deze vragen zullen wij ons nu bezig houden.

Daar ons hier alleen de virusziekten interesseren, valt allereerst de nadruk op het probleem: hoe bewijst men, dat een onbekende ziekte een virusziekte is? Wij onderzoeken het zieke weefsel en kunnen geen bacteriën of andere zichtbare ziekteverwekkers vinden. Ook lukt het niet om de ziekteverwekker op een voedingsbodem te cultiveren. Deze twee negatieve vondsten wijzen in de richting, dat een virus de oorzaak van de ziekte zou kunnen zijn. Volkomen zeker zijn wij nu natuurlijk nog niet. Het is mogelijk, dat wij de bacteriën e.d. over het hoofd gezien hebben. Ook is het denkbaar, dat wij te doen hebben met een bacterie die op een kunstmatige voedingsbodem heel moeilijk of niet wil groeien. Een heel andere moeilijkheid is nog, dat bij sommige ziekteprocessen bacteriën secundair optreden. Deze later optredende bacteriën zouden voor de ziekteverwekkers aangezien kunnen worden, terwijl in werkelijk-heid de ziekte een virusziekte is. Veel belangrijker dan het negatieve deel van het bewijs is natuurlijk het positieve deel. Dit bestaat hierin, dat men het materiaal van het zieke organisme door filtratie vrij van bacteriën maakt en daarna het ziekteverwekkende vermogen van het filtraat aantoont. Is nu het resultaat positief, dan moeten wij aannemen, dat wij met een virusziekte te maken hebben.

Het belangrijkste positieve criterium is de overbrenging van het virus via een reeks proefdieren of proefplanten. Lukt dit niet, dan is het de vraag of een virus de ziekteverwekker is en zelfs is het de vraag of de ziekte door infectie verspreid wordt. Het zwaarste argument tegen de theorie, dat kanker door een virus veroorzaakt zou worden is dan ook, dat het niet mogelijk is deze ziekte door celvrije filtraten over te brengen. Een eigenaardige moeilijkheid doet zich nog bij dit criterium voor. De mogelijkheid bestaat, dat het proefdier geïnfecteerd is door een virus, waarbij evenwel geen ziektesymptomen te constateren zijn (latente infectie). Een onderzoek van RIVERS en TILLET demonstreert de moeilijkheid. Zij probeerden het virus van de waterpokken (varicellen) over te brengen in de testes van konijnen, door deze in te spuiten met het bloed van zieken. De eerste injectie had geen resultaat, waarna zij het virus van het eerste proefdier op een tweede konijn overbrachten. Ook nu had dit geen resultaat. Pas na de vierde passage ontstonden plotseling hevige ontstekingen. Het is begrijpelijk, dat de onderzoekers meenden, dat zij het virus van de waterpokken geïsoleerd hadden. Blijkbaar had het virus zich in de loop van de passages aan de nieuwe gastheer aangepast. Later blijkt evenwel, dat dezelfde proef ook slaagt, wanneer de inspuitingen gedaan worden met bloed van patiënten, lijdende aan andere ziekten of met konijnenbloed. Dus de proef is verkeerd geïnterpreteerd. Men kan aannemen, dat alle konijnen latent geïnfecteerd zijn met een virus (konijnenvirus III), dat door deze bijzondere behandeling na vier passages manifest wordt. Dergelijke latente infecties zijn bij bacteriën al zeer moeilijk te vinden en bij de onzichtbare virussen hangt het van een samenloop van toevallige omstandigheden af of een dergelijk latent virus ooit gevonden wordt.

Een vergissing als die van RIVERS en TILLET toont aan, dat men altijd bewijzen moet, dat het gevonden virus inderdaad het gezochte virus is.

Wanneer wij nu vastgesteld hebben, dat de onbekende ziekte een virusziekte is, dan moet het virus geklassificeerd worden. Een gebruikelijke methode hiervoor is om alle mogelijke dieren of planten te onderzoeken op hun vatbaarheid voor het virus. Men zet dan alle organismen, die geïnfecteerd kunnen worden bij elkaar en krijgt zo het z.g. infectiespectrum (DOERR). Vergelijkt men dan het infectiespectrum van het onbekende virus met die van de reeds beschreven virussen, dan is dikwijls de verwantschap met een of meer virussen aan te wijzen. Ook hier treden weer onverwachte moeilijkheden op. In Zuid-Amerika heerst een ruggemergontsteking, die bij runderen en een enkele keer bij mensen slachtoffers maakt. De ziekte wordt overgebracht door bloedzuigende vleermuizen. In het infectiespectrum is de hond niet te vinden; honden kunnen pas na enige passages van het virus in apen geïnfecteerd worden. En dan blijkt, dat het virus een variant is van het virus, dat de hondsdolheid veroorzaakt! Dit zou men natuurlijk nooit vermoed hebben, als men alleen naar het infectiespectrum gekeken had.

Het is dan ook noodzakelijk om zo veel mogelijk eigenschappen van een virus te bestuderen om te bepalen, met welke bekende virussen het verwant is. De wijze van overbrenging kan een belangrijke aanwijzing zijn. Hoe verspreidt het virus zich in de gastheer? Heeft het virus voorkeur voor bepaalde cellen? Dat de deeltjesgrootte een belangrijk kenmerk van een virus is, spreekt wel van zelf. Op den duur zullen wij over foto's van alle virussen beschikken (electronenmicroscoop) en dan zal de vorm van de virussen een belangrijk criterium worden.

Tenslotte geven vele virussen na inspuiting in de bloedbaan van zoogdieren aanleiding tot het optreden van antilichamen tegen deze virussen. Deze antilichamen reageren zeer specifiek met het betreffende virus en wij kunnen met het serum van ingespoten dieren reacties op het virus doen. Ook in de bacteriologie wordt deze serologische methode veel gebruikt om bepaalde bacteriën aan te tonen. Wanneer wij over antisera tegen verschillende virussen beschikken, kunnen wij gemakkelijk nagaan, of een onbekend virus met een bepaald antiserum een uitvlokking geeft. Een bezwaar tegen deze methode is, dat vele virussen niet tot de vorming van antilichamen leiden.

Het determineren van een virus is soms moeilijk, omdat het verschijnsel zich kan voordoen, dat twee verschillende virussen samen een heel ander ziektebeeld veroorzaken dan wij uit de symptomen, die elk van die virussen apart te voorschijn roept, zouden afleiden. Ook bestaat de mogelijkheid, dat een virus pas sterk ziekteverwekkend werkt in samenwerking met een bacterie. Het eerste geval komt nogal eens voor bij plantenvirussen. Een virus kan een milde ziekte opwekken, een ander virus doet dat ook, maar samen ingespoten veroorzaken zij een zeer zware ziekte met totaal andere symptomen. Men moet dan proberen de beide virussen te scheiden — b.v. door het mengsel in te spuiten in een plant, waarin zich slechts één virus vermeerderen kan — en daarna kan men de virussen apart determineren. Het tweede geval zien wij bij de varkensinfluenza. Shope toonde aan, dat deze varkensziekte te wijten was aan de samenwerking van een influenzavirus en een influenzabacterie. Het virus alleen veroorzaakt een lichte infectie, terwijl de bacterie geen ziekteverschijnselen te voorschijn roept. Samen veroorzaken zij een gevaarlijke ziekte, waarbij ook de longen aangetast worden. Interessant is, dat de ziekte het eerst opgemerkt is in de Verenigde Staten in 1918, toen daar de grote griepepidemie heerste. De veronderstelling lag voor de hand, dat deze twee soorten van influenza iets met elkaar te maken hadden. Het is tenslotte gebleken (Laidlaw en medewerkers), dat de menselijke influenza alleen door een virus veroorzaakt wordt en dat dit virus zeer nauw verwant is met het varkensinfluenzavirus.

Al met al blijkt, dat de determinatie van een virus dikwijls heel moeilijk kan zijn. Wanneer de determinatie evenwel gelukt is, dan rijzen zeer vele vragen. Heeft het virus voorkeur voor een bepaald weefsel of m.a.w., is het virusgehalte van dat weefsel groter dan dat van andere weefsels? Hoe is de verspreiding van het virus, m.a.w. vinden wij veel virus in de faeces of in het neusslijm e.d.? Is de vermeerdering van het virus langzaam of snel? Werken bepaalde chemische middelen inactiverend op het virus, of wel: hoe is het virusgehalte voor en na de behandeling met dit middel? Zoals men ziet komt een beantwoording van deze belangrijke vragen altijd neer op een bepaling van het virusgehalte. Het is de moeite waard, om de mogelijkheden te vergelijken van een bepaling van het aantal bacteriën met een bepaling van het virusgehalte.

De methoden, die de bacterioloog gebruikt, zijn in hoofdzaak de volgende: 1. de directe microscopische telling, 2. de meting van de troebeling, die door bacteriën in een vloeibaar en helder milieu veroorzaakt wordt, 3. de hoeveelheid kolonies, die bacteriën op een vaste voedingsbodem veroorzaken (hierbij gaat men uit van het idee, dat elke bacterie. die op de bodem gebracht wordt, zich gaat delen en het geheel tenslotte tot een kolonie uitgroeit) en 4. de meting van de hoogste verdunning van een bacteriehoudende vloeistof, die nog tot optreden van ziekteverschijnselen bij een gevoelig proefdier kan leiden.

Het spreekt vanzelf, dat de directe microscopische telling voor de meeste virussen uitgesloten is. Alleen bij de grootste virussen is de directe telling mogelijk en dan nog zeer moeilijk. Ook troebelingsmetingen leveren niets op en wel, omdat virussen zich alleen in levende cellen en niet in kunstmatige milieus vermeerderen. Een enkele maal is het mogelijk om virus-,,kolonies'' te tellen. Vooral bij de bestudering van de bacteriophagen wordt deze methode veel gebruikt. Als ,,voedingsbodem'' wordt een homogene laag van bacteriën genomen. Hierop brengen wij een afgemeten hoeveelheid vloeistof, waarin zich bacteriophaagdeeltjes bevinden. Elk deeltje zal het begin vormen van een zich snel vermeerderende ophoping van de phaag, die natuurlijk de bacteriën oplossen. Wij zien dus gaten ontstaan in de gelijkmatige laag van bacteriën en het aantal gaten is een maat voor de hoeveelheid bacteriophaag, die oorspronkelijk aanwezig was.

In de laatste jaren is door WOODRUFF en GOODPASTURE een mooie bepalingsmethode voor virussen uitgewerkt. Gevonden werd, dat vele virussen zich goed vermenigvuldigen op de chorio-allantois van het kippenei. Zelfs geeft BURNET aan, dat de verschillende virussen hier ook

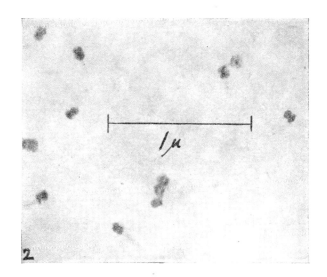

AFB. 1

In een oplossing die bacteriophagen bevat vinden wij met behulp van het electronenmicroscoop merkwaardige deeltjes. Uit verschillende overwegingen kan afgeleid worden dat deze deeltjes de phagen zijn. (Uit LURIA, DELBRÜCK and ANDERSON, J. Bact. *46*, 57, 1943.)

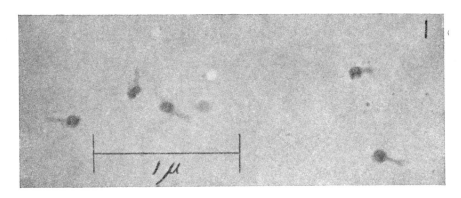

AFB. 2

De verschillende phagen hebben elk een eigen vorm en een karakteristieke afmeting. Er zijn naast deze ,,spermatozoo-achtige'' phagen ook ronde en staaf-vormige. (Uit LURIA and ANDERSON, Proc. Nation. Acad. Sc. *28*, 127, 1942 .)

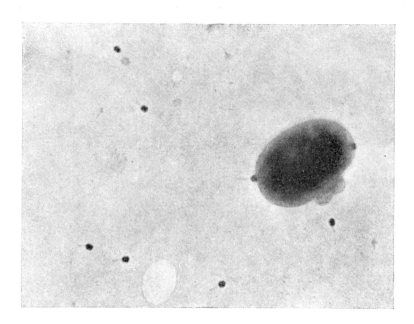

AFB. 3

Zodra er een bacterie in de buurt komt worden de phagen op het oppervlak daarvan geadsorbeerd. (Uit Ruska, Arch. Virusf. *2*, 345, 1943.)

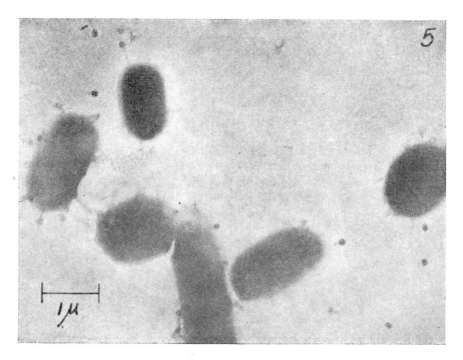

Afb. 4

Hoe langer het contact duurt, hoe meer phagen er geadsorbeerd worden. Na een bepaalde tijd — karakteristiek voor de soort bacteriophaag — volgt dan het uiteenvallen van de bacteriën. (Uit Luria and Anderson, Proc. Nation. Acad. Sc. 28, 137, 1942.)

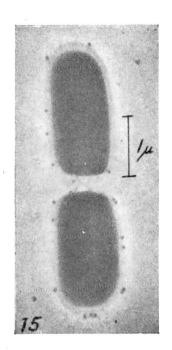

AFB 5

Een merkwaardig geval. Een bacterie heeft zich juist gedeeld — de dochtercellen hangen nog door een restje membraan samen — en vele phagen zullen aan het leven van de jonge bacteriën een einde maken. (Uit LURIA, DELBRÜCK and ANDERSON, J. Bact. *46*, 57, 1943).

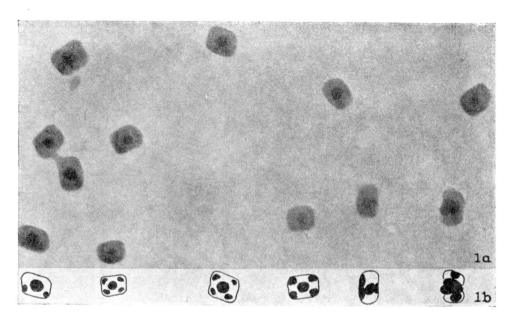

Afb. 6

Ook het pokkenvirus is geen homogeen klompje stof, maar met het electronenmicroscoop zien wij kernachtige structuren. (Uit Green, Anderson and Smadel, J. exp. Medecine 75, 651, 1942.)

duidelijk te onderscheiden laesies vormen, zodat deze methode ook voor de determinatie van virussen grote waarde heeft. Voor de bepaling van het virusgehalte van een bepaalde vloeistof druppelt men een afgemeten hoeveelheid op de blootgelegde chorio-allantois. Dan wordt het ei in een broedstoof van 37° C geplaatst en na enige tijd telt men het aantal laesies die door de groei van het virus veroorzaakt zijn. Ook hier is het aantal laesies weer een maat voor het virusgehalte.

Bij enkele plantenvirussen is een dergelijke methode uitgewerkt door HOLMES. Natuurlijk is de methode alleen geschikt voor virussen, die op bladeren scherp begrensde en kleine laesies vormen. Men voert dan de proef zo uit, dat men de ene helft van een blad met de te onderzoeken vloeistof bestrijkt, terwijl de andere helft ter contrôle met een bekende virusoplossing bestreken wordt. De vergelijking van de aantallen laesies op de beide bladhelften levert ons de gevraagde virusconcentratie.

Historisch is de vierde methode voor de bepaling van het virusgehalte het belangrijkste. In 1897 gaan LÖFFLER en FROSCH de kleinste hoeveelheid mond- en klauwzeervirus na, die nog in staat is de ziekte op te wekken. In principe berust de methode hierop, dat men de virushoudende vloeistof tienmaal, honderdmaal, duizendmaal enz. verdunt en nu nagaat, of deze verdunningen de ziekte nog doen verschijnen, wanneer zij bij proefdieren worden ingespoten.

Tenslotte is er op de basis van de serologie nog een methode gevonden om tot een vaststelling van het virusgehalte te komen. Vooral voor de plantenvirussen is deze methode van belang. Wanneer wij een konijn b.v. met het mozaikvirus van de tabak inspuiten, zal het dier antilichamen tegen dit virus vormen. Het serum van het dier zal dan met een virusoplossing een uitvlokking geven. Wij gaan na, welke verdunning van het virus nog juist een uitvlokking met het serum geeft. Hoe sterker wij de virusoplossing moeten verdunnen, des te meer virusdeeltjes waren oorspronkelijk aanwezig. Zoals alle serologische methoden heeft ook deze manier van bepalen zijn eigenaardige moeilijkheden. Wij moeten altijd met één antiserum werken, de omstandigheden moeten zoveel mogelijk eender zijn enz.; aan tal van voorwaarden moet voldaan worden, wil de bepaling betrouwbaar zijn.

3. Het kweken van virussen

In de eerste plaats moet opgemerkt worden, dat het nog nooit gelukt is, om virussen op kunstmatige voedingsbodems te kweken. Sommigen zijn geneigd, om deze vondst nu ook zo te interpreteren, dat een virus ook nooit op een kunstmatige voedingsbodem gekweekt zal kunnen worden. En zou er een organisme gevonden worden, dat wat de grootte-orde betreft, in de virusgroep thuis hoort, maar dat wel kunstmatig te kweken is, dan wordt het uit de groep verwijderd! Het geval met de verwekker van de pleuropneumonie (een runderziekte) illustreert deze gang van zaken. Het organisme is in 1898 door NOCARD en ROUX ontdekt. Hoewel het met behulp van het microscoop nog juist te zien is, kan het aan de andere kant enkele bacteriefilters passeren. Mede hierom werd het jarenlang tot de virusgroep gerekend. Daar het op een kunstmatige voedingsbodem te kweken is, denkt men nu weer algemeen, dat het organisme niet in de virusgroep thuis hoort. Er zijn ook bezwaren tegen, om het bij de bacteriën in te delen, zodat men nu na een intensieve studie helemaal niet weet, waar de verwekker eigenlijk thuis hoort. Heel duidelijk blijkt uit dit voorbeeld hoe vaag de bovengrens van de virusgroep is. Het is best mogelijk dat de virussen nog niet in vitro gekweekt kunnen worden, omdat wij de omstandigheden, die tot een gunstig resultaat zouden kunnen leiden, niet precies kennen (ALEXANDER).

Voorzover wij tot nu toe weten vermenigvuldigen de virussen zich alleen in tegenwoordigheid van levende cellen. Dit bemoeilijkt natuurlijk de studie van de virussen zeer. Een grote vooruitgang is het geweest toen het gelukte om de virussen te kweken in stukjes weefsel, die in een kunstmatig milieu groeien. De methode voor het kunstmatig kweken van weefsel dateert van 1907 (HARRISON) maar het heeft twintig jaren geduurd, voordat het CARREL lukte, om het virus van het ROUS-sarcoom (een vogelgezwel met een filtreerbare verwekker) in kunstmatig groeiend weefsel, afkomstig van het kippenembryo in leven te houden. De oorspronkelijke techniek van het kweken van weefsel is veel te moeilijk, om tot een algemene methode te worden, die voor het virusonderzoek geschikt is. Toen deze techniek evenwel sterk vereenvoudigd was door MAITLAND en RIVERS, die gebruik maakten van een vloeibaar medium, waarin het stukje weefsel leeft, kon deze meer eenvoudige methode op alle virussen toegepast worden. Het resultaat van deze pogingen is nu geweest, dat bijna alle virussen zich blijken te kunnen vermeerderen in weefsel, dat in een kunstmatig milieu groeit. Voor de beantwoording van vele vragen op het gebied **van** de virussen is het dus mogelijk, om het proefdier te vervangen door een stukje weefsel. Maar wij moeten met de interpretatie van dergelijke proeven toch voorzichtig zijn. Immers, een stukje weefsel, dat in een kunstmatig milieu groeit, bevindt zich in een abnormale toestand en is in zekere zin een kunstproduct. De mogelijkheid is lang niet uitgesloten, dat het op een virus anders reageert dan hetzelfde weefsel in het levende organisme zou doen!

Om een infectie tot stand te brengen verenigt men in het cultuurmedium een stukje gezond weefsel met wat weefsel van het zieke dier. Ook kan men, om de infectie teweeg te brengen, het normale weefsel een ogenblik in contact brengen met een virushoudende vloeistof of een kleine hoeveelheid virus aan het medium toevoegen. Daarna wordt het geïnfecteerde weefsel gekweekt bij 37—38° C. De levensduur van het virus in het weefselexplantaat is beperkt. Na enkele dagen bereikt het virusgehalte in het weefsel zijn grootste waarde, om daarna langzaam weer af te nemen. Meestal moet dus telkens na een paar dagen het virus overgeënt worden op een nieuw stukje gezond weefsel. Na afloop van de cultuur moet men natuurlijk het bewijs brengen, dat het virus zich werkelijk in het weefsel vermeerderd heeft. Meestal zal dit bewijs door dierproeven geleverd moeten worden.

Hoewel deze methode dus in de laatste tijd enigszins vereenvoudigd is kan men haar nog altijd niet tot de zeer gemakkelijke werkwijzen rekenen. Vele mogelijkheden biedt de reeds genoemde methode van het kweken van virussen op de chorio-allantois van het kippenembryo, een werkwijze, die vooral in de handen van BURNET fraaie resultaten opgeleverd heeft. Praktisch alle virussen groeien op de chorio-allantois en hun werking is waar te nemen aan de vernietiging van de cellen. Het ziet er naar uit, dat deze methode grote opgang zal maken, omdat het materiaal (kippeneieren) zo gemakkelijk te krijgen is. Diverse vraagstukken kunnen met behulp van de methode aangepakt worden. Wij hebben al gewezen op de bepaling van het virusgehalte door telling van het aantal laesies op de chorio-allantois. Ook gebruikt BURNET de methode, om de werkzaamheid van specifieke antisera na te gaan. Hij vermengt het te onderzoeken antiserum in diverse verdunningen met een virusoplossing en bepaalt op de chorio-allantois of en hoeveel virus er in elk geval gebonden is. Tenslotte kan men op de chorio-allantois gemakkelijk virus vrij van bacteriën kweken, welk virus later voor immunisatiedoeleinden te gebruiken is. Wel is het theoretisch zeer merkwaardig, dat zovele virussen (ook virussen, waarvan het infectiespectrum zeer beperkt is of die bij voorkeur in een bepaald weefsel groeien) op de chorio-allantois gekweekt kunnen worden. Het schijnt, dat de virussen zich vooral in embryonaal weefsel goed thuisvoelen.

Wij weten, dat een virus zich bij aanwezigheid van levende cellen vermeerdert. Nu rijst de vraag of het virus zich bij of noodzakelijkerwijs in de cellen vermeerdert. Ook is het belangrijk om te weten, hoe de virusgroei aan de toestand van het weefsel gebonden is. Moet het weefsel sterk actief zijn of kan het virus ook groeien in een rustend weefsel? Het spreekt vanzelf, dat men voor de beantwoording van deze vragen gegrepen heeft naar de zo juist besproken mogelijkheden.

In de eerste plaats de vraag, of het virus zich in de cellen of in de cultuurvloeistof naast de cellen vermeerdert. Dit kan men nagaan (HECKE, MACCALLUM), door een stukje gezond weefsel te kweken in een medium, waaraan wat virus is toegevoegd. Wij zien eerst het virus uit de vloeistof verdwijnen (in de eerste 24 uren). Dan neemt het infectiever-

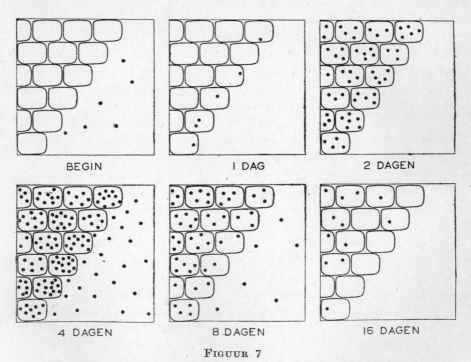

BEGIN   I DAG   2 DAGEN

4 DAGEN   8 DAGEN   16 DAGEN

FIGUUR 7

Schematische voorstelling gebaseerd op de experimenten van HECKE en MAC CALLUM. Het virus vermeerdert zich in de weefselcellen en niet in de cultuurvloeistof.

mogen van het weefsel langzamerhand toe, terwijl de vloeistof voorlopig nog virusvrij blijft. Dit feit kan wel niet anders uitgelegd worden dan door aan te nemen, dat het virus zich in de cellen vermenigvuldigt. Wanneer het virusgehalte in het weefsel een bepaalde hoogte bereikt heeft, dan zien wij ook virus in de buitenvloeistof optreden. Aan het einde van het proces zal het virusgehalte zowel in de vloeistof als in het weefsel achteruit lopen. Fig. 7 verduidelijkt de gang van zaken.

Bij de meeste virussen schijnt een groei van het aangevallen weefsel niet noodzakelijk te zijn voor een vermeerdering van het virus. Aan de andere kant moet het weefsel wel enige activiteit vertonen; in volledig rustend weefsel heeft geen virusvermeerdering plaats. Gemakkelijk is dit te bewijzen, door het virus in kunstmatig gekweekt weefsel te brengen en de groei bij verschillende temperaturen na te gaan. Bij 37° C heeft een sterke weefselgroei en een sterke virusvermeerdering plaats. Een verlaging van de temperatuur tot 30° C remt de groei van het weefsel volledig, maar het virus vermenigvuldigt zich nog vrij goed. Bij 26° C krijgen wij een volledig rustend weefsel, waarin geen virusgroei meer aanwezig is. Dus de groei van een virus is niet automatisch aan de groei van het weefsel gebonden, maar toch geeft een sterk groeiend weefsel de beste voorwaarden voor een grote virusvermeerdering. Meestal valt dan ook het maximum van de virusgroei met het ademhalingsmaximum van het weefsel samen. Bewezen is evenwel niet, dat het virus aan deze gaswisseling deelneemt, dus een eigen stofwisseling in de zin van een organisme zou hebben.

Het is een bekend feit, dat vele virussen voorkeur voor bepaalde weefsels of cellen hebben. Denk b.v. aan de voorkeur van het pokkenvirus voor de huid of die van het virus van de hondsdolheid voor het zenuwweefsel. Het ligt voor de hand, dat men deze voorkeur ook nagegaan heeft bij gekweekte weefsels. Ook hier stuiten wij weer op technische moeilijkheden. Wij willen bijvoorbeeld nagaan, of het virus van de hondsdolheid een bepaalde voorkeur heeft voor zenuwcellen en niet voor ander weefsel. Uit dierproeven moeten wij dit afleiden en het zou nu fraai zijn, als deze conclusie met kunstmatig gekweekt weefsel te bevestigen was. Evenwel zijn dergelijke gespecialiseerde weefsels niet of zeer moeilijk kunstmatig te kweken en dit bezwaar belemmert de beantwoording van de vraag. Er zijn dan ook weinig experimenten in deze richting gedaan, maar de enkele onderzoekingen op dit gebied wijzen er op, dat een virus ook bij gekweekt weefsel een speciale voorkeur heeft voor bepaalde cellen.

Opvallend zijn de grote schommelingen in virulentie, die een virus in een explantaat kan vertonen. In allerlei richtingen vinden wij veranderingen. Allereerst kan een verhoging van het pathogene vermogen optreden. Wanneer wij een cultuur maken van pokkenvirus (of van het virus van de hoenderpest) in kunstmatig gekweekte testes van konijnen, dan krijgen wij een variant van het virus die een hevigere reactie van een proefdier teweeg brengt en waarbij ook de incubatieperiode van de ziekte verkort is. Deze verhoging van het pathogene vermogen komt vooral naar voren, als wij een virus kweken in een cultuur van een zeer geschikt weefsel van een buitengewoon vatbare gastheer. Dat kunstmatig gekweekte weefsel, vergeleken met hetzelfde weefsel in het levende dier, een kunstproduct is en zich soms anders gedraagt, bleek duidelijk uit de experimenten van HALLAUER over het virus van de hoenderpest. Ook dit virus wordt virulenter bij het kweken in een cultuur van testesweefsel, maar vertoont dit verschijnsel niet, als het virus door passages in hetzelfde weefsel in het levende dier voortgekweekt wordt. Wij moeten dus met de interpretatie van proeven over de groei van virussen in kunstmatig gekweekt weefsel voorzichtig zijn.

Veel vaker nemen wij een afname van het pathogene vermogen waar. Een fraaie illustratie hiervan levert fig. 8, die ontleend is aan het werk van RIVERS en WARD. Zij kweekten pokkenvirus in weefsel van hoenderembryo's. Telkens werd het virus op een nieuw stukje weefsel overgebracht en geregeld controleerden zij de sterkte (titer) van het virus, d.w.z. de verdunning, waarin het virus nog werkzaam was. Voor deze bepaling van de titer van het virus gebruikten zij de huid van een konijn, waar het aantal laesies, dat door het virus te voorschijn geroepen wordt, een maat is voor de sterkte van het virus. Was het virus voor de aanvang van de proef nog werkzaam in een verdunning van 1.000.000 maal, dit getal werd in de loop van de proef steeds kleiner. Ook werd de intensiteit van de veroorzaakte beschadigingen van de huid steeds kleiner. Op de menselijke huid gaf het virus na de 99e passage nog een typische, maar heel zwakke reactie. Blijkbaar is het virus ook in kwaliteit sterk achteruit gegaan.

Heel belangrijke resultaten heeft deze methode opgeleverd bij het virus van de gele koorts. Na het werk van de Amerikaanse gele-koortscommissie (REED, CARROLL, AGRAMONTE en LAZEAR) in het begin van deze eeuw, leek het er op of de gele koorts tot de uitstervende ziekten zou gaan behoren. Men vond immers, dat de gele koorts door een muskiet overgebracht werd en het resultaat was dan ook, dat door een intensieve

anti-muskieten campagne de ziekte in Centraal- en Zuid-Amerika schijnbaar uitgeroeid werd. PAUL DE KRUIF schrijft dan ook in zijn ,,Bacteriën-
jagers'': ,,In 1926 is er nauwelijks genoeg gele-koortsvergif meer in de
wereld te vinden om er een flinke speldeknop mee te bedekken; binnen
enige jaren zal het waarschijnlijk even onvindbaar zijn geworden als een
levende dinosaurus''. In de laatste jaren hebben wij deze optimistische
zienswijze moeten herzien. Zoals al met zoveel ziekten gebeurd is, werd
door de bestrijding het epidemische karakter weggenomen maar nauw-

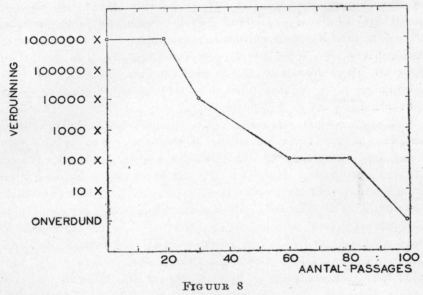

FIGUUR 8

Achteruitgang van de sterkte van pokkenvirus bij het kweken in weefsel
van hoenderembryo's. Kan het virushoudende vocht vóór de proef nog een
positieve reactie verwekken in een verdunning van een millioen maal, na
ongeveer honderd passages werkt het slechts in onverdunde toestand
(RIVERS en WARD).

keurig onderzoek leerde, dat in grote delen van Zuid-Amerika een aanzienlijk deel van de bevolking geïnfecteerd wordt. Zeer veel personen
moeten volgens deze onderzoekingen geïnfecteerd zijn zonder dat zij
symptomen van de ziekte vertonen. Het is natuurlijk een hopeloze taak
om in tropische landen alle muskieten uit te roeien, zodat het uitgesloten
lijkt, om alleen door deze maatregel het uitbreken van de gele koorts te
verhinderen.

Vandaar dat men gepoogd heeft een middel te vinden om de bewoners van dergelijke gevaarlijke streken immuun te maken voor de infectie met gele koorts virus. En bij de pogingen om een geschikte entstof te bereiden heeft men uitgebreid gebruik gemaakt van de mogelijkheid om het virus in weefselexplantaat te kweken. Het natuurlijke virus veroorzaakt een algemene infectie (het is z.g. pantroop). Het tast zowel de ingewanden aan (dan spreekt men van een viscerotroop virus) als het zenuwstelsel (neurotroop virus). Wanneer men nu het natuurlijke virus kweekt in de hersenen van muizen, dan verliest het virus na enige passages zijn viscerotrope eigenschappen. Het virus is dan door deze behandeling veranderd; het zal alleen het zenuwstelsel aantasten. Nu komt hierbij, dat het virus na een langdurige cultuur in muizenhersenen ook zijn pathogene vermogen voor een groot deel inboet (THEILER). Men kan nu dit sterk verzwakte virus gebruiken om mensen te immuniseren, maar enkele mislukkingen in de praktijk tonen aan, dat deze inenting niet volkomen ongevaarlijk is.

Moeizaam zwoegde men verder om te trachten het ziekteverwekkende vermogen van het virus nog meer te verminderen. Hier hielp ten slotte de methode van het kweken van virus in weefselexplantaat. Allereerst werd het natuurlijke (pantrope) virus langdurig in embryonaal weefsel van muizenhersenen gekweekt. Hier treden dezelfde veranderingen in het virus op, die wij ook zien als het in het levende dier gekweekt wordt. Naast elkaar wordt het virus onderzocht op zijn viscerotropie (door intraperitoniale inspuitingen bij apen) en op zijn neurotropie (door intracerebrale inspuitingen bij witte muizen en apen). Terwijl het aantal slachtoffers tengevolge van de intraperitoniale inspuitingen steeds afneemt, blijft het aantal gevallen met dodelijke afloop bij intracerebrale inspuitingen constant. Dit betekent natuurlijk, dat de neurotropie van het virus constant blijft, terwijl de viscerotropie sterk afneemt. Toch heeft dit verzwakte virus nog vrij veel viscerotrope eigenschappen over, zij het dan, dat het virus — bij apen — niet meer tot een ziektegeval met dodelijke afloop leidt. Voor immunisatie is dit virus dus nog niet zo geschikt.

Merkwaardig is nu, dat het verzwakte virus in embryonaal kippenweefsel verder gekweekt kan worden. Dit is daarom zo vreemd, omdat dit weefsel door het oorspronkelijke virus niet geïnfecteerd kan worden. Het neurotrope virus heeft blijkbaar een groot aanpassingsvermogen. Ook in het embryonale kippenweefsel werd het virus weer met grote volharding en met succes verder gekweekt. Na 89 tot 114 passages verliest het virus zijn neurotrope eigenschappen ten opzichte van apen en na 214 passages heeft het virus zelfs geen viscerotropie meer over. Het is dan zo zwak geworden dat zelfs de egel — het meest gevoelige dier voor gele koorts — een inspuiting met het virus overleeft. Hoe groot het geduld en de volharding van THEILER en zijn medewerkers is geweest blijkt wel uit het feit, dat alleen deze laatste passages (in het kippenweefsel) drie jaren gekost hebben. En wat het belangrijkste is na deze langdurige arbeid: het verzwakte virus heeft zijn immuniserende eigenschappen behouden!

4. *De verandering van de eigenschappen van virussen*

Wij zijn nu al vele malen tegengekomen, dat virussen door bepaalde oorzaken eigenschappen verliezen of krijgen. Voor de praktijk is deze variabiliteit van het grootste belang, omdat het mogelijk is virussen te kweken die hun pathogene vermogen kwijtgeraakt zijn, terwijl hun immuniserende eigenschappen ten volle bezwaard zijn gebleven. Het wekt geen verwondering dat men deze variabiliteit van de virussen vergelijkt met die van bacteriën. Ook daar ziet men dit raadselachtige veranderen van hevig virulente bacteriën in minder pathogene vormen, door deze bacteriën langdurig op bepaalde wijze te kweken. Wij moeten hier onderscheid maken tussen veranderingen die onder invloed van een ongewoon milieu optreden en na opheffing van de ongewone factor weer verdwijnen (dus tijdelijke veranderingen) en veranderingen die spontaan of onder invloed van een willekeurige factor ontstaan en dan erfelijk zijn (erfelijke variaties). Ons interesseren natuurlijk vooral de blijvende veranderingen. Bij de bacteriën zien wij spontane veranderingen optreden in de vorm (zowel van de bacterie zelf als van de kolonie), in het biochemische gedrag, in het immuniserende en het pathogene vermogen, kortom, het schijnt dat alle eigenschappen van de bacteriën enigszins variabel kunnen zijn. Het is zelfs mogelijk om bacteriën te trainen op een bepaald menu. Een belangrijk onderscheid tussen *Bacterium typhosum* en *Bacterium coli* is, dat de eerste geen lactose (melksuiker) kan vergisten en de tweede wel. Nu beschreef MASSINI in 1907 een vorm van *Bacterium coli* die direct na isolering niet in staat was om lactose te vergisten. Pas na drie dagen begonnen enkele bacteriën uit de cultures deze eigenschap te vertonen, een eigenschap, die nu erfelijk bleek te zijn.

Bij de virussen vinden wij dezelfde zaken. Enkele malen is dit hiervoor reeds vermeld; de praktische betekenis van deze verandering van eigen-

schappen is voor de hand liggend. Meestal zoeken wij naar methoden om
een virus zodanig te verzwakken, dat dit verzwakte virus kan gebruikt
worden om de mens immuun te maken. Ogenblikkelijk rijst dan de vraag
— dezelfde vraag die bij de variaties van de bacteriën ook gesteld is —
of deze veranderingen van blijvende of tijdelijke aard zijn. Alleen in het
eerste geval mogen wij een verzwakt virus ter bescherming van de mens
gebruiken, want wij kunnen niet het risico lopen dat de verandering
direct of korte tijd na de inspuiting ongedaan gemaakt wordt. Evenals
bij de bacteriën interesseren ons voornamelijk de blijvende (of langdurige)
veranderingen van de virussen.

Uit het feit dat wij tot nu toe uitsluitend variaties in dierlijke virussen
beschreven hebben volgt niet, dat bij plantenvirussen geen variaties
optreden. Integendeel, de virussen waarvan de slachtoffers planten zijn
kenmerken zich door het optreden van vele varianten. Evenals bij de
dierlijke virussen kunnen deze varianten in de natuur voorkomen, bij
experimenteel onderzoek spontaan te voorschijn komen of experimenteel
veroorzaakt worden.

Wat is nu eigenlijk de achtergrond van deze variabiliteit? Het ligt
voor de hand dat men — op zoek naar analogieën — verband heeft
gelegd tussen de variabiliteit bij virussen en bacteriën enerzijds en de
mutaties van hogere organismen anderzijds. Dit heeft tot interessante
theorieën over de natuur van de virussen geleid. Zoals bekend verondersteld mag worden is HUGO DE VRIES de eerste geweest die spontane
sprongsgewijze veranderingen (mutaties) in de erfelijke eigenschappen van
hogere planten beschreef. De stoffelijke basis van de erfelijke eigenschappen is het gen, een deel van het chromosoom. Een verandering van een
gen kan aanleiding zijn tot een blijvende verandering in de erfelijke
eigenschappen van de plant. Nu is er op gewezen, dat deze genen ongeveer
van dezelfde grootte zijn als de virussen. Daarnaast zien wij het feit
dat beiden spontane veranderingen vertonen; deze treffende overeenkomsten leiden tot de theorie, dat een virus eigenlijk een gen zou zijn.
En natuurlijk geen gewoon gen, maar een abnormaal gen; een gen dat
de normale stofwisseling van de cel stoort en dikwijls lethaal is. Lethale
genen kennen wij ook reeds uit het erfelijkheidsonderzoek; bij vele kunstmatig opgewekte mutaties veranderen de normale genen zo sterk, dat zij
niet meer in de normale structuur van de cel passen en deze te gronde
gaat.

Wanneer men deze analogie tussen gen en virus aanneemt dan kan men
zich afvragen, hoe in de loop van de evolutie deze gen-achtige vormingen

— zoals wij dan een virus moeten betitelen — ontstaan kunnen zijn. Het is een bekend feit dat parasieten veel eenvoudiger gebouwd zijn dan de organismen die in de loop van de ontwikkeling hun voorgangers geweest zijn. Zij hebben vele eigenschappen verloren die hun voorvaders sierden. Nu zien GREEN, LAIDLAW en anderen de virussen als parasieten die praktisch alle eigenschappen van normale organismen verloren hebben. Slechts twee eigenschappen zijn niet verdwenen: zij kunnen zich delen en hun ,,gedrag'' is erfelijk. Van het normale organisme uitgaande zijn wij tenslotte aangeland bij een ,,naakt gen''.

Evenwel zijn er velen die zich de variabiliteit van de virussen niet

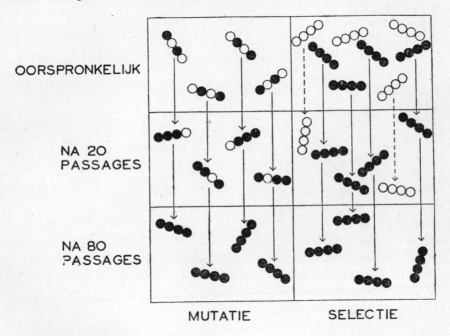

● NEUROTROPIE
○ VISCEROTROPIE

FIGUUR 9

Het verschil van de mutatietheorie en de selectietheorie bij het veranderen van virus bij het kweken in een ongewoon milieu. De mutatietheorie gaat uit van onderling gelijke virusdeeltjes die ieder twee (of meer) verschillende factoren bezitten. Daarbij kan de ene factor in de andere overgaan. De selectietheorie veronderstelt een mengsel van ongelijke virusdeeltjes. In een ongewoon milieu zal slechts één van de twee soorten deeltjes zich snel vermeerderen.

zo voorstellen en aan een heel andere mogelijkheid denken. Laten wij ter illustratie nog eens de verandering van het gele-koortsvirus bij passages in muizenhersenen bekijken. Wij weten dat het pantrope virus langzamerhand zijn viscerotrope eigenschappen verliest en dat de neurotropie behouden blijft. Natuurlijk is het mogelijk om deze verandering op te vatten als een mutatie die telkens een pantroop virusdeeltje in een neurotroop deeltje doet veranderen. Hiertegenover staat de opvatting dat het oorspronkelijke materiaal heterogeen was en dus bestond uit viscerotrope en neurotrope deeltjes (tezamen een pantroop effect te voorschijn roepend) In de muizenhersenen zullen zich nu de neurotrope deeltjes snel vermeerderen, wat met de andere (viscerotrope) variant van het virus niet zo goed gaat. Volgens deze opvatting zou dus langdurig kweken van het virus in muizenhersenen vrijwel alle viscerotrope deeltjes doen verdwijnen omdat zij de concurrentie met de neurotrope virusdeeltjes niet aankunnen. De twee opvattingen worden in de volgende figuur (9) vergeleken. Praktisch alle zogenaamde mutaties van de virussen kunnen ook met succes volgens de selectietheorie verklaard worden. In dat geval vervalt natuurlijk de overeenkomst met de bacteriën en de hogere organismen, hoewel wij er direct bij moeten zeggen dat ook bij planten en dieren het probleem selectie of mutatie nog lang niet opgelost is.

5. *De scheikundige samenstelling van de virussen*

Het feit dat het overgrote deel van het physische en chemische onderzoek over de virussen verricht is aan het mozaikvirus van de tabak, drukt zijn stempel op de opvattingen die men over de eigenschappen van „de virussen" heeft. Meestal vergeet men in dergelijke beschouwingen dat van de meeste virussen in chemisch opzicht droevig weinig bekend is en men is dan geneigd om de eigenschappen van het tabaksmozaikvirus te generaliseren. Zo zal men dikwijls horen dat „de virussen" grote eiwitdeeltjes zijn. Ongetwijfeld geldt deze opvatting voor het mozaikvirus van de tabak, maar even zeker gaat de stelling niet op voor het kuiken-tumor I virus. In dit virus werd naast eiwit nog een koolhydraat en een lipoid aangetoond. Dit voorbeeld moge dienen om het gevaar voor generalisatie in de virusgroep te illustreren.

Het is duidelijk dat de ontdekking van STANLEY — de kristallisatie van het mozaikvirus — een mijlpaal in de studie van de virussen is. Welke organische stof wij ook nemen — wij denken aan eiwitten, enzymen, vitaminen e.d. — aan gefundeerd chemisch onderzoek van dergelijke stoffen kunnen wij pas denken als de betreffende stof in kristallijne vorm verkregen is. Voordat wij dit bereikt hebben bestaat altijd de twijfel of de stof die wij in handen hebben wel zuiver is. Deze ongerustheid is bij een gekristalliseerde stof veel minder, daar kunnen wij er met een grote waarschijnlijkheid op vertrouwen dat er geen belangrijke hoeveelheden bijmengsels aanwezig zullen zijn. De voorwaarden voor een nader chemisch onderzoek zijn dàn gegeven en het resultaat van de vondst van STANLEY is dan ook geweest dat het mozaikvirus van de tabak verreweg het best onderzochte virus is.

Evenwel is de ontdekking van STANLEY voor velen een grote schok geweest. Voor iemand die een virus zijn ziekteverwekkende vermogen heeft zien tentoonspreiden is het heel moeilijk om te geloven dat deze ziekteverwekker gekristalliseerd zou kunnen worden. Dan zou dus het virus iets heel anders zijn dan een bacterie, want men is geneigd om bij het woord kristal te denken aan keukenzout, diamant en andere levenloze stoffen. Geen wonder dat velen zich afvroegen: heeft STANLEY werkelijk de ziekteverwekker in handen gehad? Kan het niet zijn dat hij een of ander niet-levend product van de zieke cel gekristalliseerd heeft?

De twijfelaars hebben ongelijk gekregen. Er zijn zeer veel redenen opgegeven dat het gekristalliseerde eiwit hetzelfde is als het virus, zodat tegenwoordig iedereen van de waarheid van STANLEY's bewering overtuigd is. Het is de moeite waard om de verschillende argumenten nader te bekijken.

a. Een klein kristalletje van het eiwit vertoont een groot ziekteverwekkend vermogen, m.a.w. gedraagt zich als het virus. En daarbij komt dat het nog nooit gelukt is om deze activiteit van het eiwitdeeltje te scheiden (Sommigen beweerden n.l. dat het virus meegesmokkeld werd in een kristal van een niet-actief eiwitproduct van de zieke cel. In dat geval zou men evenwel verwachten dat het virus van dat gekristalliseerde eiwitproduct te scheiden zou zijn).

b. De mozaikziekte grijpt verschillende planten aan. Toch wordt uit al deze gastheren altijd hetzelfde eiwit met ziekteverwekkende eigenschappen geïsoleerd. Het zou wel heel merkwaardig zijn dat verschillende cellen tengevolge van een ziekte een zelfde eiwitproduct zouden maken.

c. Wanneer wij een plant infecteren met twee verschillende virussen dan kunnen wij ook twee eiwitten isoleren die respectievelijk de eigenschappen van één van de virussen vertonen.

d. Elke physische of chemische behandeling die het eiwit denatureert leidt ook tot het verlies van de viruseigenschappen.

e. Het is mogelijk om een antiserum tegen het virus te maken door het inspuiten van konijnen met het virus. Dit antiserum slaat het eiwit neer en evenredig met de hoeveelheid neergeslagen eiwit verliest het virus zijn werkzaamheid.

f. STANLEY's eiwit vertoont een absorptiespectrum met duidelijke banden in het ultraviolette licht (het spectrum lijkt veel op dat van gewone eiwitten maar wijkt genoeg af om het viruseiwit te kunnen klassificeren als een z.g. nucleoproteïne). Meten wij nu de invloed van ultraviolet licht van verschillende golflengten op de destructie van de virusactiviteit (deze proef was al verricht voordat het virus gekristalliseerd was) dan zien wij dat de destructie anders is bij verschillende golflengten. Vergelijking van dit ,,destructiespectrum'' met het ,,absorptiespectrum'' van het gezuiverde eiwit bewijst dat deze twee spectra identiek zijn. Dit is wel een zwaar argument voor de opvatting dat het gekristalliseerde eiwit hetzelfde is als het virus, dus als de ziekteverwekker.

Iedereen zal zich na de bechouwing van deze argumenten moeten verzoenen met het feit, dat een ziekteverwekker in gekristalliseerde toestand verkregen is. De moeilijkheid om het begrip organisme met het begrip kristal te verenigen heeft aanleiding gegeven tot belangrijke theoretische beschouwingen die later uitvoerig aan de orde zullen komen. Voor ons is het belangrijkste feit, dat de kristallisatie van het virus de basis is waarop verder chemisch en physisch werk mogelijk is.

In tegenstelling tot het ontzaggelijke aantal stoffen waaruit een bacterie opgebouwd blijkt te zijn, vinden wij in het virus — het is misschien niet overbodig om er nog eens op te wijzen, dat wij nu spreken over het mozaikvirus van de tabak; andere virussen kunnen anders gebouwd zijn — slechts één enkele stof: een eiwit van zeer ingewikkelde samenstelling en van reusachtige (t.o.v. gewone eiwitmoleculen) afmetingen. Dit eiwit bevat een zeker percentage phosphor en behoort tot de z.g. nucleoproteïnen. Direct vragen wij ons dan af of wij deze nucleoproteïnen nog ergens anders in de levende natuur tegen komen. Uit de naam van deze eiwitten (nucleus = kern) blijkt dit al: zij vormen een belangrijk bestanddeel van de celkern van hogere organismen. Er zijn gegronde aanwijzingen dat de stoffelijke dragers van de erfelijke eigenschappen (de genen) uit nucleoproteïnen bestaan. Deze overeenkomst heeft tot interessante theorieën over de betrekking tussen genen en virussen geleid, waar al op gewezen is. Ook in het celplasma van hogere organismen komen nucleoproteïnen voor en deze plasma-nucleoproteïnen onderscheiden zich enigszins van de kern-nucleoproteinen. Voor een theoretische beschouwing van het virusprobleem is het van belang, dat het virus meer op plasma-nucleoproteïnen lijkt.

Wanneer wij bedenken, dat dit gedeelte van het virusonderzoek in handen van chemici is, dan is het begrijpelijk, dat van deze kant heel nieuwe aspecten van het probleem belicht zijn. De chemicus werkt met andere methoden en begrippen dan de bioloog en de patholoog. Het virus bleek uit één enkele stof te bestaan; is het wonderlijk, dat men trachtte van deze stof het moleculairgewicht te bepalen? SVEDBERG had in Upsala zijn fraaie methode uitgewerkt om het moleculairgewicht van eiwitten te bepalen en het lag voor de hand om ook het virus met deze methode te onderzoeken. De eerste bepalingen wezen op een moleculairgewicht van 17.000.000, een getal dat in de buurt van het moleculairgewicht van de grootste eiwitten (haemocyanine) komt. Nu kan de grootte van deeltjes ook langs een andere weg bepaald worden. De diffusiesnelheid hangt van de afmeting van het deeltje af; een klein deeltje beweegt zich sneller dan een groot deeltje. Metingen van de diffusiesnelheid kunnen dus inlichtingen over de grootte van de deeltjes verschaffen. Tot grote ontsteltenis van de onderzoekers klopten de uitkomsten van deze twee methoden absoluut niet. De oplossing van dit vraagstuk was gelegen in het feit, dat bij de berekeningen aangenomen was, dat de deeltjes bolvormig waren. Dit bleek nu bij het virus van de mozaikziekte helemaal niet het geval te zijn; het is langwerpig (ongeveer 22 maal zo lang als breed). Houdt men met deze asymmetrie rekening dan worden de uitkomsten heel anders en wat belangrijker is, dan kloppen de berekeningen van de twee methoden vrij goed. Het moleculairgewicht is dan tenslotte 43.500.000. Later zijn deze indirecte metingen van de afmetingen van het virus bevestigd door opnamen met het electronenmicroscoop.

Ook het probleem van de veranderingen of mutaties van de virussen is van chemische zijde aangepakt. Van het mozaikvirus zijn vele varianten bekend die elk gekarakteriseerd zijn door bepaalde typische symptomen. Elk van deze varianten onderscheidt zich chemisch enigszins van de andere varianten. M.a.w. deze mutaties hebben een stoffelijke basis; zij ontstaan doordat een bepaalde groep in het virus verandert of vervangen wordt door een andere groep. De grootte van het molecuul van

verschillende varianten is altijd eender; een mutatie geeft dus geen toe-
of afname van het moleculairgewicht. Weer rijst hier de vraag of bij een
z.g. homogeen virus geen kleine verschillen in rangschikking van de
groepen aanwezig kan zijn. Een ,,mutatie" zou dan slechts een selcetie
door bepaalde omstandigheden betekenen. Al met al zien wij, dat een
verandering in het ziekteverschijnsel gepaard gaat met aanwijsbare
chemische veranderingen, dus de biologische en chemische eigenschappen
van de virussen zijn nauw verbonden.

Grote mogelijkheden zijn voor het virusonderzoek geopend door de
toepassing van een nieuwe physische methode. Reeds lang kennen wij
chemische elementen die onder het uitzenden van stralen spontaan uit
elkaar vallen. Radium is hiervan het bekendste voorbeeld. In de laatste
jaren is men er ook in geslaagd kunstmatig radioactieve elementen te
maken. Zo lukt het om radioactief phosphor te verkrijgen door zwavel
met neutronen te beschieten. De straling van een kunstmatig radioactief
element is betrekkelijk gemakkelijk te meten en met behulp van deze
methode kan men onderzoeken hoe dit element door een organisme opgenomen wordt en waar het in dat organisme terechtkomt. In ons geval
interesseert ons de kwestie hoe het phosphor in het virus gebonden is.
Uit de vondst dat het virus een nucleoproteïne is, had men al geconcludeerd, dat het phosphor vrij vast in het nucleïnezuurgedeelte van het
molecuul gebonden zit. BORN en zijn medewerkers hebben deze opvatting
met radioactief phosphor bevestigd. In de eerste plaats brachten zij het
mozaikvirus in een oplossing van radioactief anorganisch phosphaat. Zij
konden geen uitwisseling van phosphor waarnemen. Toen werden door
hen tabaksplanten gekweekt op een voedingsoplossing die radioactief
phosphaat bevatte en deze planten werden met het virus geïnfecteerd. Dit
virus vermenigvuldigt zich natuurlijk in de plant, neemt daarbij phosphor
op en vertoont dan een hoge radioactiviteit. Het is dus alleen mogelijk
om het virus langs biologische weg van radioactief phosphor te voorzien,
waaruit volgt, dat het phosphor vrij vast gebonden zit. Beschikken wij
nu over een dergelijk radioactief virus dan kunnen daarmee weer proeven
gedaan worden over de verspreiding van het virus in de plant.

Als tegenstelling willen wij naast het mozaikvirus eens zien, wat wij
van het pokkenvirus afweten. Men heeft natuurlijk getracht om ook het
pokkenvirus te zuiveren. Gekristalliseerd kan dit virus niet worden (tenminste dat is nog niet gelukt en het is — gezien de afmeting en de samenstelling van het virus — niet waarschijnlijk dat het ooit lukken zal).
Elke onderzoeker moet nu eerst aantonen of zijn preparaat van virus-

deeltjes werkelijk zuiver is en daar hij uit moet gaan van de inhoud van pokken van geïnfecteerde dieren waar zich natuurlijk ook allerlei cel-resten e.d. in bevinden, staat hij bij de zuivering van het virus voor een moeilijk probleem. Meestal gebruikt men de methode van het gefractionneerde centrifugeren. Door het virus vele malen te centrifugeren — telkens in een verse oplossing — wast men allerlei verontreinigingen weg. Deze manier geeft natuurlijk nooit een volstrekte garantie dat er geen onzuiverheden aan het virus geabsorbeerd blijven zitten, maar wij nemen aan, dat het virus zuiver is als zijn eigenschappen na herhaalde malen centrifugeren niet meer veranderen. Bij het chemische onderzoek (Mc Farlane) blijkt weer, dat een belangrijk bestanddeel van het virus een nucleoproteïne (dus een verbinding van eiwit en nucleïnezuur) is. Daarnaast zit in het virus een vetachtige stof (lipoid) die wij als een voorname bouwsteen van hogere organismen kennen. Wat de bouw van het virus betreft komt Mc Farlane dan tot de volgende attractieve hypothese: het bestaat uit ,,stenen'' van een specifiek eiwit die aan elkaar gekit worden door nucleïnezuur en lipoid. Hoewel het virus ongetwijfeld een meer complexe bouw heeft dan het mozaikvirus van de tabak zijn er geen gronden om aan te nemen, dat deze structuur op fundamenteel andere physische principes berust.

Tegen deze wel zeer ,,chemische'' opvatting zijn vele auteurs in het strijdperk getreden. In de eerste plaats wees men er op, dat naast de genoemde stoffen ook nog koolhydraat in de deeltjes te vinden is. Dit koolhydraat is een van de serologisch actieve stoffen van het pokken-virus. De situatie is hier net als bij vele bacteriën. Deze bevatten zeer specifieke koolhydraten, die ook serologisch actief zijn en betrekkelijk gemakkelijk uit de bacterie te verwijderen zijn. Verwijdering van het koolhydraat uit het virus geeft geen verlies van het ziekteverwekkende vermogen. Men komt dan tot drie hypothesen: 1. het koolhydraat is een product van het virus; 2. het is een bestanddeel van het virus dat zeer los gebonden zit of 3. het is een product van de zieke cel. Hoe men het probleem ook bekijkt, ieder voelt, dat het pokkenvirus niet zo gemakkelijk als een enkel molecuul gezien kan worden als een virusdeeltje van de mozaikziekte.

Bij hogere organismen spelen de lipoiden een grote rol in de z.g. proto-plasmamembraan, de grenslaag van het protoplasma, die de permea-biliteit van de cel regelt. Zouden de lipoiden bij het pokkenvirus dezelfde rol spelen? Met behulp van de fotografie met ultraviolet licht meende Barnard aan te kunnen tonen, dat er zich inderdaad een membraan om het virus heen bevindt en deze membraan zou uit lipoiden bestaan. SMADEL en ELFORD menen, dat het volume van het virusdeeltje verandert als men de osmotische druk van het milieu varieert. Dit zou natuurlijk een sterke aanwijzing zijn, dat het virus veel op een kleine bacterie en niet op een molecuul lijkt.

Het lijkt overbodig om hier van elk virus te beschrijven, welke chemische en physische eigenschappen bekend zijn. Wel moeten wij er op wijzen, dat tot dusver bij elk virus dat chemisch onderzocht is, kwam vast te staan, dat het geheel of ten dele bestaat uit nucleoproteine. Wij mogen volstaan met te wijzen op het werk van onzen landgenoot JANSSEN, die voor het mond- en klauwzeervirus aannemelijk maakte, dat dit een nucleoproteine is. Ook de bacteriophaag blijkt een nucleoproteine te zijn (NORTHROP). Bij de bepaling van het moleculairgewicht van deze phaag kwam een zeer merkwaardige eigenschap aan het licht: het moleculairgewicht is afhankelijk van de concentratie van de bacteriophaag. Het varieert van 300.000.000 in geconcentreerde oplossing tot 400.000 in verdunde oplossing. Dit betekent, dat het volume van het deeltje in een geconcentreerde oplossing ongeveer 700 maal zo groot is als in een verdunde oplossing. Het ontstaan van de phaag schijnt enigszins analoog te zijn aan de vorming van sommige enzymen. Zo wordt het darmenzym trypsine afgescheiden in een niet-actieve vorm (het trypsinogeen). Voegen wij bij trypsinogeen een kleine hoeveelheid trypsine dan wordt al het trypsinogeen in korte tijd omgezet in het actieve trypsine. Nu menen KRUEGER en BALDWIN aangetoond te hebben dat bacteriën een niet actieve phaag leveren (pro-phaag) en door een kleine hoeveelheid bacteriophaag wordt deze niet-actieve stof in de actieve phaag omgezet. Hiermee in overeenstemming is dat zij een — zij het geringe — vermeerdering van de bacteriophaag in een celvrij bacterieëxtract vonden. Deze revolutionaire beschouwingen hebben natuurlijk veel stof doen opwaaien en zijn fanatiek bestreden.

Eén ding mogen wij zeker uit dit alles concluderen. Zoals wij gezien hebben bestaan de virussen voor een belangrijk deel uit nucleoproteinen. Willen wij de natuur van de virussen nader leren kennen dan moeten wij ons afvragen wat de rol van de nucleoproteinen in de hogere organismen is. Jammer genoeg is daar heel weinig van bekend, maar het is waarschijnlijk dat het virusonderzoek een nadere studie van deze zeer belangrijke verbindingen zal stimuleren.

LITERATUUR

BORN, H. J., A. LANG und G. SCHRAMM. Markierung von Tabakmosaik-virus mit Radiophosphor. Arch. Virusf. *2*, 461—479, 1943.

BURNET, F. M. The growth of viruses on the chorioallantois of the chick embryo. In DOERR und HALLAUER: Handbuch der Virusforschung I, 419—446, 1938.

DOERR, R. Der qualitative Virusnachweis. In DOERR und HALLAUER: Handbuch der Virusforschung II, 574—597, 1938.

DOERR, R. Der quantitative Virusnachweis. In DOERR und HALLAUER: Handbuch der Virusforschung II, 598—690, 1938.

DORGELO, H. B. Electronenmicroscopie. Natuurk. Voordrachten *18*, 138—159, 1940.

ELFORD, W. J. The sizes of viruses and bacteriophages and methods for their determination. In Doerr und Hallauer: Handbuch der Virus-forschung I, 126—231, 1938.

FINDLAY, G. M. Variation in viruses. In DOERR und HALLAUER: Handbuch der Virusforschung II, 861—994, 1938.

FRAMPTON, V. L. On the molecular weight of the tobacco-mosaic virus protein. Phytopathology *29*, 495—497, 1939.

GREEN, R. H., T. F. ANDERSON and J. E. SMADEL. Morphological structure of the virus of vaccinia. J. Exp. Medic. *75*, 651—656, 1942.

HAITINGER, M. Die Fluoreszenzmikroskopie. In DOERR und HALLAUER: Handbuch der Virusforschung I, 231—252, 1938.

HALLAUER, C. Die Viruszüchtung im Gewebsexplantat. In DOERR und HALLAUER: Handbuch der Virusforschung I, 369—419, 1938.

HERZBERG, K. Die färberische Darstellung von filtrierbarem Virus unter besonderer Berücksichtigung des intracellulären Vermehrungsvor-ganges. Proc. 2nd Int. Congr. Microbiol. London 72—73, 1936.

JAEGER, F. M. De analytische ultra-centrifuge en het onderzoek der fil-treerbare virus-soorten. Chem. Weekbl. *35*, 419—431, 1938.

JANSSEN, L. W. Die Herstellung eines stark gereinigten Virus der Maul-und Klauenseuche. Z. Hyg. *119*, 558—571, 1937.

KAISER, M. Die Färbungsmethoden der Viruselemente. In DOERR und HALLAUER: Handbuch der Virusforschung I, 252—292, 1938.

KAUSCHE, G. A. und H. STUBBE. Zur Frage der Entstehung röntgenstrahlen-induzierter Mutationen beim Tabakmosaikvirusprotein. Naturwiss. *28*, 824, 1940.

KRUEGER, A. P. The „precursor" of bacteriophage. Proc. 3d Int. Congr. Microbiol. N. Y. 297—298, 1939.

LAUFFER, M. A. and W. M. STANLEY. The physical chemistry of tobacco mosaic virus protein. Chem. Rev. *24*, 303—321, 1939.

LURIA, S. E. and T. F. ANDERSON. The identification and characterization of bacteriophages with the electron microscope. Proc. Nation. Acad. Sc. *28*, 127—130, 1942.

McFARLANE, A. S., M. Y. McFARLANE, C. R. AMIES and G. H. EAGLES.

A physical and chemical examination of vaccinia virus. Brit. J. exp. Path. *20*, 485—501, 1939.

NORTHROP, J. H. Concentration and purification of bacteriophage. J. gen. Physiol. *21*, 335—366, 1938.

RUSKA, H. Versuch zu einer Ordnung der Virusarten. Arch. Virusf. *2*, 480—498, 1943.

SCHRAMM, G., H. J. BORN und A. LANG. Versuch über den Phosphoraustausch zwischen radiophosphorhaltigem Tabakmosaikvirus und Natriumphosphat. Naturwiss. *30*, 170—171, 1942.

STANLEY, W. M. Isolation and properties of virus proteins. Erg. d. Physiol. *39*, 294—347, 1937.

STANLEY, W. M. Biochemistry and biophysics of viruses. In DOERR und HALLAUER: Handbuch der Virusforschung I, 447—546, 1938.

HOOFDSTUK III

DE MEDICUS EN HET VIRUSVRAAGSTUK

1. Geen virusziekte zonder besmetting

Sinds de ontdekking van de rol die de bacteriën bij ziekte-processen spelen, zijn wij vertrouwd met het idee dat een ziekte van een patient op een gezond mens overgebracht kan worden. Bij de bestrijding van deze infectieziekten is het van het allergrootste belang om de wijze van besmetting te leren kennen. Waarom is de bestrijding van luizen vooral in oorlogstijd zo belangrijk? Omdat deze dieren o.a. de vlektyphus overbrengen en grote troepenverplaatsingen de verspreiding van de luizen en dus van de ziekte zeer in de hand werken. In het algemeen kunnen bacteriën op vele manieren van de patiënt op de gezonde persoon overgebracht worden. Wij denken aan bloedzuigende insecten die ziektekiemen transporteren, aan druppelinfecties, aan contactinfecties enz. Onderscheiden de virussen zich van de bacteriën doordat zij op een andere manier overgebracht worden?

Historisch gezien is er wat dit betreft geen onderscheid tussen de virussen en de andere ziektekiemen te maken. Immers, van vele virusziekten was de wijze van verspreiding bekend lang voordat de verwekker zelf gevonden was. Wij wisten dat de hondsdolheid door de beet van een dolle hond veroorzaakt kan worden, dat gele koorts door een muskiet verspreid wordt, dat een gezond mens ziek kan worden door een nauw contact met een pokkenlijder, dat bij influenza de druppelinfecties een grote rol spelen, kortom alle mogelijke soorten van verspreiding worden bij virusziekten gevonden. Er is dus — epidemiologisch gezien — geen onderscheid tussen virussen en bacteriën.

Toch is dit resultaat achteraf gezien niet vanzelfsprekend. Het zou helemaal niet wonderlijk zijn dat er voor de virussen, die zich onderscheiden door hun geringe afmetingen, infectiewegen open zijn die voor de veel grotere bacteriën moeilijk of niet te passeren zijn. Wij denken bijvoorbeeld aan een besmetting van het jonge dier doordat het virus zich reeds in de geslachtscellen der ouders bevindt. Evenwel komt deze germinatieve besmetting bij virusziekten van dieren niet voor. Ook is een besmetting van het embryo via de navelstreng zeer zeldzaam. Deze wijze van infectie komt relatief niet méér voor dan bij bacteriën en er is dus geen aanleiding om te menen dat de virussen niet tot de parasieten gerekend moeten worden. Bij de bespreking van een parasiet valt de nadruk op de verhouding van de parasiet tot de gastheer. Daarbij zijn drie stadia gemakkelijk aanwijsbaar: ten eerste moet de parasiet met de gastheer samenkomen, ten tweede dringt de parasiet het lichaam van de gastheer binnen en tenslotte begeeft de parasiet zich meestal naar een bepaald orgaan waar de ontwikkelingskansen het gunstigste zijn. Hier interesseert ons voorlopig het eerste stadium.

Talrijke virussen bereiken hun slachtoffers via insecten. In principe is dit mogelijk op twee volkomen verschillende manieren. In de eerste plaats kan een lichaamsdeel van het insect — b.v. de zuigsnuit of een poot — verontreinigd zijn met de ziekteverwekker zodat deze zuiver mechanisch van de ene persoon op de volgende overgebracht wordt. Bij microben is deze wijze van infectie zeldzaam. Meestal zien wij dat de parasiet in het insectenlichaam opgenomen wordt, zich daar vermeerdert en tenslotte met het speeksel uitgescheiden wordt. Het bekendste voorbeeld van deze gang van zaken is de overbrenging van de verwekker van de malaria (*Plasmodium*) door een mug (*Anopheles*). Wij zouden dit — in tegenstelling tot de mechanische overbrenging — de biologische wijze van overbrengen willen noemen. Karakteristiek voor dit proces is dat de ziekte meestal alleen door een bepaald insect verspreid wordt. Daarnaast is belangrijk dat er na het opnemen van het virus enige tijd overheen gaat voordat het insect voor zijn omgeving gevaarlijk wordt. In die tijd heeft de parasiet zich in de mug vermeerderd.

Bij verschillende virusziekten waarvan insecten de overbrengers zijn, vinden wij soortgelijke zaken. Meestal brengt een bepaald insect een bepaalde ziekte over en in het algemeen is er een zekere tijd nodig voordat het insect infectieus wordt. Wanneer de muskiet *Aëdes aegypti* — die de gele koorts overbrengt — bloed zuigt van een lijder aan gele koorts dan duurt het negen dagen voordat haar steek een gezonde persoon ziek kan maken. Wat gebeurt er met het virus in de tussentijd? Bevat het insect in die latente periode ook virus? De meest voor de hand liggende mening is natuurlijk dat het insect met het bloed van de patiënt een klein beetje virus opneemt en dat dit zich in het insect gaat vermeerderen. Tenslotte wordt dan de hoeveelheid virus in het insectenlichaam zo groot dat een deel met het speeksel uitgescheiden wordt. Het gevolg is dat, als het speeksel genoeg virus bevat, een gezond mens na de steek van het virusdragende insect ziek wordt. Inderdaad hebben verschillende experimenten deze opvatting ondersteund. In de eerste plaats zijn daar de proeven van BAUER en HUDSON die proefdieren infecteerden met een suspensie van fijngewreven muggen. Deze experimenten hebben een positieve uitslag, ook in de eerste negen dagen na een bloedmaaltijd van het insect. Dat betekent dus dat het insect virus bevat ondanks het feit dat de steek van de muskiet in die tijd ongevaarlijk is. WHITMAN bepaalde het gehalte aan gele-koortsvirus in de dagen na een bloedmaaltijd. Eerst neemt het gehalte enigszins af om daarna te stijgen tot een hoogte die veel groter is dan de hoeveelheid virus die het insect oorspronkelijk opgenomen had. Wij kunnen er niet aan twijfelen dat het virus zich in de muskiet vermeerderd heeft. Bij de malariamuskiet zouden wij bij de bepaling van de hoeveelheid ziekteverwekker iets dergelijks vinden als WHITMAN bij de gele koorts waarnam. Eerst wordt het infectievermogen minder om tenslotte sterk te stijgen. Evenwel is bij de malaria de gang van zaken in de muskiet volledig bekend, wat wij van de geschiedenis van het gele-koortsvirus in *Aëdes* niet kunnen zeggen. In het laatste geval kennen wij het mechanisme van de virusvermeerdering in het insect absoluut niet, zodat het de vraag blijft of de overeenkomst bij malaria en gele koorts op dezelfde achtergrond van het gebeuren wijst.

De andere belangrijke verspreidingsmogelijkheid is het directe contact van het zieke met het gezonde organisme. Het infectievermogen van sommige virusziekten is zo groot dat dikwijls het verblijf in de kamer van een zieke voldoende is om geïnfecteerd te worden. Vooral van mazelen is dit een bekend feit. Nu moeten wij scherp onderscheiden tussen het infectievermogen en het ziekteverwekkende vermogen. Dat een ziekte zeer besmettelijk is betekent niet dat zij nu ook zeer gevaarlijk is. Wij denken in dit verband weer aan mazelen, een betrekkelijk ongevaarlijke maar zeer besmettelijke ziekte. Soms komt de infectie op merkwaardige wijze tot stand. Het virus van de hondsdolheid bevindt zich in het centrale zenuwstelsel van honden en beinvloedt dit zodanig dat deze honden dol worden, d.w.z. alles wat zij tegenkomen bijten. Daarbij blijft het virus met het speeksel van de dolle hond in de wond van de gebeten mens of hond achter. Dit is wel een heel merkwaardige contactinfectie. Dan zien wij nog dat het infectievermogen van een virus afhankelijk is van de gastheer waarin het virus zich ophoudt. Bij de papagaaienziekte worden personen die met zieke vogels omgaan heel gemakkelijk besmet, terwijl een overgang van de ziekte van mens tot mens heel zelden voorkomt.

Het is niet noodzakelijk om een opsomming te geven van alle wegen

waarlangs een organisme door een virus besmet kan worden [1]). Wij wijzen
er nog op dat het water een rol kan spelen en dat andere ziektekiemen
door de lucht verspreid kunnen worden. En dan zijn er nog virusziekten
waarvan wij niet precies weten hoe zij in de natuur overgebracht worden.
Het moeilijkste geval is dat van de ziekten die ook experimenteel niet
over te brengen zijn. Dan rijst direct de vraag of wij met een virus te
doen hebben. Het is bekend, dat na vaccinatie tegen pokken zeer zelden
gevallen van encephalomyelitis voorkomen. Deze ziekte is niet over te
brengen en wij weten dus niet of wij met een virusziekte te maken hebben
en hoe het verband met pokken is. Daarnaast zijn er ziekten waarvan wij
de natuurlijke gang van zaken niet kennen, maar waar de ziekte wel
kunstmatig over te brengen is. Dan moeten wij ons afvragen of de kunstmatige wijze van infectie dezelfde is als de weg die het virus in de natuur
neemt. Kinderverlamming kan bij sommige apensoorten verwekt worden
door wat virus op de neusslijmvliezen van deze dieren te brengen. Het
virus beweegt zich dan door de neuszenuw via de hersenen naar het ruggemerg en verwoest daar bepaalde cellen, wat tot de typische symptomen van de ziekte leidt. Om nu na te gaan of deze weg ook in de natuur
gevolgd wordt, gaan wij na hoe de verspreiding van de ziekte bij een
epidemie is. Dan vindt men, dat de verdeling van de ziektegevallen niet
in tegenspraak met de veronderstelde verspreiding is. Evenwel moeten
er nog zoveel factoren in aanmerking genomen worden, dat uit deze
vondst de werkelijke gang van zaken niet af te leiden is. Aan de andere
kant zijn er ziekten, waarbij de verdeling van de ziektegevallen duidelijk
in tegenspraak is met de experimenteel gevonden mogelijkheid van
verspreiding. Het duidelijkste spreekt wel het voorbeeld van de kanker
(wij laten nog in het midden of dit een virusziekte is). Experimenteel
kan die ziekte alleen overgebracht worden door cellen van het kankerweefsel in een gezond weefsel te inplanteren. Dit kan natuurlijk niet de
gewone gang van zaken zijn en wij komen tot de conclusie, dat wij nu
niet van een infectieziekte spreken mogen. Roos (*herpes fibrilis*) kan experimenteel te weeg gebracht worden door een inspuiting met een celvrij
extract van het zieke weefsel. Toch krijgen wij niet de indruk dat bij
deze ziekte de overdracht van het virus op een gezond organisme de
belangrijkste verspreidingsmethode is. De ziekte kan n.l. ook door de

---

[1]) Een heel merkwaardig geval wordt door SHOPE (Virus diseases, Cornell
University Press 1943, p. 85—109) beschreven. Het virus van de varkensinfluenza komt voor in een longparasiet van het varken en kan daarmee —
via een regenworm als tussengastheer — overgebracht worden.

meest verschillende niet-specifieke factoren veroorzaakt worden. Daarom denken velen aan een zeer algemene verspreiding van een latent virus, dat door bepaalde oorzaken geactiveerd wordt en dan het organisme ziek maakt.

Na deze bespreking van de wegen die een virus tot het slachtoffer leiden, komen wij tot de vraag wat men kan doen om de verspreiding van de ziekte tegen te gaan. Hoe meer wij weten van de loop der gebeurtenissen, hoe groter onze mogelijkheden zijn om in te grijpen. De opgave van de arts is duidelijk: indien mogelijk moeten de infectiewegen verbroken worden. Bestrijding van muskieten zal ongetwijfeld het gevaar van een gele-koortsepidemie verkleinen. Goede hygiënische maatregelen zullen de weg verbreken van een virus, dat in natuurlijke omstandigheden met de faecaliën van de patiënt uitgescheiden wordt en water verontreinigt. Niet waarschijnlijk is, dat in de menselijke samenleving de verspreiding van ziekten door druppelinfecties of door nauw contact voorkomen zal kunnen worden [1]). In zeer gevaarlijke gevallen ligt de oplossing voor de hand: de arts zal de zieke zo veel mogelijk isoleren.

Een grote moeilijkheid is de aanwezigheid van personen die gezond zijn en toch een zekere hoeveelheid virus herbergen. In het algemeen zijn deze mensen veel gevaarlijker voor de samenleving dan de zieken die duidelijke symptomen van de kwaal vertonen. TOPLEY en WILSON onderscheiden in hun beschouwingen over de verspreiding van een ziekte vele mogelijkheden. Zij zien in de eerste plaats de ziektegevallen met de typische symptomen; deze worden door de arts direct herkend. Dan zijn er de mensen die wel aan de ziekte lijden maar niet de typische symptomen laten zien; alleen door bijzondere bijkomstige omstandigheden kan de arts hier zijn diagnose stellen. Tenslotte zijn er ,,gezonden'' die latent geïnfecteerd zijn en dus voor hun omgeving een groot gevaar opleveren. Van elk van deze virusdragers kunnen de ziektekiemen overgebracht worden op de rest van de gezonde individuen. Bij deze gezonden moeten wij nog verschil maken tussen gevoelige en immune personen. De onderlinge verhouding van deze categorieën is karakteristiek voor

---

[1]) In de oorlogsjaren zijn er uitgebreide proeven genomen over de bestrijding van luchtinfecties met zogenaamde aerosolen (zeer fijn verstoven oplossingen van desinfectiemiddelen). Mijn in de oorlog neergeschreven opmerking over de druppelinfecties is vermoedelijk te pessimistisch. Zie bijvoorbeeld: C. H. ANDREWES, Virus diseases of man: a review of recent progress. In: Recent medical Science. Univers. Pers, Leiden 1945, p. 85—100.

verschillende ziekten en bepaalt het verloop van een epidemie. Fig. 10 laat verschillende mogelijkheden zien. Allereerst valt onze aandacht op een epidemie van een ziekte, die ook in normale tijden aanwezig is (A). Dan zijn er in het algemeen betrekkelijk veel immune personen en onder de gevoelige gezonden zijn vele slachtoffers. In een later stadium (B) is het aantal gevoelige personen afgenomen en de epidemie wordt minder.

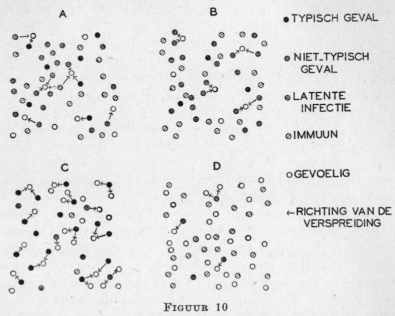

FIGUUR 10

De verspreiding van ziekten. A. Epidemie van een ziekte, die ook in normale tijden aanwezig is. B. Dezelfde epidemie in een later stadium. C. Catastrophale epidemie in een onbeschermde maatschappij. D. Periode tussen twee epidemieën (naar TOPLEY en WILSON).

Catastrophaal kan een epidemie worden als er heel weinig immune personen zijn (C). In de tijd tussen twee epidemieën zal de toestand meestal zijn zoals D aangeeft. Een enkel niet-typisch geval, nog betrekkelijk veel immune personen en een groot aantal gevoeligen. Elke maatregel ter bestrijding van ziekten zal met deze verhoudingen rekening moeten houden. Vooral vroeger werden isolatie van patiënten en quarantaine veel toegepast. Zijn deze maatregelen effectief? De virusdragende gezonde en de zieke zonder typische verschijnselen ontsnappen aan de controle.

Onder de tegenwoordige verkeersomstandigheden schijnt er niet veel kans aanwezig te zijn om het binnenkomen van parasieten uit andere werelddelen te verhinderen. Meestal is de verhouding van niet-typische tot typische ziektegevallen hoog, zodat isolatie van de patiënten bij vele ziekten niet zo veel waarde heeft. Deze maatregelen kunnen alleen bij bepaalde ziekten — met weinig virusdragers en weinig niet-typische gevallen — succes hebben. Veel meer waarde moeten wij hechten aan goede hygiënische maatregelen en aan een verhoging van de weerstand van de samenleving tegen de aanvallen van parasieten. Wel kan het van groot belang zijn om te weten wat de bron van de virusinfecties is. In Brazilië blijken apen de infectiehaard van epidemieën van een vorm van gele koorts te vormen.

Overzien wij de wegen die de verschillende virussen naar hun gastheren leiden dan is het duidelijk waarom er pas zo laat onderscheid gemaakt is tussen virusziekten en andere infectieziekten. De virussen vertonen dezelfde variatie in hun manieren van infectie en bijgevolg zijn de bestrijdingsmethoden tegen de virusziekten net zo gevarieerd als die tegen de bacterieziekten.

2. *De weg van het virus in het lichaam*

Wanneer iemand door een dolle hond gebeten is dan duurt het dikwijls een paar weken voordat hij de typische symptomen van de ziekte begint te vertonen. Is de patiënt overleden en onderzoekt men waar het virus zich bevindt dan vallen direct de verwoestingen op, die het virus in het centrale zenuwstelsel aangericht heeft. In andere delen van het lichaam is veel minder virus te vinden en daar heeft het virus geen schade aangericht. Het virus wordt dus gekarakteriseerd door een voorkeur voor bepaalde organen van de gastheer. Ook bij bacteriën kennen wij deze z.g. tropismen. Denk b.v. aan de diphteriebacteriën die zich voornamelijk in de keel vermeerderen. Deze voorkeur van de virussen voor bepaalde organen is dus karakteristiek en dit is voor LIPSCHUTZ aanleiding geweest om de virussen naar hun tropismen in te delen. Zo zullen het pokkenvirus dat grote verwoestingen in de huid veroorzaakt en het virus van de kinderverlamming dat voornamelijk in het centrale zenuwstelsel gelocaliseerd is tot twee verschillende groepen behoren. Toch vragen wij ons af of deze verschillen in voorkeur een voldoende basis vormen om tot een natuurlijk systeem van de virussen te komen. Ook de indeling van de bacteriën berust op andere kenmerken. Het grote bezwaar is dat wij het mechanisme van de voorkeur van een virus voor een bepaald weefsel niet kennen. Daarbij zijn er nog de bezwaren dat vele virussen tropismen voor verschillende organen vertonen. Bij andere virussen kan het tropisme door het kweken in bepaalde weefsels veranderd worden. Wij kunnen het pokkenvirus (variola-virus) verzwakken door het op de huid van een kalf te kweken (dit veranderde virus noemen wij dan het vaccinia-virus). Daarbij verandert natuurlijk het tropisme van het virus niet; ook de koepokken blijven in de huid gelocaliseerd. Anders wordt het als wij het vaccinia-virus op de chorio-allantois van het kippenei laten groeien. Het resultaat is dan een virus dat een sterke voorkeur voor het zenuwstelsel vertoont (neuro-vaccinia). Moeten wij nu dit enigszins veranderde virus in een andere groep indelen? Men voelt dat dit niet erg logisch is. Er zijn auteurs die zich voorstellen dat wij hier niet van een verandering mogen spreken, maar dat wij met een selectie van bepaalde virusdeeltjes te maken hebben. LEVADITI vat het gewone vaccinia-virus op als een mengsel van veel vacciniadeeltjes (V) en weinig neuro-vaccinia (N). Kweken wij dit virus nu op de chorio-allantois dan vermeerderen de neurovacciniadeeltjes zich veel sneller dan de andere deeltjes Gaan wij uit van het virusmengsel (8 V + 2 N), dan zal dit binnen korte tijd geworden zijn (2 V + 8 N). Het karakter van het virusmengsel is dus veranderd, maar de afzonderlijke virussen zijn volkomen constant. Wij kunnen dan aan de verdeling van LIPSCHUTZ vasthouden, alleen heeft het systeem in dat geval weinig meer dan academische waarde. En ten slotte zullen de meeste auteurs aan de hypothese van LEVADITI twijfelen en aan één virus denken dat door verschillende omstandigheden verandering kan ondergaan.

Hoe bereikt het virus het weefsel waarvoor het een bepaalde voorkeur heeft? In sommige gevallen is het antwoord op deze vraag gemakkelijk te geven. Het virus, dat wratten veroorzaakt, vestigt zich direct op de plaats van aankomst. Interessant wordt de kwestie bij virussen waar de plaats van aankomst en het aan te vallen orgaan ver van elkaar liggen. Wij moeten ons nu eerst bezig houden met het binnendringen van het virus in het lichaam. Behalve in de enkele gevallen waar het virus door insecten in het bloed gebracht wordt en bij de hondsdolheid ,waar het virus met het speeksel van de dolle hond in de wonde achterblijft, is de plaats van binnenkomst van een virus lastig te vinden. De virussen vertonen geen actieve beweging dus zij moeten opgenomen worden. Nu gaan wij na, waar onbewegelijke en niet-levende deeltjes (b.v. inkt, roet e.d.) in het lichaam opgenomen worden. Alle slijmlagen vertonen de eigenschap om deze deeltjes met grote snelheid en in aanzienlijke hoeveelheden op te nemen. Het ligt voor de hand dat deze plaatsen (neus-, darm-, longslijmvliezen) de gewone infectiepoorten zijn. Maar nu rijzen er enkele bezwaren tegen deze opvatting. Dikwijls is een virus aan een bepaalde infectiepoort gebonden. Toch zou het virus ook op andere plaatsen opgenomen worden. Vanwaar dit verschil? Vermoedelijk omdat het virus niet direct met roetdeeltjes e.d. te vergelijken is. Wanneer wij bij muizen het virus van paarden-encephalomyelitis op het neusslijmvlies brengen, dan is het virus na enkele minuten aan de rand van de hersenen aan te tonen. Evenwel verdwijnt het daarna om na 24 uren weer op dezelfde plaats te verschijnen. Wat is er gebeurd? Dit kunnen wij begrijpen als wij het verschil zien, dat tussen de opname van bacteriën en van de colloidale kleurstof Berlijns blauw door het neusslijmvlies bestaat. De bacteriën, roetdeeltjes e.d. worden tussen de cellen door opgenomen en bereiken de rand van de hersenen in enkele minuten. Berlijns blauw wordt daarentegen ook door de cellen zelf opgenomen. Er zijn dus blijkbaar twee wegen: tussen de cellen door en in de cellen. De weg tussen de cellen door bestaat voor het virus wel, want het virus is na enkele minuten bij de hersenen aan te tonen, maar deze weg eindigt blind. Het virus wordt ook in de cellen opgenomen en bereikt dan door de reukzenuw de hersenen. Deze weg duurt veel langer (24 uren) en gaat vermoedelijk met vermeerdering van het virus gepaard. De opname van Berlijns blauw door de cellen kan verhinderd worden door het neusslijmvlies met een tannine-oplossing te behandelen. Deze stof vermindert de permeabiliteit van de cellen. De opvatting dat ook het virus in de cellen opgenomen moet worden wil het de hersenen bereiken vindt een fraaie ondersteuning in het feit, dat behandeling met een tannine-oplossing de muizen tegen een infectie van paarden-encephalomyelitis beschermt.

Wanneer een virus in het lichaam opgenomen is, staan er vele wegen open om een bepaald orgaan te bereiken. Allereerst kan het virus door het bloed gebracht worden; het virus kan via de weefsels er heen komen; via de zenuwen zijn alle delen van het organisme te bereiken en tenslotte is er nog de weg over de lymphe. Ondanks de grote hoeveelheid onderzoekingen die over deze problemen verricht zijn, weten wij van het fijnere mechanisme van de virusbeweging in het lichaam nog niet veel af.

De weg via het bloed is aangewezen voor virussen die door de steek van een bloedzuigend insect in het lichaam gebracht worden. Hoe komt evenwel een virus dat b.v. aan het darmslijmvlies arriveert in het bloed? Daarvoor is het noodzakelijk, dat de wand van een bloedvat gepasseerd wordt. Hier is een gebied waar de hypothesen welig tieren. Men kan zich voorstellen, dat het virus passief deze barrière passeert. Maar wat is dan de drijvende kracht die het virus door de wand heen brengt? Een dergelijke kracht moeten wij aannemen omdat de virussen zelf onbewegelijk zijn. Een deel van het afgebroken voedsel uit de darm wordt in het lymphestelsel opgenomen. Er zijn auteurs die de opvatting verdedigen, dat het virus met deze stroom voedseldeeltjes mee in de lymphe komt en zo via een omweg het bloed bereikt. Ook deze opvattingen stuiten op moeilijkheden en dan komt men tot het idee dat het virus zich op de plaats van aankomst vermeerdert, waarbij na enige tijd het overschot naar alle kanten — dus ook naar het bloed — afgegeven wordt.

Experimenteel is het vraagstuk te benaderen door een virus in de bloedbaan in te spuiten en dan na verschillende tijden de concentratie van het virus in het bloed na te gaan. Wanneer men deze proef met het pokkenvirus uitvoert dan ziet men, dat het virus zich op allerlei plaatsen in het lichaam vestigt en daar nog aan te tonen is als het bloed weer virusvrij geworden is. Hier heeft dus geen vermeerdering van het virus in het bloed plaats, al kan het virus zo wel verspreid worden. Een dergelijk experiment met het virus van de hondsdolheid heeft een heel ander resultaat. Hier wordt het organisme na een inspuiting van het virus in het bloed praktisch nooit ziek. Het is dus duidelijk dat het virus het centrale zenuwstelsel niet via de bloedbaan bereiken kan, maar dat het virus een andere weg gebruikt. Hiermee is in overeenstemming dat bij een lijder aan hondsdolheid het virus pas in het allerlaatste stadium van de ziekte in het bloed aan te tonen is. Dit betekent, dat er in het centrale zenuwstelsel zoveel virus geproduceerd is, dat het overschot aan het bloed afgegeven wordt. Waarom bereikt dit virus van het bloed uit de hersenen niet? Er moet dan een of andere barrière zijnt ussen het bloed en de hersenen, een grens die het virus niet passeren kan.

De weg van het virus door de weefsels lijkt het eenvoudigste te verklaren. In feite staan wij hier voor een moeilijk probleem. Natuurlijk kan een infectie aanleiding geven tot de groei van het virus in een cel; deze cel kan geheel verwoest worden en uit elkaar vallen. Wanneer dit gebeurd is, worden de aanliggende cellen geïnfecteerd etc. De grote moeilijkheid is nu dat dit proces aanleiding moet geven tot grote verwoestingen in een weefsel, terwijl deze laesies microscopisch dikwijls niet te vinden zijn. Dit klopt niet met het idee van een voortschrijdende infectie, waarbij de weg duidelijk gemarkeerd wordt door de vernietigde cellen. De opgave is dus om de onbewegelijkheid van de virussen te rijmen met een beweging van de virussen door het weefsel die geen sporen nalaat. Voorlopig is dit probleem onopgelost.

Het virus van de hondsdolheid bereikt — zoals wij gezien hebben — de hersenen niet via het bloed, maar langs een andere weg. Het virus veroorzaakt een ziekte van het zenuwstelsel; wat ligt meer voor de hand dan te veronderstellen, dat het virus zich door de zenuwen beweegt? Toch is men het over deze kwestie nog niet helemaal eens, want de experimentele bewijzen voor een transport via de zenuwen zijn lastig te geven. Welke experimenten zijn zoal bij het onderzoek van dit probleem te hulp geroepen? Men kan natuurlijk proberen een infectie teweeg te brengen door inspuitingen met het virus in bepaalde zenuwen. Dit is vooral bij kleine proefdieren een delicate operatie en het resultaat is zeer wisselvallig. Veel betere resultaten levert dikwijls het histologische onderzoek op. MARINESCU en DRAGANESCU infecteerden een konijn met een stam van roos (herpes fibrilis) die een speciale voorkeur voor het centrale zenuwstelsel had en wel werd het konijn op het hoornvlies geïnfecteerd. Aan de sporen die het virus op zijn tocht naar de hersenen achterliet werd na microscopisch onderzoek de weg gereconstrueerd. Kunnen wij met behulp van het microscoop geen laesies in de zenuwen vinden, dan moeten wij proberen om het virus na bepaalde tijd in de verschillende organen aan te tonen. Zo demonstreerde KOPPISCH bij hetzelfde virus, dat er een tijd van 4 dagen na de infectie moest verlopen voordat de hersenen

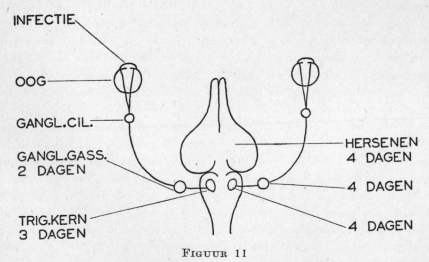

FIGUUR 11

Het virus (herpes fibrilis) werd door KOPPISCH op het hoornvlies van het linkeroog geïnfecteerd. Na vier dagen bereikt het virus de hersenen. Merkwaardig is, dat het virus juist deze weg neemt en niet bijv. de weg via de oogzenuw direct naar de hersenen.

bereikt waren. Zoals fig. 11 laat zien krijgen wij naast gegevens over de snelheid tevens een indruk van de richting van de virusbeweging. Wanneer wij veronderstellen dat een virus zich door een zenuw beweegt dan moet het mogelijk zijn om een infectie van de hersenen te voorkomen door die zenuw door te snijden. Bij apen kan kinderverlamming teweeg gebracht worden door het virus op het neussslijmvlies te brengen. Van deze infectiepoort af leiden vier zenuwbanen naar de hersenen. BRODIE bewees, dat het virus zich alleen over de reukzenuw beweegt. Het doorsnijden en ten dele wegnemen van deze zenuw beschermt de apen tegen de ziekte, dezelfde proef met de andere zenuwbanen heeft geen resultaat. Tenslotte zal men proberen het eerste punt te vinden waar het virus uit de lichaamszenuwen het centrale zenuwstelsel binnenkomt. Dan geeft dat natuurlijk een aanwijzing uit welk lichaamsdeel het virus afkomstig was. Meestal tracht men dit te vinden aan de eerste symptomen die het organisme bij de ziekte vertoont. Een dergelijke afleiding is niet altijd gerechtvaardigd. Wanneer men het virus van de kinderverlamming bij apen in het bloed brengt, dan ziet men — in de zeldzame gevallen dat deze infectie lukt — verlammingen in de benen optreden. De conclusie, dat het virus uit het bloed direct in het deel van het ruggemerg komt, dat de bewegingen van de benen verzorgt, zou te snel getrokken zijn. Immers ook een infectie in de hersenen of via de neus leidt tot hetzelfde resultaat.

Tenslotte is er nog de mogelijkheid, dat het virus met de lymphe vervoerd wordt. Over deze weg is wel heel weinig bekend. JOFFEY en SULLIVAN brachten koepokvirus op het neusslijmvlies. Na 12 uren konden zij dit virus in de cervicale lymphevaten aantonen. Het blijft daar enige dagen en wordt met de lymphe naar het bloed afgegeven. Blijkbaar is het gebonden aan de lymphocyten en deze cellen hebben de eigenschap dat zij de wand van de lympheklieren kunnen passeren.

Wij zien dat er vele wegen zijn die het virus naar het orgaan, waar het zich zal vestigen, leiden. Meestal is de moeilijkheid om de bewegingen van een virus te begrijpen als men de onbeweglijkheid van het virusdeeltje in aanmerking neemt. Vindt men op de weg die het virus doorloopt vele vernietigde cellen dan is het geval betrekkelijk eenvoudig. Het virus woekert dan voort en het resultaat is, dat steeds meer weefsel aangegrepen wordt. Veel moeilijker is het probleem als het virus geen zichtbare sporen achterlaat. Vooral bij de voortbeweging in de zenuwen komt dit nog al eens voor. Hetzelfde vraagstuk kennen wij bij de tetanusbacteriën. Verontreiniging van een wond met deze bacteriën leidt tot aanvallen van spierkramp die dikwijls fataal zijn. Het blijkt dat deze kramp veroorzaakt wordt door een vergift, dat zijn invloed voornamelijk op de centra van de beweging van de ledematen uitoefent. Dit tetanustoxine, dat natuurlijk een levenloze en onbewegelijke stof is, wordt door de bacteriën uitgescheiden. Hoe bereikt het vergift het centrale zenuwstelsel? In het weefsel om de wond heen vinden wij een zeer grote concentratie van het vergift. Daarentegen bevat het bloed bijna geen toxine. MARIE en MORAX lieten zien, dat het vergift door de zenuwen opgenomen kan worden. Het doorsnijden van de zenuw van de geinfecteerde achterpoot van een konijn verhindert een uitbreiding van de spierkramp. Er zijn dus aanwijzingen voor de beweging van het vergift in de zenuwen naar het centrale zenuwstelsel toe. De grote moeilijkheid is weer om de drijvende kracht voor deze beweging te vinden. Dit brengt anderen er weer toe om aan de lymphebanen naast de zenuwen te denken. Hier is een passief transport natuurlijk mogelijk, maar deze lymphebanen leiden niet naar het centrale zenuwstelsel. Meer experimenten zullen tot de oplossing van dit probleem voeren. Tenslotte weten wij van eventuele bewegingen in de zenuwen niets af.

Onze methoden om een virus in een of ander weefsel aan te tonen, zijn wel zeer grof. Wij hopen dat wij langzamerhand meer te weten zullen komen van de specifieke aantrekking die tussen een virus en bepaalde cellen ongetwijfeld aanwezig is. Pas wanneer wij de krachten waarop deze aantrekking berust experimenteel kunnen benaderen, zal er meer licht op de vele vraagstukken geworpen worden, die de beweging van een virus in het lichaam ons nog stelt.

3. *De afweerreactie van het lichaam*

In China is het reeds eeuwenlang gebruik om kinderen te behandelen met korstjes van pokken. Deze worden in de neus gebracht en veroorzaken bij de kinderen een lichte aanval van pokken. Na deze aanval zijn de kinderen immuun tegen een tweede infectie met het pokkenvirus. Evenwel kostte deze methode soms slachtoffers en de verspreiding van de ziekte werd er door bevorderd. Zeker al 3000 jaren lang wordt in Voor-Indië ingeënt met gedroogde korstjes van pokken. Deze werden, zoals nu nog gebruikelijk is, in de armen geënt. De enting met koepokken dateert van 1798. Onder de boeren was bekend dat iemand met ,,melkersknoten'' op zijn handen onvatbaar is voor een pokkenaanval. Er zijn namelijk koeien, die last hebben van pokken en waarbij op de uiers pokpuisten verschijnen. Het melken van deze koeien leidt tot een goed-

6

aardige ziekte, gekarakteriseerd door de „melkersknoten" op de handen. JENNER slaagde er nu in om de ziekte opzettelijk van koeien op mensen over te brengen en zo een immuniteit tegen pokken op te wekken. De Rotterdamse arts DAVIDS kwam een jaar later op het idee om deze koepokken van mens tot mens over te brengen. Dit gehumaniseerde vaccine behoudt ook dan zijn immuniserende vermogen. Het gevaar van deze methode is natuurlijk, dat ook andere infecties overgebracht worden. Daarbij komt de mogelijkheid dat een enting niet aanslaat, waarbij de arts zonder entstof komt te zitten. TROJA (1805) vond de oplossing: hij slaagde er in een kalf weer te infecteren met het gehumaniseerde vaccine. Nu kan het vaccine van het kalf verzameld, verwerkt en bewaard worden. Deze methode is nog altijd in gebruik.

Er zijn nog altijd mensen die zich tegen een vaccinatie verzetten. Soms berusten de bezwaren op conservatieve wereldbeschouwingen. Daarnaast vinden wij een ethische tegenzin tegen het opofferen van dieren voor het welzijn van de mens. Natuurlijk moeten wij deze overwegingen eerbiedigen, maar aan de andere kant is het logisch, dat iedere niet-gevaccineerde persoon een infectiebron kan zijn en als zodanig een gevaar voor zijn omgeving vormt. Bedenkelijk wordt de kwestie evenwel als men het werk van de medische wetenschap tracht te ondermijnen door te „bewijzen" dat de resultaten van de vaccinatie op een fictie berusten. Het is daarom wel goed om het verband te laten zien tussen het aantal gevallen van pokken en de vaccinatie. Er zijn staten van de U.S.A. waar van hogerhand op vaccinatie aangedrongen wordt; daarnaast bestaat plaatselijke keuze; dan zijn er staten waar geen wetten zijn en tenslotte bestaat het geval dat het aanbevelen van vaccinatie wettelijk verboden is. Het is heel leerzaam om het aantal slachtoffers aan pokken in deze staten te vergelijken.

Vaccinatie-wetten	aantal staten	aantal inwoners	aantal ziekte-gevallen	aantal gevallen per 100.000 inw.
vaccinatie verplicht	10	32.500.000	21.543	6.6
plaatselijke keuze	6	18.000.000	91.981	51.3
geen wetten	29	60.000.000	393.924	66.7
aanbevelen van vaccinatie verboden	4	4.000.000	46.110	115.2

Verband tussen vaccinatiewetten in de U.S.A. en het aantal ziektegevallen in de jaren 1919 tot 1928 (WOODWARD en FEEMSTER).

De cijfers spreken voor zichzelf. In de staten waar de vaccinatie tegen-gewerkt wordt, is het aantal slachtoffers ontzaggelijk veel hoger. Meent iemand om principiële redenen, dat hij zich tegen vaccinatie moet ver-zetten, dan zullen wij dit moeten eerbiedigen. Evenwel moet deze persoon bedenken welke verantwoordelijkheid hij daardoor op zijn schouders laadt.

Toen STERNBERG in 1892 het bloedserum van een gevaccineerde per-soon in een reageerbuis samenbracht met koepokvirus en zag, dat het virus zijn activiteit door deze behandeling verloor, was de eerste stap gezet om de beschermende werking van een vaccinatie met koepokvirus te begrijpen. Blijkbaar worden er bij het ziekteproces door het lichaam tegenwerkende stoffen (antilichamen) gevormd. Deze antilichamen zullen in het lichaam blijven circuleren en zij inactiveren het virus wanneer de geïmmuniseerde voor de tweede maal met het virus geïnfecteerd zou worden. Het ontstaan van beschermende stoffen in het organisme is voor de medische wetenschap zo ontzaggelijk belangrijk, dat er natuurlijk zeer veel onderzoekingen op dit gebied (omdat het bloedserum een grote rol speelt, heet dit onderdeel van de wetenschap de serologie) verricht zijn. Het aantal vragen dat ons interesseert is legio. Voor de praktijk is natuurlijk de belangrijkste vraag of een bepaalde ziekteverwekker aan-leiding zal geven tot het optreden van antilichamen. Hoe zal de verwekker (in het algemeen noemen wij een stof die na inspuiting in een dier anti-lichamen doet verschijnen een antigeen) met het gevormde antilichaam reageren? Daarbij interesseert ons zowel de reactie tussen antigeen en antilichaam in een reageerbuis als die in het organisme. Van welke facto-ren hangt de duur en de intensiteit van de immuniteit af? Uit theoretisch oogpunt is van belang in welke weefsels deze antilichamen ontstaan.

Laten wij ons eerst eens bezig houden met het probleem van de reactie tussen antigeen en antilichaam. Direct zitten wij weer in moeilijkheden. Het komt namelijk nog al eens voor dat de proeven in de reageerbuis en die in het levende organisme elkaar tegenspreken. Wij brengen in een reageerbuis wat virus (b.v. pokkenvirus) en voegen hieraan voldoende antiserum toe om het virus volledig te neutraliseren. Spuiten wij nu dit mengsel, dat oppervlakkig gezien ongevaarlijk zou moeten zijn, bij een konijn in, dan zal dit toch ziek worden. Dus vragen sommige auteurs zich af of er in die reageerbuis wel een reactie tussen antigeen en anti-lichaam plaats gevonden heeft. Na het experiment van STERNBERG, die dus bewees dat pokkenvirus zijn activiteit door een behandeling met antiserum verloor, meende men lange tijd, dat het virus door het antiserum gedood werd. Deze mening werd door drie verschillende auteurs (TODD, BEDSON en ANDREWES) tegelijkertijd (1928) bij drie verschillende virussen (hoenderpest, roos en koepokken) de bodem ingeslagen. Zij neutraliseerden hun respectievelijke virussen met antiserum. Na deze behandeling bevat het mengsel geen actief virus meer. Evenwel komt het virus weer te voorschijn als het mengsel eenvoudig met water verdund wordt. Ook op andere manieren is het virus uit een neutraal mengsel terug te winnen. Zij komen nu tot de overtuiging, dat het virus met het antilichaam een vrij losse verbinding kan vormen. Diverse ingrepen kunnen het virus uit deze verbinding losmaken. Tenslotte vond ANDREWES dat het bij een langer contact tussen virus en antlichaam steeds moeilijker wordt om het virus uit de verbinding vrij te maken. Elk virus gedraagt zich in dit opzicht verschillend. Nu begrijpen wij de moeilijkheden die zich hebben voorgedaan. Wanneer wij een ,,neutraal'' mengsel van virus en antiserum bij een organisme inspuiten, dan ligt het aan de tijd die verlopen is tussen het maken van het mengsel en het inspuiten, welk resultaat zal optreden. Is de tijd kort geweest dan kan het virus uit de verbinding losgemaakt worden met het gevolg dat het dier ziek wordt. Bij een langer contact is een inactivatie van het virus het resultaat en het dier blijft gezond.

De wisselwerkingen tussen een virus en het geinfecteerde organisme is het volgende onderwerp van onze bespreking. Het is maar gelukkig dat niet elke infectie met een ziektekiem tot het uitbreken van de ziekte leidt, maar dat de meeste infecties onopgemerkt voorbij gaan. Wanneer wij een virus in de bloedbaan van een dier brengen dan kunnen wij vier perioden onderscheiden. Allereerst neemt het virusgehalte snel af. Dit is het gewone resultaat van een reactie van het organisme op het inbrengen van vreemde deeltjes (kleurstoffen, micro-organismen e.d.). Deze deeltjes worden door witte bloedlichaampjes opgenomen en geïnactiveerd of naar bepaalde organen getransporteerd en daar onschadelijk gemaakt. Deze primaire reiniging is dus niet specifiek. Na enkele uren kan er dikwijls een toename van het virusgehalte geconstateerd worden. Dit bewijst dat het virus zich in een of ander weefsel reproduceert. Uit dat weefsel wordt virus in het bloed uitgestort. De volgende periode — deze kan 10 tot 14 dagen duren — kenmerkt zich door een afname van het virusgehalte. Deze afname is evenwel slechts schijnbaar. Er zijn antilichamen ontstaan die zich met het virus verbinden en het virus zo aan onze waarneming onttrekken. Tenslotte kunnen wij dan met de ons ten dienste staande middelen geen virus meer aantonen.

Het verloop van een ziekte hangt nu voornamelijk af van de snelheid waarmee het virus toeneemt en van de tegenwerkende factor, het ontstaan van de antilichamen tegen het virus. De volgende figuur demonstreert de mogelijkheden:

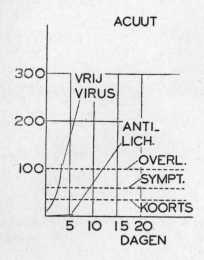

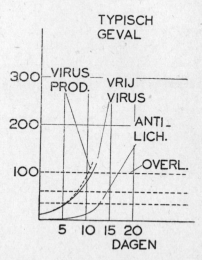

FIGUUR 12a

Wanneer wij aannemen dat zowel de virusproductie als de vorming van de antilichamen logarithmisch verloopt, dan kan men alle mogelijke ziektetypen realiseren door slechts de snelheid van de virusproductie te veranderen. Is de virusproductie zeer groot, dan zal de patiënt binnen enkele dagen overlijden

FIGUUR 12b

Duurt de vorming van het virus langer, dan is er een kans dat er een hoeveelheid antilichamen gevormd wordt. Evenwel is in dit geval de virusproductie nog iets te snel en de patiënt zal overlijden.

Al deze mogelijkheden zijn gerealiseerd wanneer men konijnen met herpes-stammen, die affiniteit voor het centrale zenuwstelsel vertonen, infecteert. Er komen alle vormen voor tussen een acute in enkele dagen fatale ziekte en een latente infectie waarbij geen symptomen van de ziekte optreden, maar die toch een voldoende immuniteit achterlaat. Niet alleen dat verschillende individuen een verschillend vermogen hebben om zich te immuniseren. ook de weefsels reageren niet allemaal eender. De neutralisatie van een virus in diverse weefsels verloopt met verschillende snelheid en de weefsels blijven niet even lang immuun. Zo wordt de huid

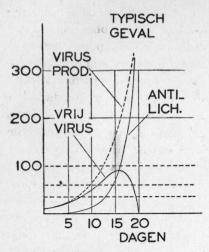

FIGUUR 12c

De vorming van de antilichamen kan (nog juist op tijd) het teveel aan virus opvangen. Na de crisis geneest de patiënt snel.

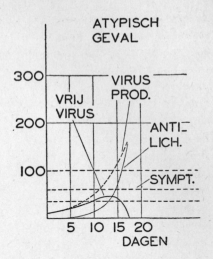

FIGUUR 12d

De virusvorming gaat zo langzaam, dat de typische verschijnselen van de ziekte niet te voorschijn komen. Wel heeft de patiënt koorts en voelt zich ,,grieperig''.

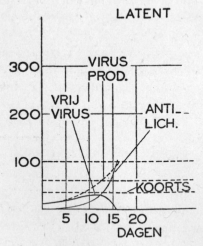

FIGUUR 12e

De virusproductie is zeer langzaam; de patiënt merkt van de infectie niets.

later immuun tegen koepokvirus en verliest deze immuniteit eerder dan b.v. de testis.

Wij mogen uit dit alles wel de conclusie trekken dat een weefsel of orgaan pas immuun wordt als het door het virus bereikt is. Dan kunnen wij diverse feiten gemakkelijk begrijpen. De weefsels waardoor een virus passeert worden na elkaar immuun en onderweg verliest het virus steeds meer van zijn ziekteverwekkende vermogen. Van dit standpunt uitgaande bespreekt DOERR de volgende proeven. Als men konijnen infecteert met herpesvirus (roos) dan is het resultaat van deze infectie afhankelijk van de plaats van infectie en van de gebruikte stam van het virus. Er zijn stammen die een speciale voorkeur voor hersenweefsel hebben (encephalitogene stammen) en andere stammen die deze eigenschap niet vertonen (niet-encephalitogeen). Alle stammen — ook de niet-encephalitogene — veroorzaken wanneer zij direct in de hersenen gebracht worden hersenontsteking. Worden zij daarentegen op het hoornvlies gebracht dan is er een groot verschil waar te nemen. De sterk encephalitogene stammen bereiken de hersenen en veroorzaken encephalitis, dan zijn er stammen die juist de hersenen bereiken, zich daar niet vermeerderen maar wel tot immuniteit van het orgaan leiden, en tenslotte zijn er stammen die onderweg verdwijnen. Het is duidelijk dat deze verschillen begrepen kunnen worden uit een antagonisme tussen virusvermeerdering en antilichaamvorming. De niet-encephalitogene stammen zullen zich in het zenuwweefsel minder goed ontwikkelen (of dit primair aan de slechtere vermeerdering van het virus of aan een betere antilichaamproductie ligt laten wij in het midden), zodat de afweer van het weefsel het pleit wint.

Heeft nu een organisme een aanval van een bepaalde ziekte doorstaan en zijn er in het lichaam antilichamen tegen de verwekker aanwezig, dan wordt in het algemeen een tweede infectie verwerkt zonder dat zich symptomen hiervan openbaren. Weer vinden wij dezelfde gang van zaken als bij de eerste infectie: het virus wordt aan witte bloedlichaampjes gefixeerd en is na enige tijd niet meer aan te tonen. Het grote verschil met de eerste infectie is nu, dat het proces zich veel sneller voltrekt, zodat het niet tot ziekteverschijnselen komt.

Is het noodzakelijk, dat aan een effectieve bescherming een ziekteproces (al of niet latent) vooraf gaat? Kunnen wij iemand niet beschermen door hem een hoeveelheid antilichaam in te spuiten? Inderdaad is dit ook mogelijk. Alleen zijn er zeer grote hoeveelheden antiserum nodig om een behoorlijke bescherming te garanderen. Uit praktisch oogpunt is nog van belang of wij antiserum ter genezing van een virusziekte kunnen gebruiken. Hier vinden wij hetzelfde als bij de wisselwerking tussen vergiften en hun antilichamen. Een mengsel van toxine en antitoxine is meestal onschadelijk; wordt het antilichaam voor het vergift toegediend dan verleent het aan het weefsel bescherming; na de vergiftiging heeft behandelen met antitoxine geen invloed meer. Dit experiment (LEVADITI 1913) was een van de eerste toepassingen van het kweken van weefsels in kunstmatig milieu. Het is volkomen in overeenstemming met de dierproef. Ter voorkoming van een vergiftiging kan een antiserum met succes g bruikt worden; na de vergiftiging is het antiserum waardeloos. Ook bij virusziekten vinden wij hetzelfde. De ziekte kan voorkomen worden door inspuiten met antiserum, maar voor de genezing van een uitgebroken ziekte hebben wij aan antiserum niet veel. Zoals men weet vertonen bacterieziekten een ander beeld. Daar is bij vele ziekten de serumtherapie een waardevol hulpmiddel van de arts.[1]) Vanwaar dit verschil? Het zal daaraan liggen, dat vele bacteriën zich buiten de cellen van het zieke organisme vermeerderen en dus toegankelijk zijn voor antilichamen. De virussen die zich uitsluitend in de cellen reproduceren worden door de cellen tegen invloeden van buiten beschermd. Vandaar, dat wij ook sceptisch staan tegenover de chemische bestrijding van virusziekten, hoewel deze methode (sulfanil-amide-preparaten) bij bacteriën in de laatste jaren zoveel opgang gemaakt heeft.[2])

Na deze algemene beschouwingen zullen wij ons tot de praktische mogelijkheden van de serologische methode wenden. Er is één punt waarop niet genoeg de nadruk gelegd kan worden: voor een werkelijk effectieve bescherming is het noodzakelijk dat het orgaan, waar het virus zich het best vermeerdert, immuun is. Twee methoden om tot immunisatie van een organisme te komen moeten wij onderscheiden. Men kan het virus bij een proefdier inspuiten, waarop dit dier antilichamen tegen het virus maakt. Het antiserum van dit dier wordt dan bij de mens ingespoten. Zo komen wij tot een passieve immunisatie. De andere methode is deze dat men de mens met een virus infecteert (actieve immunisatie). Natuurlijk moet men daarvoor een virus gebruiken dat op de een of andere wijze verzwakt is.

Over het beschermen van een organisme met antiserum hebben wij het reeds gehad. Wij weten dat een weefsel zelf immuun moet zijn om aan een infectie met virus weerstand te kunnen bieden. Deze weerstand is door inspuitingen met vreemd antiserum praktisch niet te verkrijgen. Daarvoor zijn zeer hoge concentraties van het antilichaam nodig. Meer

---

[1]) Er moet hier even op gewezen worden dat de serumtherapie vooral belangrijk is bij toxine-vormende bacteriën.

[2]) Dr. K. C. WINKLER wijst mij er op dat de gonococ zich uitsluitend in de cel vermeerdert en toch zeer goed te bestrijden is met sulfanilamide. Mijn argumentatie is dus niet sluitend. ANDREWES (Recent medical Science, Univers. Pers, Leiden 1945, p. 85—100) roert ook de vraag aan waarom virussen niet chemisch te bestrijden zijn. Hij ziet een virus als een „gedegradeerde bacterie", die enzymen „leent" van de gastheercel. Nu is de grote moeilijkheid om stoffen te vinden die het virus inactiveren en toch de cel niet beschadigen.

mogelijkheden hebben wij bij virussen, die zich via het bloed door het lichaam verspreiden. Wij kunnen dan door inspuitingen van antiserum in de bloedbaan de uitbreiding van de ziekte in het organisme tegengaan. Deze localisatie van het ziekteproces kan de redding van de patiënt betekenen. Uit een en ander volgt dat de serumtherapie geen kans heeft bij virussen die zich via de zenuwen voortplanten. Eventueel ingespoten antilichamen bereiken de zenuwen niet en de ziekte woekert ongehinderd voort.

De natuur van de virusziekten maakt het vanzelfsprekend dat de actieve immunisatie een veel grotere rol speelt dan de passieve. De actieve immunisatie berust dus op de waarneming dat een latente infectie een betrouwbare bescherming tegen een tweede infectie achter kan laten. Vele wegen zijn denkbaar om een actieve immunisatie te bereiken.

Men kan gebruik maken van het normale onverzwakte virus. De methode ligt voor de hand: de ingespoten hoeveelheid moet zo laag zijn dat de ziekte niet uitbreekt, aan de andere kant moet de hoeveelheid groot genoeg zijn om de vorming van antilichamen te stimuleren. In de natuur zullen velen op die manier immuun worden tegen een bepaalde ziekte. Iedereen staat voortdurend aan infecties bloot. Iedere infectie leidt tot de vorming van antilichamen en tenslotte kan het lichaam volledig immuun worden. Voor de arts is het moeilijk om de juiste hoeveelheid virus te kiezen. Neemt hij de concentratie te groot dan zal de ziekte uitbreken, bij een te kleine hoeveelheid wordt het organisme niet immuun. Daarom ent men het virus weleens op een onnatuurlijke plaats. Dikwijls wordt het virus dan op de entplaats reeds verzwakt en in ieder geval zal het virus op weg naar het aan te vallen orgaan nogal wat van zijn activiteit inboeten. Bij een juiste keuze van de entplaats en de hoeveelheid virus is deze methode in enkele gevallen bruikbaar.

Daar de inentingen met onverzwakt virus meestal veel te gevaarlijk zijn, trachtte men het virus door physische of chemische middelen te verzwakken. Deze verzwakking moet dus zodanig zijn dat er geen ziekte uitbreekt, terwijl toch juist nog een latente infectie overblijft. Dit is een delicate opgave en deze methode heeft dan ook weinig resultaten opgeleverd. Nu eens was de entstof te veel verzwakt, dan weer werd er nog actief virus in gevonden. Een belangrijke toepassing van deze methode is de inenting van rundvee tegen mond- en klauwzeervirus. Dit virus wordt voor de inspuiting niet verzwakt, maar geadsorbeerd aan aluminiumhydroxyde. Het virus verbindt zich met het adsorptiemiddel en na inspuiting wordt het virus langzamerhand uit de verbinding vrijgemaakt. De hoeveelheid virus die zo in het lichaam van de koe komt is zo klein dat het infectieproces latent verloopt.

Vermoedelijk berust het immuniseren met mengsels van virus en antiserum op hetzelfde mechanisme. Het is mogelijk om een volkomen uitgebalanceerd mengsel te maken, waarbij het virus — na inspuiting met dat mengsel — zeer langzaam uit de verbinding virus-antiserum vrijgemaakt wordt. Belangrijk is de plaats waar het mengsel ingespoten wordt, daar diverse weefsels het virus met een verschillende snelheid vrijmaken. Het is niet altijd nodig om een mengsel van virus en antilichaam in te spuiten. Dikwijls kan men de twee stoffen gescheiden in het lichaam brengen waarbij het antiserum de snelle uitbreiding van de infectie remt. Meestal is deze methode voor de patiënt wat onaangenaam omdat de infectie niet volkomen onopgemerkt voorbijgaat.

Alle tot nu toe besproken methoden lijden aan hetzelfde euvel. Het is moeilijk om de hoeveelheid entstof goed te kiezen. Wil men aan de veilige kant blijven dan zal het resultaat nogal eens zijn dat er geen immuniteit optreedt. Vandaar dat een andere methode een grote vlucht genomen heeft. Men infecteert met een virus dat door verschillende passages in een andere diersoort veranderd is (passagevirus). In het ideale geval moet het biologisch veranderde virus geen of heel weinig ziekteverwekkend vermogen meer hebben. Daarentegen moeten het infectievermogen en het immuniserende vermogen onverzwakt zijn. Het paradepaard van deze methode is natuurlijk de koepokenting, waarover in het begin van dit hoofdstuk al het een en ander gezegd is.

Tenslotte kan men pogen om een virus volledig te inactiveren, terwijl de immuniserende eigenschappen behouden blijven. Aangezien alleen de antigeen-eigenschappen van het virus overblijven, spreekt men hier van antigeen-entstoffen. Over de waarde van deze methode lopen de meningen nogal uiteen. Wij verwachten geen echte immuniteit van het weefsel met het dode, zich niet vermeerderende virus. Spuiten wij een konijn met geïnactiveerd pokkenvirus in, dan zien wij wel antilichamen ontstaan, maar er is een grote hoeveelheid virus voor nodig. Een grote concentratie van antilichamen vinden wij in het bloed; in de weefsels bevinden zich slechts weinig afweerstoffen. De hele toestand doet aan die bij de passieve immuniteit denken. Vermoedelijk bereikt ook nu het gedode virus de weefsels niet en treden er in het weefsel dus geen antilichamen op. Toch is het theoretisch niet uitgesloten dat er methoden gevonden zullen worden om het virus te inactiveren, waarbij het toch in de weefsels opgenomen wordt. Vooral de behandeling van virussen met formaline wordt veel gebruikt. Inactiveren wij mond- en klauwzeer-virus met formaline dan kan met deze entstof een behoorlijke weefsel-immuniteit bereikt worden. Degenen die niet geloven dat geïnactiveerd virus een weefselimmuniteit kan veroorzaken, nemen nu aan dat in de entstof nog wat actief virus aanwezig was. Dan zou dus een succesvolle inenting met antigeenentstof toch een latente infectie zijn. Het bewijs is in dit geval heel moeilijk te leveren en er zal in de toekomst over deze kwestie nog wel het een en ander gezegd worden.

Daar wij gezien hebben dat er na een infectie weinig meer aan een virusziekte te doen is, komt het belangrijkste praktische probleem er op neer, dat de weerstand van zoveel mogelijk personen verhoogd wordt. Wij moeten dus veilige en daarnaast zo efficient mogelijke methoden ter bescherming van de mensheid vinden. Elke methode moeten wij verge-lijken met de koepokinenting van JENNER. Waarom poogt men tegen-woordig veelal om de veiligheid te verzekeren door het werken met ge-dode virussen? Omdat het zo moeilijk is om voor elk virus onschuldige en toch immuniserende varianten te vinden. Bij de gele koorts is men er wel in geslaagd om een vrij onschuldige variant te kweken in muizen-hersenen (THEILER). Wat zijn nu de resultaten van inentingen tegen de gele koorts in Brazilië, waar de bevolking op vrij grote schaal tegen het virus beschermd wordt? Het aantal ziektegevallen onder de gevacci-neerden was tijdens de epidemieën van 1938 en 1939 zeer laag (SOPER en medewerkers). Nu kan men nagaan of er bij de gevaccineerden anti-lichamen gevormd zijn. Daarvoor mengt men het virus (uit de hersenen van een gestorven muis) met het serum van de te onderzoeken persoon en spuit het mengsel bij een gezonde muis in. Bevat het serum van de onderzochte persoon antilichamen dan wordt daardoor de muis tegen de ziekte beschermd, in het andere geval zal de muis sterven. Met deze methode kan men dus de verspreiding van beschermde personen in een bepaald gebied nagaan. Bij de Braziliaanse gele-koortsepidemie van 1938 bleek dat 90 % van de gevaccineerden inderdaad antilichamen in hun bloed bevatten. In 1939 waren daarentegen bij 80 % van de gevacci-neerden geen antilichamen aan te tonen! Het schijnt dat de fabricatie van het antiserum op grote schaal tot dit teleurstellende resultaat aan-leiding gegeven heeft. Wij hebben hier dus te maken met een onschuldige entstof die evenwel niet zeer efficient is. Onnodig te zeggen dat alle krach-ten ingespannen worden om tot een betere immunisatie te komen.

Meestal moet men tussen twee kwaden kiezen. Een efficiente immuni-satie kan slachtoffers eisen. Aan de andere kant zal het werken met een onschuldige entstof vele personen geen bescherming verlenen. De aard en het gevaar van de ziekte zullen de doorslag moeten geven bij de keuze van een entstof. Wanneer wij bijvoorbeeld mazelen en pokken vergelijken, dan is in het eerste geval het werken met een entstof die voor de in te enten persoon enige gevaren meebrengt niet aan te bevelen. Want mazelen is immers een betrekkelijk ongevaarlijke ziekte. Bij pokken zou dit bezwaar veel minder gelden omdat wij hier met een ziekte te maken hebben die in een onbeschermde samenleving zeer veel slacht-offers eist. Elke immuniteit wordt tegen een bepaalde prijs geleverd. Allereerst moeten wij nagaan of het gevaar van een bepaalde ziekte de prijs rechtvaardigt die een bescherming van de samenleving zou kosten. Is de prijs te hoog dan is aan de medische wetenschap de opgave om het gevaar van de immunisatie te verminderen. Wij hebben gezien dat de beste mogelijkheden liggen in de pogingen om een virus zo te verzwakken dat het geen gevaar meer oplevert en toch zijn immuniserende eigenschap-pen behoudt.

4. Het kankervraagstuk

Terwijl het aantal sterfgevallen bij vele ziekten in de loop van de laatste eeuw zeer aanzienlijk is afgenomen, neemt de kanker als doods-oorzaak tegenwoordig een belangrijke plaats in. Dit is begrijpelijk want kanker is voornamelijk een ziekte van oudere mensen en de mens wordt gemiddeld veel ouder dan een eeuw geleden. Het funeste van de ziekte is dat zij in het vroege stadium zeer moeilijk herkend kan worden. Wanneer het kankergezwel pijn begint te veroorzaken dan is het voor een operatie dikwijls al te laat. Vandaar het gevaarlijke karakter van deze aandoening.

De kanker behoort tot de merkwaardige en onbegrijpelijke ziektevor-men die wij onder de naam gezwellen samenvatten. Het grootste pro-bleem van deze vormingen is hun raadselachtige groei. In een weefsel gaan cellen woekeren en het is of het organisme zelf een parasiet vormt. De gezwelcellen delen zich onafhankelijk van het organisme. Het gezwel is autonoom; het heeft een eigen leven en een eigen stofwisseling. Toch wordt het gevoed uit het bloed van het organisme. Zo kan uit vetcellen een vetgezwel ontstaan. Dan wordt het vet aan de algemene stofwisseling van het organisme onttrokken. Zelfs bij sterk vermagerde individuen kan een dergelijk gezwel voorkomen.

Naar de groeiwijze van de gezwellen kunnen wij twee vormen onder-scheiden: er zijn goedaardige en kwaadaardige gezwellen. De goedaardige gezwellen (wij denken aan poliepen e.d.) blijven locaal en zijn naar hun omgeving min of meer scherp begrensd. Door hun groei kunnen zij het weefsel waarin zij zich bevinden beschadigen. Daardoor kunnen zij natuurlijk voor het organisme een groot bezwaar opleveren en in enkele gevallen zelfs fataal worden. Kwaadaardige gezwellen groeien infiltratief, d.w.z. zij woekeren voort in alle beschikbare weefselspleten. Dit leidt tot grote verwoestingen in het orgaan waarin het gezwel — vooral kanker is in dit verband belangrijk — zich bevindt. Daar komt nog bij dat deeltjes van het kankergezwel los kunnen raken en met het bloed vervoerd worden. Dan ontwikkelen zich in heel andere delen van het lichaam dochtergezwellen (metastasen). Het organisme staat blijkbaar tegenover de groei en uitbreiding van het kwaadaardige gezwel machteloos. Het wordt zeer ernstig in zijn levensfuncties benadeeld. Tenslotte resulteert het ziekteproces in een algemeen verlies van krachten zoals wij dit kennen van langdurig hongerlijden of van chronische vergiftigingen. De enige oplossing is dat het gezwel (en alle eventuele dochtergezwellen) absoluut verwijderd of door bestraling verstoord wordt.

Het kankerprobleem heeft al tientallen jaren de medische wetenschap intensief bezig gehouden. Wij moeten tot een effectieve bestrijding van de kanker komen en het is waarschijnlijk dat wij daarvoor eerst moeten weten welke oorzaak de verandering van normale weefselcellen in kankercellen teweeg brengt. De opgave die ons gesteld is, vertoont zeer grote moeilijkheden. Wij moeten uitgaan van de feiten dat kanker geen gewone infectie-ziekte is en dat de gezwellen door de meest verschillende factoren (erfelijke constitutie, chronische ontstekingen, chemische verbindingen, Röntgenstralen e.d.) veroorzaakt kunnen worden.

De voornaamste oudere theorieën over de oorzaak van kanker kunnen in drie categorieën geplaatst worden. De eerste groep van theorieën sluit aan bij onze inzichten op het gebied van de erfelijkheid. BOVERI kon eieren van Echinodermen bevruchten met twee spermatozooën. De zo bevruchte eieren bevatten dan een abnormaal aantal chromosomen en het gevolg is dat zij zich niet normaal ontwikkelen. BOVERI veronderstelde nu dat bij het kankerproces iets dergelijks aan de hand zou zijn. In de kankercel zou zich een abnormaal aantal chromosomen bevinden wat tot de defecten aanleiding geeft. Evenwel bleek bij microscopisch onderzoek dat het aantal chromosomen normaal was. Natuurlijk lieten de voorstanders van de theorie zich hierdoor niet uit het veld slaan. Men kwam nu tot de veronderstelling dat er aan een of ander chromosoom een microscopisch onzichtbare schade was toegebracht. Eigenlijk

komt de theorie hier op neer dat er aan een gen (de stoffelijke drager van
de erfelijke eigenschappen; een klein deel van het chromosoom) een
verandering plaats gegrepen moet hebben. Een bezwaar tegen deze theorie
is dat er tussen de gezwellen zeer veel kleine verschillen aan te geven zijn.
Er moet dus in een gen een groot aantal samenstellende delen zijn, die
telkens op hun beurt veranderen en zo tot gezwellen met kleine individuele
verschillen leiden. Het valt direct op dat deze theorie een gebrek aankleeft.
Wij weten nog niet wat de oorzaak van deze verandering in de genen is.

BORREL was de eerste die op de virussen als de veroorzakers van
kanker wijst. Eigenlijk betekende die uitspraak toendertijd niet veel
meer dan dat men de veronderstelde verwekker van kanker niet kon
vinden en dus verwachtte dat die verwekker microscopisch onzichtbaar
zou zijn. Evenwel waren de feiten met de opvatting in tegenspraak.
Kanker is niet met celvrij materiaal over te brengen. Dit overbrengen
lukt alleen als men gave kankercellen in een ander organisme brengt.
Ook de vondst van Rous (1910) dat een bepaald vogelgezwel (kuiken-
tumor I) door een virus veroorzaakt wordt, veranderde aan de houding
van de meeste auteurs weinig. Wij zullen nog gelegenheid vinden om op
het mogelijke verband tussen virus en kanker terug te komen.

De derde groep van theorieën vindt haar wortels in de opvattingen
van VIRCHOW over ziekteprocessen. Hij zocht de oorzaak van ziekten in
een abnormale functie van de cellen. Wordt nu een weefsel voortdurend
geïrriteerd dan kan dit de oorzaak van kanker zijn. Deze z.g. ,,chronische
irritatie theorie'' is dus niets meer dan een omschrijving van de waarneming dat kanker door zeer verschillende oorzaken teweeg gebracht
kan worden. Hoe deze factoren werken en hoe zij de cel tot de ongebrei-
delde groei stimuleren die zo kenmerkend is voor kanker, is onbekend.
Onbegrijpelijk is het dat sommige chemicaliën aanleiding tot het optreden
van kanker geven en dat nauw verwante stoffen geen schijn van deze
eigenschap vertonen.

Het is de moeite waard om nog even in te gaan op het verband dat
tussen virus en kanker zou bestaan. Wat zijn de feiten waarop de virustheorie van de kanker gebaseerd is? Daar is allereerst de ontdekking
van Rous: bij kippen vond hij een spontaan gezwel en deze tumor was
zowel met celmateriaal van de tumor als met een celvrij extract op andere
kippen over te brengen (zie fig. 13). De eerste eigenschap is typisch
voor kankerachtige processen, terwijl de tweede eigenschap op het viruskarakter van het veroorzakende agens wijst. In de natuur ontstaan bij
kippen vele soorten van gezwellen spontaan. Slechts een klein deel van

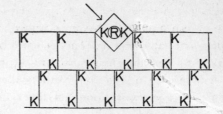

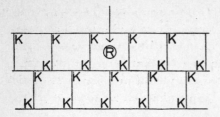

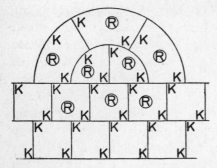

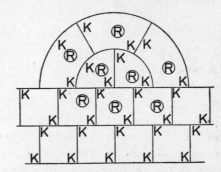

FIGUUR 13

De ROUS-tumor van kippen is zowel door infectie met het virus (links) als door transplantatie van gezwelcellen (rechts) op een gezonde kip over te brengen (de kippencellen zijn van k's voorzien).

deze spontane tumoren is door het transplanteren van cellen over te brengen en bij ongeveer 40 % van de transplantabele tumoren lukt ook een infectie met celvrij materiaal (in al deze gevallen bedoelen wij een infectie van organismen uit dezelfde diersoort, dus hier van kip op kip). Hoe ingewikkeld de verhoudingen zijn, blijkt bij de vergelijking van twee van deze tumoren, naar hun ontdekkers genoemd ROUS-tumor en FUJINAMI-tumor. Beide gezwellen zijn van kip tot kip over te brengen, zowel met cellen als met virus. Nu pogen wij de overdracht van een kip naar een eend te bewerkstelligen. Dit lukt bij de ROUS-tumor alleen met cellen en niet met virus. Bij de FUJINAMI-tumor slagen de pogingen zowel met cellen als met virus. Vanwaar dit verschil tussen de twee gezwellen? Het ROUS-gezwel is dus niet door virus van de kip naar de eend over te brengen. Dat niet alleen; de poging om het gezwel over te brengen door een eendentumor (dus een ROUS-tumor die door transplantatie

van cellen verkregen is) te extraheren en zo op een andere eend te laten
ontstaan, mislukt. Hoe merkwaardig het ook klinkt, wij moeten uit deze
proeven haast wel de conclusie trekken dat een Rous-tumor op een eend
niet uit eendencellen maar uit kippencellen bestaat! (zie fig. 14). Het
virus is niet in staat om eendencellen te veranderen in gezwelcellen, het
gezwel groeit autonoom en blijft het „kippenkarakter" behouden. Bij

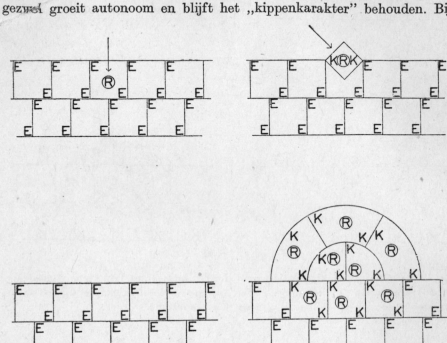

FIGUUR 14

Pogingen om de Rous-tumor door infectie met virus bij gezonde eenden
te verwekken mislukken (links). Wel kunnen wij cellen uit een kippen-
gezwel bij de eend transplanteren (rechts). Maar het gezwel dat nu gevormd
wordt bestaat uit kippenweefsel!

de Fujinami-tumor liggen de verhoudingen anders. Daar lukt de infectie
van een eend met het virus wel, dus het virus is blijkbaar in staat om
normale eendencellen in tumorcellen te veranderen. De Fujinami-
tumor op eenden bestaat dus uit eendenweefsel. Het zonderlinge is nu
dat dit ook geldt voor een Fujinami-tumor die op een eend groeit na
transplantatie van tumorcellen uit een kip. Dat deze opvattingen juist
zijn bewees Gye met de serologische methode. Hij spoot geiten in met

embryonaal kippenserum. In het serum van de geiten worden dan natuurlijk antilichamen tegen de normale bestanddelen van kippen gevormd. Wij noemen dit ,,anti-kippenserum" en gaan de werking hiervan op de gezwellen na. Het eerste resultaat van GYE is zeer merkwaardig: het virus van de ROUS-tumor is met het normale anti-kippenserum te neutraliseren. Dit betekent dus dat het virus verwantschap vertoont met het weefsel waarin de tumor gegroeid is! Het is duidelijk dat dit iets is wat wij bij geen enkele parasiet kennen en wat de vraag doet rijzen of wij hier met een parasiet (dus een van de gastheer onafhankelijk agens) te maken hebben. Met zijn anti-kippenserum kon GYE nu ROUS-tumoren zowel op kippen als op eenden neutraliseren. Dit klopt volkomen met de voorstelling dat de ROUS-tumor van een eend eigenlijk uit kippenweefsel bestaat. Bij de FUJINAMI-tumor was het resultaat heel anders. Ook hier is de tumor — wanneer de kip de gastheer is — te neutraliseren met anti-kippenserum. Het virus bevat dus weer gastheercomponenten. Groeit

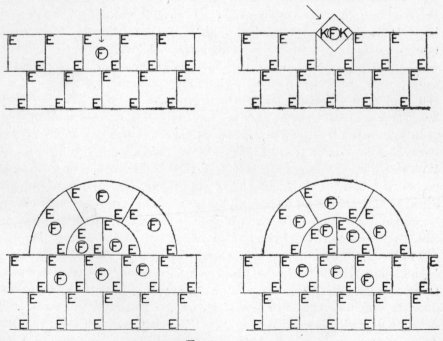

FIGUUR 15

Heel anders gedraagt zich de FUJINAMI-tumor. Zowel met virus als met gezwelcellen uit een kip afkomstig kunnen wij eenden infecteren en in alle gevallen bestaat de gevormde tumor uit eendenweefsel!

de tumor op een eend dan is de werking van het anti-kippenserum nihil. Dat is volgens onze verwachting (zie fig. 15) want de tumor bestaat nu uit eendenweefsel. Het ligt voor de hand om nu te proberen wat wij kunnen bereiken met serum dat gemaakt wordt door geiten met eendenserum in te spuiten. Met het zo verkregen serum is deze eendentumor wel te neutraliseren. Alweer een fraaie overeenkomst met de voorstelling dat de tumor uit veranderde eendencellen bestaat.

Maar de afstand van deze vogelgezwellen tot kanker is nog groot. Iets kleiner wordt de afstand wanneer wij zien dat ook bij zoogdieren gezwellen voorkomen (het konijnenpapilloom van SHOPE) die zowel celvrij als door het transplanteren van cellen over te brengen zijn. Deze gezwellen komen in de natuur voor bij bepaalde wilde konijnen (de Amerikaanse ,,cottontails''). Het gezwel is op tamme konijnen over te brengen, maar daar kan het virus meestal niet aangetoond worden. Verder is voor ons vooral belangrijk dat er gevallen beschreven zijn waarin deze gezwellen in echte kankers (met metastasen) veranderd zijn. De ,,cottontails'' zijn tegen het virus vrij resistent want het virus kan maandenlang in de huid latent aanwezig blijven. Zoals wij reeds gezien hebben zijn er bepaalde chemicaliën (vooral teerproducten) die na een langdurige behandeling tot het optreden van kanker bij zoogdieren kunnen leiden. Behandelen wij nu een ,,cottontail'', waarin zich latent virus bevindt met teer, dan zien wij zeer snel een papilloom ontstaan. Daarom ziet ROUS de werking van dergelijke kankerverwekkende chemicaliën als een activering van het latente virus.

In verschillende experimenten verschijnen nu zowel virus als kankerverwekkende stoffen en kanker ,,in de vergelijking'' (ANDREWES). Wanneer konijnen langdurig met teer behandeld worden en men spuit na enige maanden de konijnen in met papilloomvirus, dan ontstaat direct kanker (ROUS en KIDD). Bij kuikens kan men door teerbehandeling gezwellen veroorzaken die virus blijken te bevatten. Dit werd door filtratieëxperimenten (MCINTOSH) en langs serologische weg bewezen (ANDREWES, FOULDS). Ook een gezwel bij muizen dat door een teerbehandeling geïnduceerd was, bleek een filtreerbaar agens te bevatten (PARSON). Elk van deze experimenten suggereert dat kanker kan ontstaan door de samenwerking van een virus en een kankerverwekkende stof. ANDREWES onderscheidt bij deze loop der gebeurtenissen twee trappen. Allereerst wordt de weerstand van het organisme tegen het virus verzwakt. Dit kan door vele oorzaken (o.a. kankerbevorderende chemicaliën) gebeuren. Nu gaat het virus zich vermeerderen en het verandert daarbij van karakter. Tenslotte resulteert het proces in een kankergezwel. Met deze voorstelling is in overeenstemming, dat langdurige groei van een filtreerbaar virus in cellen die zich steeds vermeerderen verlies van filtreerbaarheid kan meebrengen. Wanneer een papilloomgezwel van een konijn (met filtreerbaar virus) langzamerhand in kanker overgaat dan kan op den duur het virus in het gezwel niet meer langs directe weg aangetoond worden. Alleen indirect (serologisch) kunnen wij bewijzen dat er zich nog virus in het gezwel bevindt.

Deze voorstelling stuit op enige moeilijkheden. Wij kunnen bij vogels door teerinjecties gezwellen te voorschijn roepen. Dan moet dus het virus bij verreweg het grootste deel van deze dieren latent aanwezig zijn. Theoretisch is hiertegen niet zoveel bezwaar, maar het merkwaardige is dat er door die teerbehandeling zoveel verschillende soorten van gezwellen ontstaan. Er moet dus een virus zijn, dat zich telkens op andere wijze manifesteert (dat dus sterk pleomorph is). En dan hebben wij nog de vondst van GYE: het virus bevat bestanddelen van het normale weefsel. Het is mogelijk, dat telkens een ander bestanddeel van het weefsel met de rest van het virus verbonden is en dat dit tot het wisselende karakter van de gezwellen leidt. Kortom, ter verklaring van alle waargenomen feiten moet hypothese op hypothese gestapeld worden.

Bij het woord virus denken wij altijd aan een agens dat een of andere ziekte kan verwekken. Het feit dat bij enkele gezwellen een filtreerbaar agens gevonden kan worden, bewijst zeker niet dat wij een virus als oorzaak van kanker aan moeten nemen. Tenslotte komt de theorie er voor de menselijke kanker op neer dat men moet veronderstellen, dat een virus bij praktisch alle mensen voorkomt. Dit virus zal dan geactiveerd worden door zeer verschillende factoren. Het zal zich op verschillende wijzen uiten dus wij moeten of het bestaan van zeer veel verschillende virussen aannemen of er is een virus dat zich op steeds verschillende wijze manifesteert. De waarde van de virustheorie wordt beperkt door het feit dat er bij kanker nog nooit een virus gevonden is en dat dus dit veronderstelde virus ons niet helpt bij de bestrijding van de kanker.

Het is trouwens moeilijk om de virustheorie in overeenstemming te brengen met de vele factoren die de gevoeligheid van de mens en de zoogdieren voor kanker bepalen. Deze opgave is nog niet zo moeilijk bij de vermindering van de weerstand tegen kanker door bestraling e.d. KREBS beschikte b.v. over een tumor die alleen van muis tot muis over te brengen was als die muizen van te voren door Röntgenbestraling gevoelig gemaakt waren. Wij kunnen ons voorstellen dat door die bestraling — nodig was een bestraling van 75 % van de dodelijke dosis — het virus pas zijn kans kreeg. Ook met de virusopvatting is in overeenstemming dat de tumor vier jaren later wel bij onbestraalde muizen over te planten was (in 36 % van de gevallen). Deze virulentiestijging kennen wij ook bij bacteriën en virussen die lang in een bepaald milieu gekweekt worden. Maar er zijn nog zoveel andere factoren die de gevoeligheid van een bepaald organisme voor kanker mede bepalen. Bekijken wij de verdeling van de verschillende soorten kanker over de mensheid, dan zien wij dat in sommige families dikwijls bepaalde vormen van kanker voorkomen. Hier speelt ongetwijfeld de erfelijke aanleg een rol. Ook de afscheiding van hormonen kan gecorreleerd zijn met het optreden van kanker. Vooral de kanker van de borstklier is van hormoonwerking afhankelijk. Castratie van vrouwelijke muizen die normaal bijna altijd kanker van de borstklier krijgen, verlaagt het percentage kanker aanzienlijk. Wordt het ovarium van een gevoelig wijfje in mannelijke muizen (waar praktisch geen kanker gevonden wordt) geïnplanteerd, dan zal een groot percentage van deze mannelijke muizen aan kanker gaan lijden. Nemen wij dan nog in aanmerking dat de verzorging van de muizen een grote invloed heeft op het aantal kankerpatiënten, dan beginnen wij in te zien hoe ingewikkeld de verhoudingen zijn. Elke kankertheorie moet op de een of andere wijze aan al deze feiten recht doen wedervaren.

De Utrechtse hoogleraar KöGL heeft zich met de chemische aspecten van het kankervraagstuk bezig gehouden. Zeer belangrijke ontdekkingen zijn uit zijn laboratorium afkomstig. Zijn theorie vindt zijn basis in de vroegste studies van PASTEUR. Deze vond dat diverse verbindingen in twee verschillende vormen kunnen voorkomen en dat ondanks het feit dat die vormen hetzelfde moleculairgewicht, hetzelfde smeltpunt e.d. hebben. Het enige verschil is dat de ene vorm het polarisatievlak van licht naar links, terwijl de andere het polarisatievlak naar rechts draait. Dit verschil kan teruggebracht worden tot een onderscheid tussen de moleculen van de stof; de ene vorm is het spiegelbeeld van de andere (VAN 'T HOFF). Bij de studie van PASTEUR over de vergisting bleek dat alleen de links-draaiende vorm (wij noemen dit de l-vorm in tegenstelling tot de d-vorm, die rechtsdraaiend is)[1] van amylalcohol gevormd werd. Dit leidt tot de opvatting dat in de levende natuur slechts één van de

---

[1] Tegenwoordig wordt bij de vraag of een bepaalde stof de l-vorm bezit uitsluitend op de configuratie van die stof gelet. Dit hoeft niet te betekenen dat deze stof linksdraaiend is; er is geen absolute correlatie tussen de configuratie van het molecuul en de draaiing van het polarisatievlak van het licht.

twee vormen (de l-vorm) gefabriceerd en gebruikt kan worden. Van alle kanten is deze stelling bevestigd. Alle organismen bestaan uit stoffen (dus eiwitten e.d.) die de l-vorm bezitten.

Pas in 1935 werd de eerste uitzondering op deze regel gepubliceerd. JACOBS en CRAIG kregen bij de afbraak van ergotinine (een alkaloid uit moederkoren) o.a. de d.-vorm van proline (een aminozuur; een van de bouwstenen van eiwitten). Twee jaren later werd een tweede geval bekend. Het grote gevaar van een infectie met miltvuurbacillen is dat deze organismen in staat zijn een kapsel te vormen dat hen tegen de afweerreacties van het lichaam beschermt. Toen IVANOVICS en BRUCKNER in dit kapsel een stof vonden die uitsluitend uit d.-glutaminezuur (alweer een bouwsteen van eiwit, maar niet de normale vorm) opgebouwd is, lag hun conclusie voor de hand. Blijkbaar beschikt het lichaam niet over de enzymen die deze abnormale stof kunnen afbreken. Zij konden dit proefondervindelijk bewijzen door de stof in de bloedbaan van konijnen te brengen. De verbinding wordt dan onveranderd met de urine uitgescheiden.

In 1939 leggen KÖGL en zijn assistente ERXLEBEN verband tussen het kankervraagstuk en de bouw van eiwitten. In het kort komt de uitslag van hun onderzoek hierop neer dat normaal weefsel uitsluitend gewone eiwitten bevat terwijl er in kankerweefsel een percentage bouwstenen van de onnatuurlijke vorm (de d-configuratie) gevonden wordt. De diepere oorzaak van kanker ligt volgens KÖGL in de beschadiging van het systeem dat in het organisme de synthese van de eiwitten verzorgt. Door dit gebrek verliest de kankercel het vermogen om in haar eiwitten uitsluitend normale bouwstenen te verwerken. De infiltratieve groei van de kankercellen is nu zeer begrijpelijk: de normale cellen kunnen geen weerstand bieden omdat zij niet over de enzymen beschikken die dergelijke verkeerde eiwitten zouden kunnen afbreken. Hoe meer verkeerde bouwstenen er in het kankereiwit zitten, hoe moeilijker de afbraak door het lichaam is. Aan de rand van het gezwel heeft een voortdurende strijd plaats tussen de kankercellen en de enzymen van het normale weefsel. Deze strijd wordt in de regel door de kankercellen gewonnen. De kansen zijn natuurlijk afhankelijk van de hoeveelheid verkeerde bouwstenen in de kankereiwitten.

Met deze beschouwing zijn verschillende eigenschappen van de kanker in overeenstemming te brengen. Het grote aantal kankerverwekkende prikkels is begrijpelijk: elk van deze prikkels kan het eiwitsynthetiserende systeem van de cel in de war sturen. Het kan jaren lang duren voor een desoriëntering van het fermentsysteem zich manifesteert in het ontstaan van kankercellen (het praecarcinomateuze stadium). De structuur van de eiwitten is natuurlijk van erfelijke factoren afhankelijk; het is logisch om de erfelijke gevoeligheid voor kanker hiermee in verband te brengen. Het aantal variaties in de structuur van de eiwitten die de cel opbouwen is zeer groot en er kan dus ook een groot aantal verschillende gezwellen ontstaan. Een groot bezwaar tegen de theorie van Kögl is, dat het niemand gelukt is om zijn ontdekkingen te verifiëren. Toch kunnen wij ons niet aan de indruk ontworstelen, dat er in de kankercel onnatuurlijke eiwitten voorkomen. Het is echter waarschijnlijk, dat dit niet de oorzaak, maar een begeleidend verschijnsel van de kanker is.

Wij blijven met de moeilijke vraag zitten hoe wij ons de overgang van de normale eiwitopbouw in de abnormale moeten voorstellen. De theorie van Kögl zegt weinig over de opbouw, maar veel over de afbraak van eiwitten. Nu is het terrein van de eiwitsynthese praktisch nog geheel terra incognita en er zal nog veel over de stofwisseling in de cel bekend moeten worden voordat wij de waarde van de theorie van Kögl volkomen kunnen bepalen.

Er is nu zoveel over het kankervraagstuk gezegd dat een zeer korte bespreking van de bestrijding van kanker op zijn plaats lijkt. Zelfs als men een virus aanneemt als oorzaak van kanker dan moet men nog bij de bestrijdingsmaatregelen in aanmerking nemen dat kanker zich niet gedraagt als een infectieziekte. De bestrijding kan dus niet gebaseerd zijn op het uitroeien of isoleren van de infectiebron, het verbreken van de infectiewegen en dergelijke maatregelen, die karakteristiek zijn bij het tegengaan van infectieziekten. Er blijft slechts een enkele mogelijkheid over: het verwijderen of inactiveren van het gezwel. De patiënt moet het gezwel laten verwijderen door een chirurg of zich onder behandeling van een stralenarts stellen. Dikwijls geeft een nauwe samenwerking van de chirurg en de stralenarts de meeste kans op genezing van het lijden. Soms wordt de primaire tumor voor de operatie door bestraling verkleind. Ook kunnen na de operatie eventueel aanwezige metastasen door bestraling vernietigd worden.

Wanneer kanker reeds in het beginstadium van de ziekte pijn veroorzaakte dan zou het mogelijk zijn om het gezwel snel te ontdekken en vroegtijdig te verwijderen. Meestal komt de pijn pas als het voor een operatie reeds te laat is. Ook is in het latere stadium het gevaar voor dochtergezwellen zeer groot. Kan men tijdig de diagnose kanker stellen dan is er een behoorlijke kans voor genezing aanwezig. Uit een en ander volgt dat het van het allergrootste belang is om een kankergezwel zo vroeg mogelijk te ontdekken, zodat het vóór de metastasenvorming verwijderd kan worden. Bij deze vroegtijdige diagnostiek heeft men al snel gegrepen naar de serologische methode. De vraag was of de kankercel antigenen bevat die specifiek zijn voor deze cellen. Het probleem werd zo opgelost dat men probeerde te bewijzen dat de kankerpatiënt antilichamen tegen deze specifieke kankerantigenen vormt. Inderdaad kunnen deze antilichamen in enkele gevallen aangetoond worden (HIRSZFELD). Evenwel wordt de waarde van deze vondst zeer beperkt doordat de antilichamen pas verschijnen in de late stadia van de ziekte. Meestal is het dan voor een operatie reeds te laat. Onze landgenoten DE KROMME en DE BRUINE GROENEVELDT sloegen daarom een heel andere richting in. Aangezien het kankerantilichaam pas laat in het bloed van de patiënten verschijnt, ondernamen zij een poging om het specifieke antigeen bij kankerpatiënten aan te tonen. Het gelukte hun om dit antigeen in de urine van patiënten te vinden. En wel was de reactie het sterkste in het beginstadium van de ziekte. Zij stellen zich dus voor dat zich direct bij het ontstaan van kanker in de kankercellen specifieke antigenen vormen en zelfs zoveel dat wij hen in de urine kunnen aantonen. Deze antigenen leiden in het lichaam van de patiënt tot de vorming van antilichamen zodat in de latere stadia het antigeen gebonden wordt. Dan kan geen antigeen maar wel antilichaam gevonden worden. Het ziet er naar uit dat deze reactie van DE KROMME en DE BRUINE GROENEVELDT voor de vroegtijdige kankerdiagnostiek van zeer grote betekenis zal worden. Hiermee zou een belangrijk wapen aan het arsenaal van de arts toevoegd zijn.

Overzien wij nu nog even de situatie van het kankervraagstuk in verband met het virusprobleem dan moet de nadruk gelegd worden op het feit dat kanker niet besmettelijk is. Een eventuele verwekker van kanker zou wel zeer bijzondere eigenschappen moeten hebben. Kan een virus dergelijke eigenschappen bezitten? Wij weten het niet, maar het lijkt er niet op dat de kanker met het gebruikelijke virusbegrip verklaard zou kunnen worden. Er kan een samenhang zijn met de gezwellen die bij kippen gevonden zijn. Ook die zijn in de natuur niet infectieus, verschijnen sporadisch en toch wordt er een virus in gevonden. Het konijnenpapilloom laat verschillen zien al naar de gastheer van het virus. Bij ,,cottontails'' is het een duidelijke infectieziekte, terwijl bij tamme konijnen het tumorkarakter meer op de voorgrond treedt. Het is dus zeer belangrijk om meer over deze gezwellen te weten te komen en zo de relatie tot kanker te kunnen bepalen. Het grote tekort van de virustheorie van de kanker is dat het ontstaan en de ontwikkeling van het gezwel niet verklaard worden. Het belangrijkste probleem blijft: wat maakt een normale cel tot een kankercel? Zolang deze vraag nog niet is opgelost moet de praktijk gericht zijn op een zo vroeg mogelijke behandeling van de ziekte.

5. De strijd tegen een virus (kinderverlamming)

Het is goed om de dikwijls wat theoretische beschouwingen die hiervoor gegeven zijn eens aan een praktisch geval te toetsen. Daarom willen wij nu over de strijd van de medische wetenschap tegen een virusziekte vertellen. Als voorbeeld van een virusziekte nemen wij de kinderverlamming. Niet omdat wij van deze ziekte zoveel afweten; integendeel, er is hier nog zeer veel raadselachtigs. Wel komen bij de kinderverlamming vele aspecten van het praktische virusprobleem naar voren en dat is de reden waarom het voorbeeld gekozen is. Natuurlijk is het in een boek als dit niet mogelijk om alle gegevens van alle virusziekten te verzamelen; dat zou op den duur erg vervelend worden. De lezer zal zich dus met dit willekeurige voorbeeld tevreden moeten stellen.

Lange tijd stond men bij de kinderverlamming voor een raadsel. Bij een gewone infectieziekte (mazelen, pokken e.d.) is bijna altijd te vinden waar de patiënt de ziekte opgelopen heeft. Het raadselachtige van de kinderverlamming is nu dat de wijze van verspreiding van de ziekte onbekend is. Wij vinden meestal op zichzelf staande ziektegevallen waarbij de weg van patiënt tot patiënt niet gereconstrueerd kan worden. Daarbij komt dat met behulp van het microscoop geen verwekker te vinden is. Nu slaagden LANDSTEINER en POPPER (1908) er in om kinderverlamming experimenteel op apen over te brengen. Dit gaf een grote steun aan de opvatting dat de kinderverlamming een infectieziekte is en het duurt niet lang of er wordt de veronderstelling geopperd dat de verwekker een virus zou zijn. Enkele jaren geleden heeft men het virus kunnen zuiveren en tenslotte is het door TISELIUS en GARD met het electronenmicroscoop gefotografeerd. Er is dus geen twijfel mogelijk dat wij hier met een virusziekte te maken hebben, maar deze wetenschap helpt ons niet veel om tot een afdoende bestrijding van de ziekte te komen.

Hoe kunnen wij die op zichzelf staande ziektegevallen verklaren? Om deze vraag te beantwoorden is het noodzakelijk om de verspreiding van de ziekte nauwkeurig na te gaan. EYKEL (1938) deed dit voor Nederland en het resultaat van zijn onderzoekingen was de vondst dat het aantal gevallen relatief toeneemt naarmate de gemeenten kleiner zijn. Een groot aantal gevallen wordt gemeld uit gemeenten met 0 tot 5000 inwoners. Een nog nauwkeuriger onderzoek werd door CASEY en AYMOND in Louisiana verricht. De gegevens van tien jaren werden op grote kaarten verzameld en nu bleek dat het aantal gevallen in de kleinere gemeenten (100 — 3000 inwoners) het grootste was. Merkwaardig is dat in de vlekken (beneden 100 inwoners) de hoeveelheid ziektegevallen relatief net zo groot was als in de steden. Deze uitkomst kan niet uitgelegd worden door de ouderdoms-, ras- of sexeverschillen in de bevolking in aanmerking te nemen. Het enige verschil dat de auteurs kunnen vinden ligt in de watervoorziening. In de landelijke vlekken is geen drinkwaterleiding en geen riolering (resultaat: weinig gevallen). De kleinere gemeenten hebben in het algemeen wel een waterleiding en geen behoorlijke riolering (resultaat: veel gevallen). De grotere gemeenten beschikken natuurlijk over een behoorlijke riolering en daar worden weinig gevallen gemeld. Voorlopig is de achtergrond van deze waarnemingen onbekend. Ook bij dit onderzoek treedt het sporadische verschijnen van de ziekte op de voorgrond.

De conclusie uit de epidemiologische waarnemingen is dat wij hier zeker niet van contactinfecties kunnen spreken. Het ligt nu voor de hand om bij de bacteriën te zoeken naar een ziektekiem die dezelfde opvallende verspreiding vertoont en wij vinden dan bij de *Meningococcus* (de verwekker van de nekkramp) hetzelfde gedrag. Ook hier zien wij op zichzelf staande gevallen. De reden van deze karakteristieke verspreiding van nekkramp ligt in het feit dat bij de meeste mensen een infectie met de bacterie niet tot de ziekte leidt. In het algemeen kan de bacterie bij een gezond mens lange tijd als commensaal leven. Pas wanneer de mens in zijn normale verweer tegen de bacterie te kort schiet dan krijgt de bacterie de kans om tot het centrale zenuwstelsel door te dringen en daar het ziekteproces te veroorzaken. Er zijn dus vele gezonden die de bacterie met zich meedragen en daartegenover weinig patiënten. Meestal heeft de patiënt dan de infectie gekregen door contact met een normale persoon die evenwel bacteriedrager is.

Wanneer wij nu de statistiek van de kinderverlamming en de nekkramp met elkaar vergelijken (KULSDOM vergeleek de Nederlandse cijfers) dan zien wij dat de epidemiologische gegevens zeer veel op elkaar lijken. Zo komt men automatisch tot het idee dat er ook bij de kinderverlamming vele gezonden zullen zijn die het virus zonder nadelige gevolgen voor henzelve meedragen. STOCKS berekende dat er ongeveer honderd gezonde virusdragers zouden zijn tegenover één klinisch waarneembaar geval. Langzamerhand wordt het duidelijk dat er ook virusdragers zijn die door de aanvallen van het virus niet volkomen gezond blijven, maar toch ook niet de typische verschijnselen van de ziekte vertonen. Zo beschreef Mej. VISSER een epidemie van kinderverlamming in een kindertehuis. Daar waren twee gevallen van kinderverlamming met duidelijke verlammingen van ledematen. Verder hadden enkele leidsters ,,griepaanvallen'', hoofdpijn en dergelijke niet belangrijke kwalen. Nader onderzoek wees uit dat alle kinderen vermoedelijk het virus bevatten, terwijl drie van de zes volwassenen eveneens virusdragers waren. In deze gevallen uitte het virus zich dus in griepachtige verschijnselen. Bij deze beperkte epidemie komt dus weer te voorschijn dat er veel virusdragers en weinig patiënten zijn.

Onze conclusie is dus dat de kinderverlamming inderdaad een infectieziekte is en de verklaring van het sporadische optreden van de ziekte is ook gevonden. De volgende vraag is dan hoe het virus van mens tot mens overdragen wordt en welke weg het virus in het lichaam neemt. De eerste stap in de goede richting is gezet door LANDSTEINER en POPPER die de ziekte op bepaalde apen overbrachten door ruggemerg van een gestorven patiënt in de neus van deze dieren te brengen. Daarentegen hebben inspuitingen van het virus in de bloedbaan van apen praktisch nooit resultaat. Vanwaar dit verschil? Het ligt voor de hand om te veronderstellen dat het virus zich voortbeweegt door het zenuwweefsel en dus door een neuszenuw het centrale zenuwstelsel bereikt. BRODIE bevestigde deze opvatting door bij apen de reukzenuw door te snijden en daarna de dieren via de neus te infecteren. De apen blijven dan gezond, dus hij concludeert dat de natuurlijke weg van het virus verbroken is. Merkwaardig is wel dat het virus zich van de neus naar de hersenen alleen via de reukzenuw beweegt en niet langs de andere zenuwbanen die van de neus naar de hersenen lopen. Wanneer het virus in de hersenen aangekomen is dan zal het zich in de meeste gevallen naar de voorhoornen van het ruggemerg begeven. Deze delen van het ruggemerg spelen een grote rol bij de overbrenging van zenuwimpulsen van de hersenen naar de ledematen. Vandaar dat verwoestingen in dit gebied tot verlammingen leiden.

Verschillende experimenten worden aangehaald om te bewijzen dat de infectie via de neus ook de natuurlijke gang van zaken is. Wij kunnen proberen om apen tegen kinderverlamming te immuniseren door het virus in de bloedbaan te brengen. Zoals wij verwachten is het resultaat dat er een grote hoeveelheid antilichamen tegen het virus gevormd worden.

Evenwel beschermen deze antilichamen die zich in het bloed bevinden het organisme niet tegen een infectie via de neus. Dit is begrijpelijk want het ingespoten virus kon het centrale zenuwstelsel niet bereiken en het zenuwweefsel is dus niet immuun geworden. Nu komen er bij de mens personen voor die van de ziekte hersteld zijn, terwijl toch in hun bloed geen antilichamen gevonden worden. Blijkbaar is bij hen het virus in het geheel niet in het bloed geweest en dit is een aanwijzing voor de stelling dat het virus direct in het zenuwweefsel is opgenomen. Ook is bij patiënten het virus meestal pas in het laatste stadium in het bloed aan te tonen. Vermoedelijk is dan de virusproductie in het centrale zenuwstelsel zo groot dat het overschot naar het bloed afgevoerd wordt.

Na de aankomst van het virus op het neusslijmvlies beweegt het zich via de hersenen naar het ruggemerg. Deze weg werd door FABER bij een anatomisch onderzoek teruggevonden. Het eerste stadium is dat het virus uit de reukzenuw komt en de ,,bulbus olfactorius'' aangrijpt. Dit heeft tot gevolg dat de dieren koorts krijgen. Daarna volgt een uitgebreide reactie in de hersenstam, waarbij het virus zich vooral in de secundaire reukcentra bevindt. Via het verlengde merg grijpt het virus over naar het ruggemerg waar de belangrijkste haarden gevonden worden. Hier is de hoeveelheid virus veel groter dan in de hersenen. FABER veronderstelt dat de door hem na een kunstmatige infectie gevonden weg ook de natuurlijke weg bij de mens zal zijn.

Zoals men weet correspondeert het rechterbeen met de linkerhelft van de hersenen. Nu treden bij kinderverlamming dikwijls eenzijdige verlammingen op. Dit was voor HOWE en ECKE aanleiding om apen in de hersenen eenzijdig (b.v. op de linkerschors) te infecteren. In de meeste gevallen zagen zij dan ook een eenzijdige verlamming bij de dieren en wel aan de andere zijde. Deze proeven zijn in fraaie overeenstemming met onze physiologische en anatomische kennis van de zenuwbanen. Al deze experimenten kunnen zeer goed begrepen worden uit de hypothese dat het virus in de natuur via de neus binnenkomt (de intranasale theorie).

Op het eerste gezicht lijkt de intranasale theorie een gesloten systeem te zijn waar weinig tegen in te brengen is. Toch zijn er langzamerhand bezwaren tegen deze opvatting gerezen. Bij een grote epidemie in Australië kon men bij tien van de elf patienten die in het acute stadium van de ziekte stierven geen beschadigingen in de bulbus olfactorius vinden. Dat is niet in overeenstemming met de theorie dat het virus op weg naar het centrale zenuwstelsel altijd de bulbus olfactorius passeert. Bij experimentele infecties via de neus wordt de bulbus olfactorius altijd beschadigd.

Is er dan nog een andere weg waarlangs de infectie kan plaats hebben? Een aanwijzing ligt misschien in het feit dat het virus behalve in de neus-en keelholte ook veel in de faeces gevonden wordt.

De epidemiologische waarnemingen van FANCONI en ZELLWEGER over een epidemie in Zwitserland kloppen huns inziens niet met de ver-onderstelling dat het virus zich door druppelinfecties (dus via de neus) verspreidt. Hun theorie is dat de ziekte door faecale besmetting veroor-zaakt wordt. Ook geloven zij niet dat het virus latent zoveel voorkomt. Om nu de epidemiologie van de ziekte te verklaren moeten zij grijpen naar de hypothese dat het virus zich buiten de mens (b.v. in faecale bacteriën) kan vermeerderen. Voorlopig is deze hypothese onaanvaard-baar. Merkwaardig is hun verklaring waarom de kinderverlamming in de laatste tientallen jaren zo toegenomen is. Vroeger was de kans groot dat de mens een lichte infectie kreeg. Dergelijke infecties verlopen dan met een latent ziekteproces dat een gedeeltelijke immuniteit achterlaat. Een aantal van deze infecties verlenen de mens een behoorlijke bescher-ming tegen een aanval van het virus. Tegenwoordig zou door de betere hygiënische maatregelen de kans op latente infecties en dus op immuni-teit gedaald zijn. Een eventuele epidemie is dus nu veel gevaarlijker dan vroeger.

Reeds eerder was door KLING geopperd dat het virus zich door water zou verspreiden. Hij kon het virus na een epidemie in Stockholm zowel in rioolwater als in het Maelarmeer aantonen. Het virus komt dan het lichaam niet via de neus doch langs het darmkanaal binnen. Met deze theorie is weer in overeenstemming dat apen in enkele gevallen geïn-fecteerd kunnen worden met besmet voedsel. Ook kan virus aangetoond worden in de faeces van zieken, herstellenden en gezonden die met een patiënt in contact zijn geweest. Zelfs in normaal drinkwater kan het virus zich bevinden. Ook het water uit zwembaden kan een bron van de ziekte zijn.

Zoals men ziet is het aantal onopgeloste problemen zeer groot. Laten wij nog eens even de vaststaande feiten de revue laten passeren. Het is dus mogelijk om apen via de neus te infecteren. Later vindt men dat bepaalde apen ook via het darmkanaal besmet kunnen worden. Welke weg neemt het virus bij de mens? Ter beantwoording van deze vraag moeten wij het volgende in aanmerking nemen. In vele gevallen is het niet mogelijk om sporen van het virus in de bulbus olfactorius te vinden. Toch zou dit punt door het virus gepasseerd moeten worden als de infectie via de neus plaats heeft. Aan de andere kant kan het virus in het bloed praktisch nooit aangetoond worden. Dat het virus in rioolwater gevonden wordt behoeft natuurlijk niet te betekenen dat het water een directe schakel of zelfs een indirecte schakel in de keten van de ene patiënt naar de volgende moet zijn. Het is best mogelijk dat het virus uitgescheiden wordt en dat het verder voor de epidemiologie van de ziekte geen rol meer speelt.

De intranasale theorie staat voor de volgende moeilijkheid. Zoals bekend is, kan men de ziekte niet verwekken door het virus in de bloed-baan te brengen. Daarom veronderstelt men dat er zich tussen het bloed en de hersenen een barrière bevindt die door het virus niet gepasseerd kan worden. Maar in enkele gevallen slaagt deze wijze van infectie wel. Om deze uitzonderingen te verklaren komt men met een ingewikkelde con-structie. Het virus zou op de een of andere manier (via de neus?) uit het bloed in de bulbus olfactorius komen en met deze hypothese is de intrana-sale theorie weer gered. Evenwel is bij deze infectie nooit een beschadiging van de bulbus olfactorius te zien.

Wij moeten nu nog nagaan of er bij de andere virussen eigenschappen gevonden worden die ons een aanwijzing kunnen geven. In de eerste plaats is daar dan de waarneming van FINDLAY en MacCALLUM dat het gele-koortsvirus bij bepaalde apen ook met het voedsel binnengebracht kan worden. Het blijkt dus dat er voor bepaalde virussen een mogelijk-heid bestaat om via de darm het lichaam binnen te komen. Natuurlijk is deze wijze van infectie bij het gele-koortsvirus abnormaal. Dan is er nog de vergelijking tussen het herpesvirus en het virus van de kinder-verlamming die door DOERR getrokken werd. Wanneer wij het herpes-virus in de bloedbaan brengen dan heeft een infectie van het centrale zenuwstelsel plaats. Deze infectie komt direct uit het bloed en wel wordt het ruggemerg het eerste aangegrepen. Het is blijkbaar mogelijk dat een virus zich direct uit het bloed naar het ruggemerg begeeft. Dit kan ook een verklaring zijn voor de enkele geslaagde infecties bij het brengen van het virus van de kinderverlamming in de bloedbaan. Dan zal — en dit klopt met de waarneming — de bulbus olfactorius niet ziek worden.

Dit leidt ons tot de vraag waardoor die barrière tussen het bloed en het centrale zenuwstelsel, die door het virus van de kinderverlamming praktisch nooit gepasseerd kan worden, gekarakteriseerd is. Natuurlijk is het volkomen foutief om hier te denken aan een soort zeef die deeltjes van bepaalde grootte niet door zou laten. Tussen het bloed en de hersenen bevindt zich altijd weefsel, al is het alleen maar de wand van het bloed-vat. Dergelijke wanden zijn voor bepaalde deeltjes niet doorlaatbaar.

Zo kunnen bacteriën deze barrière in het algemeen niet passeren. Wij kunnen ons nu voorstellen dat er plaatsen van verminderde weerstand zijn (b.v. veroorzaakt door een ontsteking, vitaminetekort e.d.). waar de passage wel mogelijk is. Ook kunnen door inspuiting met bepaalde stoffen de attractiekrachten tussen het deeltje en de cel dusdanig verhoogd worden dat het deeltje aan de cel geadsorbeerd wordt en eventueel een weefsel passeert. Zo gelukte het aan HAYDEN en SILBERSTEIN om de barrière tussen het bloed en de hersenen door inspuitingen met paardenserum doorlaatbaar voor bacteriën te maken.

Al deze beschouwingen leiden ons tot de volgende opvatting over de infectie met het virus van de kinderverlamming. Zeer veel mensen zijn drager van het virus. Bij deze gezonden vermeerdert het virus zich in de buurt van het darmkanaal. Dit leidt niet tot een ziekteproces — tenminste niet tot de karakteristieke symptomen. Natuurlijk wordt er veel virus met de faeces afgescheiden en op die manier kan de ziekte zich verspreiden. Er is dus bij de meeste mensen een evenwicht tussen het virus en het organisme en de vraag wordt nu door welke oorzaak dit evenwicht verstoord wordt. Experimenteel is deze vraag moeilijk te benaderen omdat apen zeer resistent zijn tegen natuurlijke infecties.

De gevoeligheid van de mens wordt door vele factoren beïnvloed. Vermoeidheid, darmstoornissen, zwangerschap enz. zijn momenten die bij de vatbaarheid voor de ziekte een rol spelen. JUNGEBLUT meent uit deze gegevens af te kunnen leiden dat de gevoeligheid voornamelijk bepaald wordt door een gebrek aan vitamine C. Dit vitamine is in staat om virussen te inactiveren en een tekort kan tot de ziekte leiden. Daarentegen meent TOOMEY dat vooral vitamine D belangrijk is. Het virus heeft een grote voorkeur voor de grijze zenuwvezels, terwijl in witte vezels geen verspreiding van het virus plaats heeft. Zijn deze witte zenuwvezels niet gezond — en vooral gebrek aan vitamine D heeft een grote invloed — dan wordt het virus gemakkelijk opgenomen. Een gezonde mergschede om de zenuwen is, zoals TOOMEY het uitdrukt, de beste bescherming tegen kinderverlamming. AYCOCK zoekt de individuele verschillen tussen gevoelige en ongevoelige personen in een andere oorzaak. De dikte van de slijmvliezen is afhankelijk van de hoeveelheden van geslachtshormonen in het lichaam. Bij castratie worden de slijmvliezen (o.a. het neusslijmvlies) dunner. Geeft men nu een gecastreerde aap oestron (een vrouwelijk geslachtshormoon) dan heeft een verdikking van het slijmvlies plaats en de resistentie tegen kinderverlamming wordt verhoogd. Hij ziet dus de grotere gevoeligheid van bepaalde personen als een storing in het evenwicht van hun geslachts-hormonen.

Al deze storingen zullen leiden tot een doorlaatbaar worden van barrières die bij het gezonde organisme voldoende sterk zijn om het virus tegen te houdden. Wij krijgen de indruk dat van de twee mogelijke infectiewegen — n.l. die via de neus en die via de darm — de laatste bij de mens de belangrijkste is. Evenwel is er geen reden om de andere mogelijkheid volledig te negeren. Hoe zich het virus van de darm naar het centrale zenuwstelsel beweegt is ook nog niet zeker. Zowel het bloed als de lymphe kunnen hierbij een rol spelen.

De strijd tegen het virus is niet eenvoudig omdat ons nog te veel gegevens over de ziekte ontbreken. Stelt men zich op het standpunt van de intranasale theorie dan moet men pogen om het centrale zenuwstelsel zelf immuun te maken tegen een infectie. Immers een immunisatie van het bloed heeft geen effect want het virus zal zich direct van de neus naar de hersenen begeven en komt met het bloed niet in aanraking. Hiermee is in overeenstemming dat pogingen om patiënten te genezen door inspuitingen met het serum van herstellenden geen succes opleveren. Het virus bevindt zich bij een patiënt met duidelijke symptomen reeds in het ruggemerg en de ingespoten antilichamen hebben geen effect. Wel kon men enig effect sorteren door het neusslijmvlies van apen te behandelen met bepaalde chemicaliën. Een nader onderzoek (SCHULTZ) wees evenwel uit dat deze bescherming berust op een beschadiging van het neusslijmvlies. Hoe groter de beschadiging is, des te beter is het dier tegen infectie bestand. Dit middel kan dus niet aanbevolen worden, omdat de kans op een permanente beschadiging groot is.

Wanneer men zich op het andere standpunt stelt dan zijn de mogelijkheden theoretisch iets groter. Daar vooral oververmoeidheid (sport-training e.d.) een grote vatbaarheid voor de ziekte oplevert, moet men in een tijd van een epidemie tegen grote vermoeienissen waken. Daarnaast moet op grote zindelijkheid aangedrongen worden. Een grote ophoping van mensen zal tot versnelde circulatie van het virus leiden. Het resultaat is een toename van het aantal virusdragers en het gevaar voor een infectie neemt toe. Gezamenlijk huisvesten van vele personen moet dan vermeden worden. Maar het spreekt vanzelf dat de strijd niet opgenomen kan worden als er geen middel gevonden wordt (b.v. een vaccine) om de weerstand van de mens tegen het virus te verhogen. Vandaar de pogingen van ARMSTRONG en JUNGEBLUT om het virus door passage in verschillende dieren zodanig te verzwakken dat het voor de mens geen gevaar meer oplevert. Reeds lang was de moeilijkheid dat het virus behalve op apen niet op andere dieren te kweken was. Het is aan de genoemde auteurs gelukt om het virus van apen over te brengen op sigmodonratten. Na enige passages in deze ratten verliest het virus de eigenschap om bij apen verlammingen op te wekken. Tenslotte kan het virus zelfs op muizen overgebracht en gekweekt worden. Wij hopen dat dit de goede weg is om tot een ongevaarlijk vaccine voor de mens te komen. Hoewel de ziekte sporadisch voorkomt zijn de gevolgen voor de patiënten meestal ernstig, zodat elke stap die tot een effectieve bestrijding van de kinderverlamming kan leiden van harte toegejuicht moet worden.

LITERATUUR

CRAIGIE, J. Die Antigenfunktionen und die serologischen Reaktionen der Virusarten in vitro. In DOERR und HALLAUER: Handbuch der Virusforschung II, 1106—1147, 1938.

DEELMAN, H. T. De Gezweltheorie van Kögl en Erxleben. Ned. Tijdschr. v. Geneesk. *83*, 2446—2449, 1939.

Discussion on experimental production of malignant tumors. In Proc. Roy. Soc. London B *113*, 1933.

Discussion on poliomyelitis. In Proc. 3d Int. Congr. Microbiol. N. Y. 1939.

Discussion on relation of filtrable viruses to tumor formation. In Proc. 3d Int. Congr. Microbiol, N. Y. 1939.

DOERR, R. Proc. 2nd Int. Congr. Microbiol. London, 92, 1936.

DOERR, R. Die Ausbreitung der Virusarten im Wirtsorganismus. In DOERR und HALLAUER: Handbuch der Virusforschung II, 690—825, 1938.

DOERR, R. Die Tropismen und spezifischen Lokalisationen der Virusarten. In DOERR und HALLAUER: Handbuch der Virusforschung II, 826—861, 1938.

DOERR, R. Mensch und Tier als Virusträger und Virusausscheider. In DOERR und HALLAUER: Handbuch der Virusforschung Erg. Band I, 88—194, 1944.

FINDLAY, G. M. and F. O. MacCALLUM. Experimental observations on yellow fever. Proc. 3 d Int. Congr. Microbiol. N. Y. 348, 1939.

FURTH, J. Viruses in the aetiology of new growths. Proc. 2nd Int. Congr. Microbiol. London, 95, 1936.

GARD, S. Uebermikroskopische Beobachtungen an gereinigten Poliomyelitisviruspräparaten III. Ein Vergleich mit den physikalisch — chemischen Versuchsergebnissen. Arch. Virusf. *3*, 1—17, 1943.

HALLAUER, C. und FL. MAGRASSI. Die erworbene Immunität gegen Virusinfektionen. In DOERR und HALLAUER: Handbuch der Virusforschung II, 1147—1291, 1938.

HALLAUER, C. Virusimpfstoffe zur menschlichen Schutzimpfung. In DOERR und HALLAUER: Handbuch der Virusforschung Erg. Band I, 349—472, 1944.

HOED, D. DEN. De behandeling van kwaadaardige gezwellen. Ned. Tijdschr. v. Geneesk. *83*, 3415—3416, 1939.

JONG, S. DE. De stereochemische afwijkingen van gezweleiwitten. Ned. Tijdschr. v. Geneesk. *84*, 5047—5060, 1940.

KÖGL F. und H. ERXLEBEN. Zur Aetiologie der malignen Tumoren. 1. Mitteilung über die Chemie der Tumoren. Z. physiol. Chem. *258*, 57—95, 1939.

KORTEWEG, R. De betekenis van kankerbevorderende factoren in verband met de bestrijding van den kanker. Ned. Tijdschr. v. Geneesk. *83*, 3413—3415, 1939.

KROMME, L. DE en J. R. DE BRUINE GROENEVELDT. Vroegtijdige diagnostiek van het carcinoom. Leiden 1939.

KULSDOM, M. E. Over de epidemiologie van meningococcosis en poliomyelitis anterior acuta. Ned. Tijdschr. v. Geneesk. *84*, 398—408, 1940.

LEVADITI, C. et P. LEPINE. Les ultravirus des maladies humaines. Paris 1938.

LOGHEM, J. J. VAN. Prophylaxis van poliomyelitis. Ned. Tijdschr. v. Geneesk. nooduitgave 1944, 72—73.

McINTOSH, J. Virus infections in tar-induced tumors (sarcomata) of the fowl. Proc. 2nd Int. Congr. Microbiol. 97—98, 1936.

NIEUWENHUYSE, P. Over gezwellen. Ned. Tijdschr. v. Geneesk. *87*, 1202—1206, 1943.

Poliomyelitis in Australië. Ned. Tijdschr. v. Geneesk. *85*, 4079, 1941.
    ,,   in Louisiana. Science *91*, 17, 1940.
    ,,   in Malta. Brit. Med. J. 773—774, 1945.
    ,,   in Zwitserland. Ned. Tijdschr. v. Geneesk. *86*, 2714, 1942.

ROUS, P. The virus tumors and the tumorproblem. Amer. J. Canc. *28*, 233—272, 1936.

SABIN, A. B. Constitutional barriers to involvement of the nervous system by certain viruses. Science, *91*, 84—87, 1940.

SOPER, F. L. Discussion on yellow fever. Proc. 3d Int. Congr. Microbiol. N. Y. 352—353, 1939.

THEILER, M. The affinities of yellow fever virus for various tissues of several experimental animals. Proc. 2 nd Int. Congr. Microbiol. London 89, 1936.

THOMSEN, O. Die Virusarten als tumorerzeugende Agenzien. In DOERR und HALLAUER: Handbuch der Virusforschung II, 994—1105, 1938.

TISELIUS, A. und S. GARD. Uebermikroskopische Beobachtungen an Polio-myelitis-Viruspräparaten. Naturwiss. *30*, 728—731, 1942.

TOPLEY, W. W. C. and G. S. WILSON. The principles of bacteriology and immunity. London 1938.

WATERMAN, N. De plaats der virustumoren in het gezwelonderzoek. Chem. Weekbl. *36*, 692—693, 1939.

HOOFDSTUK IV

HET WERK VAN DE PLANTKUNDIGE

1. *Hoe wordt het werk aangepakt?*

Naast de ziekten die door schimmels, bacteriën en andere zichtbare organismen veroorzaakt worden kennen wij bij planten een groep van ziekten waarbij de afwijkingen te wijten zijn aan een infectieus principe, dat niet met het microscoop te vinden is. Het resultaat van de verstoringen in de plant is meestal dat de opbrengst van de plant min of meer sterk verminderd wordt; de zieke plant wordt soms als het ware een onkruid. Wat verstaat de plantkundige onder een ziekte? In de eerste plaats kan een ziekte gedefinieerd worden als elke afwijking van het normale type, waardoor de physiologische activiteit van de plant lijdt of waardoor abnormale vormingen verschijnen. Dikwijls leiden deze afwijkingen tot een vroege dood van een deel van de plant of van het gehele individu. Bij deze beschouwingswijze staat dus het welzijn van de plant op de voorgrond. Evenwel zal de botanicus die in dienst van de landbouwwetenschap staat, het begrip ziekte anders definiëren. Bij hem wordt het ziektebegrip: de onmacht van de plant om een handelsproduct van voldoende kwaliteit en kwantiteit te produceren. Hier is het welzijn van de kweker het belangrijkste. Het is duidelijk, dat deze twee opvattingen van het idee ziekte nogal eens van elkaar af zullen wijken. Het kweken van sinaasappelen zonder pit levert abnormale bomen op, waarvan de vruchten evenwel een grotere handelswaarde hebben dan de normale. Bonte sierplanten zouden volgens de eerste definitie tot de zieke planten gerekend moeten worden.

Waardoor worden de virusziekten van planten gekarakteriseerd? Strikt genomen zou natuurlijk allereerst bewezen moeten worden dat het agens een bacteriefilter passeert. Dan zou het viruskarakter van de verwekker bewezen zijn. Evenwel kan in vele gevallen de ziekte niet van plant tot plant overgebracht worden met behulp van het sap van een zieke plant. Op de een of andere manier wordt het virus dan geïnactiveerd. Het is duidelijk, dat wij in zo'n geval ook geen betrouwbare gegevens met behulp van de filtratiemethode kunnen krijgen. Kan dus het strikte bewijs dat een bepaalde ziekte een virusziekte is in vele gevallen niet gegeven worden, toch is het mogelijk om enkele eigenschappen op te noemen die min of meer karakteristiek voor virusziekten zijn. Geen van deze kenmerken is dus op zichzelf voldoende om de ziekte tot de groep van de virusziekten te rekenen, maar wordt een ziekte door al deze eigenschappen gekarakteriseerd dan kunnen wij veilig aannemen dat wij met een virusziekte te maken hebben. In de eerste plaats moet de ziekte besmettelijk zijn, terwijl een microscopisch zichtbare verwekker met zekerheid uitgesloten moet kunnen worden. Dan merken wij een min of meer uitgebreide chlorose op (op de bladeren zijn duidelijke vlekken van een lichte kleur te zien), die gepaard gaat met het onvoldoende uitgroeien van verschillende plantendelen. Deze symptomen zijn vooral duidelijk in jonge, sterk groeiende organen. Bij volwassen bladeren die ten tijde van de infectie al volgroeid waren is van het ziekteproces praktisch niets te vinden. Meestal verspreidt het virus zich door de hele plant heen en dit hoeft niet overal tot duidelijke symptomen te leiden. Is een plant eenmaal door een virusziekte aangegrepen dan heeft geen herstel van de ziekte plaats. Tenslotte kan natuurlijk de ziekteverwekker niet op een kunstmatige voedingsbodem gekweekt worden; het virus vermeerdert zich alleen in levende planten.

De schade die virusziekten onder de landbouwgewassen aanrichten is dikwijls enorm. Er is bijna geen gewas dat niet te lijden heeft van een of meer virusziekten. Bij de aardappelen zijn reeds een kleine twintig virussen beschreven en hieronder zijn er enkele die een grote achteruitgang van de oogst veroorzaken. Een ziekte die gekarakteriseerd wordt door het omkrullen van de bladeren (z.g. bladrol) kan de opbrengst van een aardappelveld met 50 % verlagen. Kweken wij deze zieke aardappels verder dan wordt de opbrengst nog veel lager. Hieruit blijkt het grote belang om van kerngezonde pootaardappelen uit te gaan. Bij de Amerikaanse ziekte ,,peach yellows'' is een verlies van 2 tot 3 % van de perzikbomen per jaar heel gewoon. Gedurende een epidemie kan dit getal zelfs 25 % worden. Wat dit voor de kwekers betekent wordt duidelijk als men bedenkt dat een jaarlijks verlies van 3 % in de staten New-York, New-Jersey, Pennsylvania, Delaware en Maryland het geweldige aantal van 450.000 bomen zou betekenen. Er is dus alle reden voor om de bestrijding van de virusziekten met kracht aan te pakken.

De verschillende cultures onderscheiden zich nogal diepgaand naar de mogelijkheden die de bestrijding van de virusziekten heeft. In het algemeen worden de virussen niet met zaad overgebracht, maar wel blijft het virus actief in overwinterende knollen, bollen e.d. Dit levert direct een verschil op: bij de cultuur van éénjarige gewassen gaat men meestal uit van virusvrij zaad, maar de cultuur van gewassen die vegetatief voortgeplant worden kan gecompliceerd zijn doordat het virus zich reeds in het pootgoed bevindt. En dan maakt het nog onderscheid of men een gewas kweekt voor de voedselvoorziening of dat de plant een sieraad moet zijn. Wat het laatste betreft, denken wij aan de z.g. gebroken tulpen, die bekende bonte vormen van tulpen. Hier is de bontheid eigenlijk een ziekteverschijnsel; een virus is er de oorzaak van. Toch zouden wij deze vormen niet graag uit onze verzameling variëteiten missen. In vroeger eeuwen hebben de gebroken tulpen een grote rol gespeeld bij de beruchte windhandel in tulpenbollen. Toen werden voor enkele naar onze tegenwoordige inzichten zieke bollen fantastische bedragen betaald.

Bij het verbouwen van éénjarige planten komt het probleem voornamelijk neer op het voorkomen van de besmetting. Immers het zaad is in het algemeen vrij van virus. Geregelde controle van het gewas is noodzakelijk opdat een eventuele infectiehaard snel ontdekt wordt. De kweker van zich vegetatief voortplantende gewassen moet zich overtuigen dat zijn pootgoed zo gezond mogelijk is. Bij deze planten zijn virusziekten uit de aard van de zaak heel wat gevaarlijker dan bij éénjarige gewassen. In enkele gevallen is het mogelijk om rassen te kweken die resistent zijn tegen bepaalde virusziekten. Wanneer deze rassen een even grote oogst opleveren als de handelssoorten dan is er alles voor te zeggen om deze rassen in de landbouw in te voeren. Moeilijker is de zaak wanneer men zich met de sierteelt bezig houdt. Het vinden van een resistent ras (b.v. van de narcis) zou slechts weinig waarde hebben, want de afnemers vragen variatie. Hier moet dus naar andere middelen gezocht worden om het virus te bestrijden.

Tussen de arts en de plantkundige is een groot verschil wat betreft hun instelling tegenover het ziekteprobleem. De arts heeft tot opgave om een bepaalde persoon te genezen. Elk mens moet beschermd worden tegen de aanvallen van ziektekiemen. Op de voorgrond staat de individuele mens, waaraan de arts zijn kennis geeft. De landbouwkundige moet van een bepaald gewas een zo groot mogelijke oogst zien te krijgen. Wanneer hij dit bereiken kan door b.v. 10 % van de planten op te offeren dan zal hij dit niet laten. De individuele plant is van weinig belang; het veld met planten en vooral de opbrengst daarvan is veel belangrijker. Daarbij komt nog dat van genezing bij planten geen sprake is. In het mooiste geval kan een virusziekte voorkomen worden. Vandaar dat dit hoofdstuk een heel ander karakter heeft dan het voorgaande, hoewel het onderwerp — de virusziekten — hetzelfde is.

Voordat het besmettelijke karakter van de virusziekten bekend was, heeft men zich reeds verdiept in de mogelijke oorzaken van de ziekten die wij nu aan verschillende virussen toeschrijven. Men dacht o.a. aan ouderdomsverschijnselen en vergeleek de toestand bij de aardappelen met de degeneratie van enkele boomsoorten. De treurwilg werd aan het begin van de 18e eeuw ingevoerd en is sindsdien steeds vegetatief voortgeplant. Omstreeks 1900 gingen alle treurwilgen vrij sterk achteruit. Eigenlijk zijn dus al deze bomen van één individu afkomstig en men verklaarde de achteruitgang als een ouderdomsverschijnsel van de treurwilg. Ook bij de Italiaanse populier en bij verschillende appels en peren meende men bewijzen voor degeneratie gevonden te hebben. Dit idee werd eveneens voor de aardappel geopperd. De achteruitgang van verschillende aardappelrassen — die wij nu aan virusziekten toeschrijven — werd uitgelegd als een onvermijdelijke achteruitgang, degeneratie of ouderdomszwakte als gevolg van de steeds herhaalde vegetatieve voortplanting. Evenwel zijn er voor deze mening nooit overtuigende bewijzen gegeven. De invloed van deze theorie is zo groot geweest dat de virusziekten nu nog wel de degeneratieziekten van de aardappel genoemd worden, hoewel niemand meer aan ouderdomszwakte e.d. denkt.

Toen begon het idee veld te winnen dat men te maken had met besmettelijke ziekten. Aangezien wij ons dan in het tijdperk aan het einde van de 19e eeuw bevinden is het logisch dat men in de mening verkeert dat bacteriën de verwekkers zullen zijn. MAYER meent dan ook (1886) dat het mozaik van de tabak door een bacterie veroorzaakt wordt. Vele anderen ondersteunen deze theorie, maar op den duur ziet men in dat geen van de experimenten overtuigend bewijst dat een bacterie het agens van deze ziekte is. In 1899 suggereert WOODS dat de mozaikziekte het gevolg zou zijn van een abnormale ontwikkeling van oxyderende enzymen. Vandaar dat er lichte vlekken op de tabaksplanten verschijnen. Elke enzym-theorie moet evenwel veronderstellen dat een kleine hoeveelheid enzym in de plantencellen groter wordt en dit is het grote struikelblok van de enzymtheorie. BEIJERINCK is de eerste die een verschil maakt tussen virussen en bacteriën. Volgens hem was de ziektekiem een levende in water oplosbare stof. Anderen denken bij het begrip virus liever aan zeer kleine micro-organismen, maar in ieder geval begint de virustheorie van de mozaikziekte bij BEIJERINCK. Tenslotte zijn er onderzoekers die in de zieke planten protozooën meenden te vinden, maar ook deze theorie kon niet gehandhaafd worden. Zodat men het er nu over eens is, dat deze

ziekten veroorzaakt worden door een onzichtbare verwekker. Over de
aard van de verwekker is nog een hevige strijd gaande.

Aardig is het om een lijstje te geven van alle theorieën die er over de
oorzaak van het ,,bladrol'' gegeven zijn, voordat de ware aard van deze
aardappelziekte gevonden was. Men dacht aan een teveel aan zouten
in de bodem, anderen daarentegen aan een tekort, weer anderen aan het
gebruik van kunstmest. Ook werd gewaarschuwd tegen het gebruik van
onrijpe knollen als pootgoed, van andere zijden juist tegen rijpe knollen.
Natuurlijk werd door sommigen de oorzaak in slechte cultuurmethoden
gezocht. De degeneratie van het gewas door de voortdurende vegetatieve
voortplanting werd vaak ter sprake gebracht en tenslotte kreeg een
parasitaire schimmel de schuld. Geen van deze theorieën is nu overgebleven; de ziekte wordt door een virus veroorzaakt.

Uit de medische wetenschap is ons bekend dat er tussen virusziekten
en bacterieziekten voor het aangevallen organisme weinig verschil is.
De planten gedragen zich ten opzichte van virussen en andere parasieten
verschillend. In het algemeen blijft een bacterie of een schimmel tot een
bepaald deel van de plant beperkt. Dikwijls kan men dan de plant redden
door het zieke deel weg te snoeien. Heel anders gedraagt het virus zich.
Dit verspreidt zich meestal door de hele plant en tast de plant in al zijn
delen (vooral de jonge) aan. Bij de plantenziekten die door schimmels
of bacteriën veroorzaakt worden komt overbrenging door insecten
slechts als uitzondering voor, terwijl het bij virusziekten eer regel dan
uitzondering is. Schimmels en bacteriën leveren vooral bij vochtig weer
een groot gevaar op, omdat de sporen via water vervoerd worden. Hier
ligt weer een verschil met virusziekten, want de infectie met virus vindt
plaats bij afwezigheid van water. En tenslotte zijn dikwijls de symptomen
van virusziekten (vooral van mozaikziekten) anders dan die van andere
parasitaire ziekten. Wel lijken de symptomen nogal eens op de kenmerkende verschijnselen die een plant kan vertonen als er in de bodem gebrek
aan bepaalde zouten heerst. Zo is het voor de leek buitengewoon moeilijk
om het verschil te zien tussen de symptomen van de vergelingsziekte
(een virusziekte van de suikerbiet, waarbij de bladeren geel worden)
en de verschijnselen die veroorzaakt worden door een gebrek aan man-
gaan in de bodem. Al deze verschillen tussen virusziekten en andere
parasitaire ziekten hebben tot resultaat dat de botanicus eerder dan de
medicus geneigd zal zijn om de virussen tot een aparte groep te rekenen.
Het is in het algemeen voor de botanicus iets gemakkelijker om uit te
maken of een bepaalde ziekte een virusziekte is.

Onze kennis over de botanische virussoorten ontlenen wij aan verschillende gegevens en het ligt voor de hand dat de methoden waarvan de botanicus gebruik maakt min of meer aansluiten bij de wijzen van onderzoek waarmee wij bij de bespreking van het werk van de arts reeds kennis hebben gemaakt. Bij deze methoden speelt voor de plantkundige de bestudering van de verschillende symptomen een grote rol. Elk onderzoek over een plantaardige virusziekte zal beginnen met een zo nauwkeurig mogelijke beschrijving van de verschijnselen van de ziekte, opdat een andere onderzoeker kan beoordelen of hij met dezelfde of met een andere ziekte te maken heeft. Dan is van belang om te weten waar de ziekte aangrijpt, dus of er bij anatomisch onderzoek kenmerkende veranderingen van de gastheer te vinden zijn. Welke levensfuncties van de plant worden geremd? Daarnaast — wij kennen al deze zaken al uit het vorige hoofdstuk — is het voor de bepaling van de verwantschap van de virussen heel belangrijk om te weten welke plantensoorten door het virus aangevallen kunnen worden. Wij moeten dus het ,,infectiespectrum'' van elk virus bepalen. Van groot praktisch belang zijn de methoden van overbrenging van de virussen en de betrekkingen tussen het virus en de insecten waardoor het virus van plant tot plant verspreid wordt. Bij de virussen die met perssap van een zieke plant in een gezonde plant gebracht kunnen worden interesseren ons natuurlijk de physische en chemische eigenschappen van het virus. Hier zal men trachten het virus in een zo zuiver mogelijke staat af te zonderen. Kortom vele problemen zijn volkomen dezelfde als in de medische wetenschap, maar dikwijls komt de nadruk op vraagstukken te liggen die voor de arts minder belangrijk zijn en omgekeerd. De medicus interesseert zich b.v. sterk voor de afweer van het organisme tegen het virus en dit onderwerp wordt door de botanicus nauwelijks aangeroerd omdat er nog nooit gevonden is, dat de plant afweerstoffen tegen een virus produceert. Ook de weg van het virus in het plantenlichaam is van volkomen andere factoren afhankelijk dan wij kennen bij het dierenlichaam. Dit is duidelijk omdat in de plant geen bloed-, zenuwbanen e.d. aanwezig zijn. Inplaats daarvan worden de delen van de plant verbonden door hout- en zeefvaten en het wordt nu de vraag in hoeverre de vaatbundels met het transport van het virus te maken hebben.

Voor de onderzoeker die zich met het virusprobleem bezig houdt is een belangrijk vraagstuk hoe hij zijn virus in voorraad zal houden. Soms — bij virussen die gemakkelijk met het plantensap overgebracht kunnen worden — is deze opgave eenvoudig. Hij kan het gefiltreerde sap van zieke planten in bevroren toestand enige tijd bewaren. In het mooiste geval kan hij het virus eerst zuiveren (b.v. in kristalvorm brengen) en het gezuiverde virus opbergen. Meestal zal deze methode evenwel uitgesloten zijn omdat vele virussen niet met het sap van zieke planten over te brengen zijn. Hij zal in dat geval telkens gezonde planten moeten infecteren uit zieke planten (dus met behulp van insecten) en het virus wordt dan in de zieke planten bewaard. Deze planten moeten goed beschermd worden tegen insecten, want er bestaat altijd de mogelijkheid dat een of andere bladluis de plant met een ander virus infecteert. Zij zullen dus in insectvrije kooien of kassen gezet moeten worden. Deze planten eisen veel zorg en een onopzettelijke infectie is eigenlijk nooit met zekerheid uit te sluiten. Men zoekt weer naar andere wegen en misschien liggen er mogelijkheden in het kweken van plantenweefsel in kunstmatig milieu. Aan WHITE lukte het om het virus van het mozaik van de tabak te kweken in stukjes van tomatenwortels, die in kolven geïsoleerd gekweekt werden. Dit onderzoek leverde het merkwaardige resultaat op, dat er aan deze wortels geen ziekteverschijnselen waar te nemen waren, hoewel het virus zich sterk vermeerderde. Blijkbaar grijpt het virus voornamelijk het chlorophylapparaat in de bladeren aan, wat aanleiding geeft tot de bontheid van deze organen.

Het feit, dat wij verschillen zien tussen de virusziekten van planten en dieren mag ons niet verleiden om een scherpe grens tussen de virussen aan te nemen. Immers kunnen de meeste van deze verschillen teruggebracht worden tot de volkomen andere bouw van de respectievelijke gastheren. Tussen de virussen zelf bestaat een grote overeenkomst. Zij vermeerderen zich alleen in levende cellen; dikwijls kan infectie plaats hebben in grote verdunning; het agens is met het microscoop niet te vinden en de verwekker kan een bacteriefilter passeren — al is in vele gevallen het bewijs voor deze eigenschap niet te leveren. Het is dan ook logisch, dat de meeste termen uit het virusonderzoek van de plantkundige afkomstig zijn uit de oudere medische wetenschap. Dit streven naar eenheid moet sterk toegejuicht worden. Er zijn enkele vraagstukken uit het virusprobleem die gemakkelijker met planten dan met dieren opgelost kunnen worden. Het is niet moeilijk om een experiment met honderden planten te verrichten. Ook is het meestal veel eenvoudiger om een grote hoeveelheid virus in handen te krijgen. Reeds nu heeft het werk van de plantkundigen bijdragen tot het virusprobleem geleverd, die uitgaan boven de zuiver praktische betekenis. In de toekomst zal een nauwer contact noodzakelijk zijn tussen degenen die zich met de botanische en de medische zijde van het probleem bezighouden. Dit zal van onmiddellijk voordeel voor de beide richtingen van onderzoek zijn.

2. *De weg van het virus van plant tot plant.*

Het is waarschijnlijk, dat het bladrol en andere virusziekten reeds lang in de aardappelcultuur hun invloed deden gelden, maar het duurde tot 1905 voordat het bladrol als een specifieke aardappelziekte herkend werd. Al spoedig bleek dat de nabouw van een zieke plant ziek was, waaruit dus volgt, dat het virus zich ook in de knollen bevindt. Vooral de Wageningse Hogeschool heeft zich reeds lang met de virusziekten van de aardappel beziggehouden en QUANJER (1913) kon aantonen dat de verschijnselen van de bladrolziekte samenhingen met de afsterving van cellen in de zeefvaten, waardoor de afvoer van de assimilatieproducten bemoeilijkt wordt. Dat de afvoer van de assimilatieproducten bemoeilijkt is kan gemakkelijk gedemonstreerd worden met de zg. jodiumproef van SACHS. Het resultaat van een zonnige dag is bij planten, dat in de bladeren een grote hoeveelheid zetmeel geproduceerd wordt. In de loop van de daarop volgende nacht wordt het zetmeel afgebroken en ge-transporteerd naar andere organen. Aan het begin van de dag is dus het blad weer vrij van zetmeel. Nu reageert zetmeel met jodium onder vorming van een sterke blauwe kleur en men kan dus het al of niet aanwezig zijn van zetmeel in de bladeren aantonen door een behandeling met jodium. Deze van SACHS afkomstige proef is ook bij de bladrol-ziekte toegepast. Zieke en gezonde planten worden lange tijd in het donker geplaatst en daarna reageert men op zetmeel in de bla-deren. In gezonde bladeren is dan het zet-meel verdwenen, maar in zieke bladeren is nog veel zetmeel te vinden (zie fig. 16). OORTWIJN BOTJES vergeleek de verschillende verschijnselen die bij bladrol optreden. Dat zijn dus de uiterlijke symptomen aan de bladeren, de zetmeelophoping en de micros-copisch waarneembare afsterving in de zeefvaten (phloëemnecrose). De volgende

FIGUUR 16

De afvoer van zetmeel is in de bladeren van de aard-appel die aan bladrol lijdt belemmerd. Dit zetmeel is met de jodiumproef van SACHS aan te tonen (naar OORTWIJN BOTJES).

tabel geeft een overzicht van zijn resultaten. Vooral de diagnostische waarde van de verschillende symptomen had zijn grote belangstelling.

plant	uiterlijk	jodiumproef	phloëemnecrose
gezond	geen symptomen	negatief	negatief
zeer licht ziek	geen symptomen	positief	negatief
licht aangetast	zeer lichte symptn	positief	negatief
ziek	duidelijke symptn	positief	positief

Wij zien dat de ophoping van zetmeel in de bladeren al begint voordat de ziekteverschijnselen aan de plant waar te nemen zijn. QUANJER schreef deze ophoping toe aan de afstervingsverschijnselen in de zeefvaten, maar OORTWIJN BOTJES bestrijdt dit omdat die afsterving pas veel later te zien is. Hij ziet dan ook de phloëemnecrose slechts als een begeleidend verschijnsel en niet als de oorzaak van de zetmeelophoping. QUANJER merkt terecht op dat het best mogelijk is dat er primair storingen in de zeefvaten zijn die de afvoer van het zetmeel storen. Pas als de ziekte in een ernstiger stadium komt zullen deze storingen leiden tot een microscopisch waarneembare afsterving van de cellen. Op welk standpunt men zich ook stelt, in ieder geval moet men toegeven dat de phloëemnecrose voor de diagnose van de ziekte van weinig waarde is.

Een paar jaren later kon QUANJER het infectieuze karakter van de ziekte aantonen door tegen een halve gezonde knol een halve zieke knol te binden. Ook de spruiten uit de gezonde knol gaan dan typische ziekteverschijnselen vertonen. Door deze ontdekking werden vele theorieën over het ontstaan van de ziekte (zie pag. 119) waardeloos.

In 1920 publiceert OORTWIJN BOTJES een samenvatting van zijn jarenlange onderzoekingen over het bladrol. Hem interesseerde voornamelijk de vraag hoe de ziekte zich in de natuur verspreidt. Bekend was dus reeds dat de ziekte door knolentingen overgebracht kan worden, maar het spreekt vanzelf dat dit niet de natuurlijke gang van zaken is. Het was zelfs nog de vraag of de ziekte in de natuur besmettelijk is. Waarschijnlijk is dat wel, want zieke planten ontstaan slechts uit ziek pootgoed. Uit een gegarandeerd gezonde knol zal altijd een gezonde plant groeien, die tijdens zijn ontwikkeling ziek kan worden. Een belangrijk feit is nog dat de secundair zieke planten (dat zijn planten die uit een zieke knol ontstaan zijn) regelmatig over een veld verspreid zijn. Dat klopt, want de zieke knollen zullen volgens de regels van de waarschijnlijkheid

in een partij pootgoed verdeeld zijn en dit leidt tot een vrij regelmatige verspreiding op het veld. Heel anders is de verspreiding van
de planten met primaire ziekteverschijnselen (dit zijn de planten
die in de loop van het seizoen ziek werden). Die staan altijd in
groepen en wel dikwijls om een secundair zieke plant heen. Wij verwachten dus dat de oorspronkelijk gezonde aardappelen door de zieke
planten besmet zijn. De vraag is alleen: hoe heeft de besmetting in
het veld plaats?

Ter beantwoording van dit vraagstuk nam OORTWIJN BOTJES de

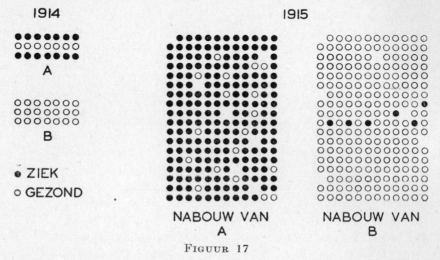

FIGUUR 17

De fundamentele proef van OORTWIJN BOTJES. In 1914 plantte hij gezonde
aardappelen tussen zieke aardappelen in (A). De nabouw van deze gezonde
aardappelen was grotendeels ziek, hetgeen bij de contrôle (B) niet het geval
was. De bladrolziekte is dus infectieus.

volgende proef. Hij plantte een rij gezonde knollen tussen twee rijen
zieke en een eindje verderop werd ter controle een regel gezonde knollen
tussen twee regels eveneens gezonde knollen geplant. Tijdens het seizoen
controleerde hij geregeld de aardappelplanten en in het volgende jaar
werden de door de planten geproduceerde knollen uitgeplant en wederom
regelmatig nagekeken. Fig. 17 laat het resultaat van zijn experimenten
zien. De nabijheid van zieke planten is blijkbaar een groot gevaar voor
gezonde exemplaren. Dat er bij de nabouw van de gezonde planten ook
een paar zieken gevonden werden kon teruggebracht worden tot de omstandigheid dat er op het veld op een afstand van ongeveer twee meter

van de proef met de gezonde planten een zieke plant stond. Blijkbaar zijn enkele gezonde planten daardoor geinfecteerd.

De infectie door buurplanten speelt dus bij de bladrolziekte een grote rol. Nu bestaat de mogelijkheid dat de infectie door de grond plaats heeft. Dit lijkt niet waarschijnlijk want wanneer wij gezonde knollen verbouwen op een plaats waar een ziek gewas gestaan heeft, dan blijven de aardappelen gezond. Ook bracht OORTWIJN BOTJES aardappelen in grond die hij van te voren vermengd had met stukken van zieke knollen en planten. Ondanks dat bleven de planten gezond, zodat het wel uitgesloten is dat de infectie via de grond plaats vindt. Daarna verrichtte OORTWIJN BOTJES proeven over de afstand waarover de ziekte zich verspreidt. In het midden van een kruis van gezonde knollen wordt een groepje zieke knollen geplant en er wordt nagegaan hoe de invloed van de afstand op de besmetting is (fig. 18). Wanneer de afstand van de zieke naar de gezonde plant een halve meter bedraagt dan zien wij vaak infectie optreden; op een afstand van twee meter heeft dit daarentegen

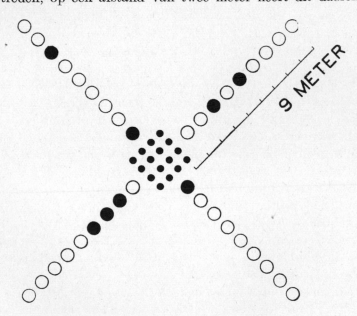

FIGUUR 18

De invloed van de afstand op de besmetting. Om een vierkant van zieke aardappelen (bladrol) plantte OORTWIJN BOTJES gezonde aardappelen op bepaalde afstanden. Alle aardappelen die zieke nakomelingen opleverden zijn zwart getekend (enigszins gewijzigd naar OORTWIJN BOTJES).

sporadisch plaats. Uit deze proeven komt hij tot de overtuiging dat een
insect bij de overbrenging een rol speelt, en deze opvatting is in Wageningen in insectvrije kassen bevestigd. Men kan een gezonde plant zonder
gevaar naast een ziek exemplaar laten groeien, wanneer men er voor
zorgt dat insecten volkomen van de planten geweerd worden. Ook kan
men met deze methode bepalen welke insecten vooral gevaarlijk zijn.
Men zet dan in een goed gesloten kas naast elkaar een gezonde en een
zieke plant en men laat nu een bepaald insect zich in die kas vermeerderen. Speciaal de perzikluis (*Myzus persicae*) blijkt dan zeer gevaarlijk
te zijn in verband met de overbrenging van de ziekte. Dit klopt met de
veldwaarneming dat de ziekte vooral om zich heen grijpt op luwe plaatsen
waar de luizen zich sterk vermeerderen.

Naast de voor de virusziekten zo belangrijke overbrenging door insecten zijn er nog enkele andere methoden die in het veld of voor de experimentator van belang zijn. Voor de landbouwer is het een gelukkige
omstandigheid dat de meeste virusziekten niet met zaad overgebracht
kunnen worden. De enige voor de praktijk belangrijke uitzonderingen
vormen de mozaikziekten bij peulvruchten, waar zaad van zieke planten
een niet onbelangrijk percentage viruszieke planten oplevert. Men krijgt
de indruk dat deze overdracht met het zaad vooral van de gastheerplant
afhankelijk is. Het ene ras zal een grotere hoeveelheid zieke planten uit
besmet zaad opleveren dan het andere. Ook de tijd die het zaad nodig
heeft om te rijpen schijnt van grote invloed te zijn. Tenslotte zal volgens
FAJARDO het percentage van virushoudend zaad afhankelijk zijn van het
tijdstip waarop de infectie van de moederplant plaats had. Bij een vroege
infectie zal er meer zaad besmet zijn. De bestrijding van de virusziekten
bij bonen e.d. wordt ten zeerste bemoeilijkt doordat overbrenging van het
virus met het zaad mogelijk is.

Wij hebben reeds gezien dat het mogelijk is om een virus op een gezonde
plant over te brengen door het enten van een zieke spruit of knop op het
gezonde organisme. Dat deze manier van overbrengen lukt is niet vanzelfsprekend, want bacteriën of schimmels passeren de plaats van
vergroeiing meestal niet of moeilijk. In praktisch alle gevallen is een virus
door enting over te brengen, zelfs is een enkele maal (bij infectieuze
chlorose) geen enkele andere methode te vinden. Dan staan wij voor het
raadsel hoe deze ziekte in de natuur verspreid wordt en zelfs voor de
vraag of de ziekte eigenlijk een besmettelijke ziekte genoemd mag worden.
Er zijn maar een paar virusziekten die door enten moeilijk overgebracht
kunnen worden. Een daarvan is de ,,curly top" van tomaten (ook wel

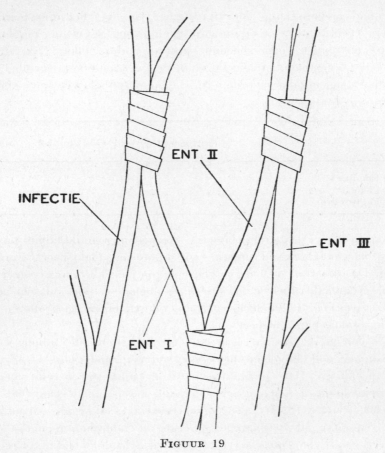

FIGUUR 19

In reeksen aan elkaar geënte tomatenplanten, waarbij de linkerplant geïnfecteerd wordt met ,,curly top'', neemt het aantal zieke planten van links naar rechts af (SHAPOVALOV). Blijkbaar kan het virus de plaats waar de planten vergroeid zijn niet gemakkelijk passeren.

genoemd ,,tomato yellows). Deze ziekte wordt overgebracht door een bepaalde cicade en het enten van een zieke spruit op een gezonde tomatenstam mislukt zeer vaak. SHAPOVALOV geeft aan dat slechts in één van de 21 geslaagde entingen de ziekte op een gezonde plant overgebracht werd. Meer resultaat levert de contactenting op (van de stengels van de planten wordt een stuk weggenomen en daarna worden de planten tegen elkaar gebonden). Toch zag hij ook in dat geval (een sterk zieke plant werd aan een gezonde geënt) maar in één van de 8 gevallen een geslaagde infectie. Wij moeten dus aannemen dat het virus de plaats van vergroeiing dikwijls niet passeren kan. Merkwaardig is wel dat het aantal geslaagde infecties veel groter is als de infectie tegelijk met de enting plaats heeft. Shapovalov entte enige gezonde planten achter elkaar (zie fig. 19), infecteerde tegelijkertijd de eerste plant en zag toen de hoeveelheid zieke planten steeds minder worden. De volgende tabel geeft een overzicht van de resultaten:

	geïnfecteerd	ent I	ent II	ent III
aantal planten...............	31	31	31	31
hiervan ziek.................	30	23	21	19
hiervan gestorven	26	13	9	8

Waarom het virus nu de plaats van vergroeiing gemakkelijker passeert dan in het geval waar de infectie vóór de enting plaats heeft is raadselachtig. De toestand van de gastheer schijnt hier wel van grote invloed te zijn. Nogmaals moet er de nadruk op gelegd worden, dat het gedrag van dit virus een uitzondering vormt op de algemene regel, dat een virus een ent gemakkelijk passeert.

Er is een groep van virussen die vlot overgebracht kunnen worden door een gezonde plant met het perssap van een zieke plant in te wrijven of in te spuiten. Het mozaikvirus van de tabak wordt zelfs verspreid door pruimende of rokende arbeiders die in een jong tabaksveld bezig zijn. Het virus blijft zelfs in gedroogde toestand in de pruim- of rooktabak actief. Vandaar dat op sommige plantages de onderneming gagarandeerd virusvrij rook- en pruimmateriaal voor de arbeiders beschikbaar stelt. Met deze virussen is het gemakkelijkste te experimenteren, zodat zij uit wetenschappelijk oogpunt belangrijk zijn. Meestal wordt de plant niet aangetast als het virus heel voorzichtig op de bladeren gebracht wordt. Blijkbaar kan het virus alleen via een wond in de plant doordringen. Aan de andere kant geeft een zware wond in het weefsel minder kans op besmetting dan een grote serie kleine wondjes. Dit is begrijpelijk, omdat het virus in levende cellen opgenomen moet worden wil het zich kunnen vermeerderen en het weefsel naast een zware verwonding sterft meestal af. De bladeren van vele plantensoorten zijn voorzien van haren en wanneer men over deze bladeren wrijft met een lapje gedrenkt in een virusoplossing, dan zullen de haren afbreken en het virus komt door deze kleine verwondingen de plant binnen. Andere planten bezorgt men vele verwondingen door aan de virusoplossing wat carborundum-

poeder toe te voegen. In het algemeen geldt, dat de virussen die gemakkelijk met sap overgebracht worden niet of moeilijk door insecten verspreid
worden en omgekeerd. Het is dan ook dikwijls mogelijk om een mengsel
van twee virussen te scheiden door van deze eigenschappen gebruik te
maken.

De verspreidingswijzen die voor de sporen van schimmels en bacteriën
zo belangrijk zijn — via de lucht of het water — hebben voor de virussen
praktisch geen belang. SMITH kweekte tabaksplanten in gesteriliseerde
grond in een kas die tegen insecten afdoende beschermd was. Toch werden
de planten aangetast door een virus dat afstervingsverschijnselen te
voorschijn riep (het necrose-virus van de tabak). Een ogenblik meende
hij dat het virus spontaan in de wortels van de planten ontstaan was.
Later vond hij evenwel de infectiebron in de modder van een watertank
waaruit de planten besproeid werden. Ook kon hij het virus in de lucht
van de kas aantonen. Voor andere virussen is deze infectieweg uitgesloten,
zodat de botanicus bij zijn werk met deze mogelijkheid bijna nooit
rekening hoeft te houden.

De belangrijke rol die de insecten bij het overbrengen van virusziekten spelen maakt het gewenst om nader op de betrekkingen tussen
het virus, de plant en het insect (wanneer het insect een virusziekte overbrengt noemen wij het een vector) in te gaan. Vele virussen zijn met perssap van zieke planten over te brengen, maar het is de vraag of deze
methode in de natuur zoveel op zal treden. LOUGHNANE en MURPHY
menen aangetoond te hebben, dat het X-virus van de aardappelen zich
verspreiden kan doordat de bladeren van de planten in de wind tegen
elkaar wrijven. Ongetwijfeld is dit een uitzondering. Daar ook de verspreiding van deze ziekte met het zaad een uitzondering is en infectie
door de lucht, het water of de grond heel weinig voorkomt, is er alle
reden voor de uitspraak van STOREY: de grote meerderheid van de virussen zou bij afwezigheid van insecten uitsterven. Voor de landbouwer is
het van eminent belang om bij elk virus de bijbehorende vector te kennen.
Ook bij de virusziekten van planten vinden wij hetzelfde als bij de virusziekten van de mens en de dieren: veelal wordt een virus door een bepaald
insect overgebracht. Ook het omgekeerde wordt dikwijls gevonden:
één insectensoort brengt slechts een enkele virusziekte over. Natuurlijk
is dit geen wet van Meden en Perzen en er is een lange lijst van uitzonderingen op deze regels bekend. Er is een uienziekte („yellow dwarf”) die
door niet minder dan 53 bladluissoorten overgebracht wordt. Aan de
andere kant is de perzikluis (*Myzus persicae*) een beruchte vector voor

virus; zeker 21 virussen hebben hun verspreiding voornamelijk aan dit insect te danken.

Wanneer men nu nagaat welke insectengroepen een grote rol spelen, dan blijkt dat alleen de insecten met sterk ontwikkelde zuigapparaten van groot belang zijn. De insecten met bijtende monddelen (rupsen, sprinkhanen e.d.) zijn in dit verband van ondergeschikte betekenis, misschien omdat de door hen aangebrachte verwondingen van de plant zo groot zijn. Theoretisch is de vraag van groot belang hoe de vector het virus bij zich draagt. RAND en PIERCE gaven reeds in 1920 de verschillende mogelijkheden aan. In de eerste plaats kan het insect bij het zuigen in een viruszieke plant zijn zuigapparaat met virus verontreinigen. Wordt het insect op een gezonde plant gezet dan zal het virus in de door de zuigsnuit veroorzaakte wond achterblijven. Daarnaast bestaat de mogelijkheid dat het virus in de darm opgenomen en dan zuiver passief over het lichaam verdeeld wordt. Het virus zal dan ook in de speekselklieren terechtkomen en zo kan een gezonde plant geïnfecteerd worden. Tenslotte kan men veronderstellen dat het virus in de vector terechtkomt, zich daar vermeerdert (eventueel in de speekselklieren) en dan met het speeksel in een gezonde plant gebracht wordt. In al deze gevallen verwachten wij een verschillend infectievermogen van de insecten. Wanneer het insect het virus meedraagt als een verontreiniging van de zuigsnuit dan zal het insect slechts een enkele gezonde plant kunnen infecteren. Want de kans dat er nog virus aan de zuigsnuit zou zitten nadat deze in het gezonde plantenweefsel is gebracht is zeer gering. Anders wordt de situatie als het virus in het lichaam van de vector opgenomen wordt. Dan moet het virus van de darm af de speekselklieren bereiken en meestal zal hiervoor een bepaalde tijd nodig zijn. Heeft de ziekteverwekker de speekselklieren bereikt dan zal het insect voor een gezonde plant gevaarlijk zijn. Wel zal de virushoeveelheid in het insect steeds kleiner worden, dus de vector verliest langzamerhand zijn infectievermogen. De derde veronderstelde mogelijkheid was, dat het virus in het insect opgenomen wordt en zich daar vermeerdert. Ook hier moeten wij verwachten dat het virus een zekere tijd nodig zal hebben om een dergelijke concentratie te bereiken dat een infectie van een gezonde plant zal slagen. Het verschil met de zuiver mechanische gang van zaken — dus de tweede mogelijkheid — is dat er a priori geen reden is om aan te nemen dat de virushoeveelheid in het insect zal afnemen. Immers het virus vermeerdert zich in het insect en de concentratie zal vermoedelijk op een constant niveau gehandhaafd blijven. De volgende figuur (20) poogt een beeld te geven van

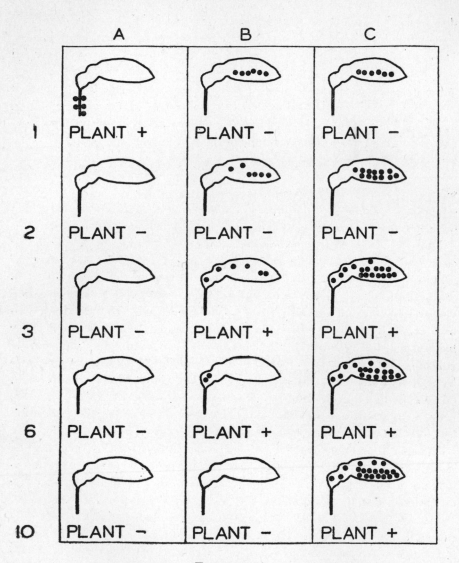

FIGUUR 20[1]

Theoretische opvattingen over de verspreiding van virusziekten door bladluizen en andere insecten. A. De zuigsnuit is door virus verontreinigd (dan
wordt slechts één plant ziek). B. Het virus beweegt zich mechanisch van de
darm naar de speekselklieren (dan is op een gegeven moment de hoeveelheid
virus in het insect op). C. Het virus vermeerdert zich in het insect (dan blijft
het insect ongelimiteerd infectieus).

deze drie fundamenteel verschillende processen. Welke van deze drie
mogelijkheden in de natuur voorkomen, daarover is nog een strijd gaande.
Deze strijd wordt nog verscherpt doordat de theoretische achtergrond
van het probleem zo belangrijk is. Voor iemand die het virus als een
levend organisme wenst te zien, is de hypothese dat eenzelfde virus zich
zowel in het ene organisme als in een volkomen ander organisme kan
vermenigvuldigen niets bijzonders. Deze toestand kennen wij bij zoveel
parasieten. Ziet men daarentegen het virus als een niet-levende stof — dus
bijvoorbeeld als het product van de gastheer — dan is de hypothese
minder aannemelijk. Men moet dan aannemen dat dezelfde, zeer ingewikkeld gebouwde stof zowel door de plant als door het insect geproduceerd kan worden en dit komt in conflict met de geldende opvattingen
over het prestatievermogen van levende organismen.

DOOLITTLE en WALKER brachten het mozaik van de komkommer
over met een bepaalde bladluis (*Aphis gossypii*). Nadat het dier vijf
minuten op een zieke plant gezogen had zetten zij het insect over op
een gezonde plant; wederom na vijf minuten werd gepoogd met dezelfde
vector een volgende gezonde plant te infecteren enz. Het resultaat van
hun proeven was, dat alleen de eerste gezonde plant ziek werd. Hier
hebben wij dus vermoedelijk te maken met een verontreiniging van de
zuigsnuit van de insecten met het virus (zie fig. 20, eerste geval). Deze
hypothese werd door hen nog aannemelijker gemaakt door de insecten,
na een voeding op een zieke plant, te laten hongeren. Zij blijven dan nog
6 tot 8 uren hun infectievermogen behouden en dit is ongeveer dezelfde
tijd, dat het virus in uitgeperst sap zijn activiteit bewaart.

In bijna alle andere gevallen is een insect na een voeding op een zieke
plant pas na enige tijd (variërende van enkele uren tot tien of meer dagen)
in staat om de ziekte over te brengen. Deze latente periode noemt QUANJER
de circulatietijd in tegenstelling tot de veel gebruikte term incubatietijd.
De laatste term is minder geschikt omdat de incubatietijd de periode is
tussen het binnendringen van de parasiet en het uitbreken van de ziekte.
Nu wordt een insect voorzover wij weten niet ziek door het opnemen
van een plantenvirus, waarom wij aan de term circulatietijd de voorkeur
geven. Aan het bestaan van deze latente periode worden zoals wij gezien
hebben twee volkomen tegengestelde uitleggingen gegeven.

Allereerst is daar de hypothese dat het virus zich volkomen passief
in het insectenlichaam zou gedragen (zie fig. 20, tweede geval). Deze
veronderstelling steunt vooral op het feit dat het infectievermogen van
een insect altijd met de tijd achteruitgaat. Dit is in tegenstelling met de

veronderstelde vermeerdering van het virus. Nu kan men natuurlijk weer aannemen, dat het insect een afweermechanisme tegen het virus ontwikkelt. FREITAG verwierp deze hulphypothese omdat zijn proeven met een cicade (*Eutettix tenellus*) die de ,,curly top" van de suikerbiet overbrengt hem iets anders leerden. Ook bij deze vector komt een latente periode voor. Na de circulatietijd wordt het insect infectieus om dit infectievermogen na enige tijd weer te verliezen. Wanneer zo'n niet-infectieus insect nu weer virus opneemt dan kan de vector zijn infectie-vermogen terugkrijgen. Van een afweermechanisme merken wij dus niet veel. De waarschijnlijkste verklaring is volgens FREITAG dan ook, dat de voorraad virus in het insect uitgeput raakt en dat er geen vermeerdering van het virus in de vector plaats heeft. Dat een passief transport van de darm naar de speekselklieren inderdaad plaats kan vinden bewees SWEZY met kleurstoffen. Er zijn bepaalde kleurstoffen die de speeksel-klieren van een insect binnen het uur kunnen bereiken.

Laten wij toegeven, dat in enkele gevallen deze passieve wijze van virusbeweging in het insect zal plaats hebben. Maar er zijn een reeks feiten die met deze hypothese bijzonder lastig te verklaren zijn. Zo vindt STOREY bij een bepaalde vector dat een voeding van 15 seconden (!) op een zieke plant voldoende is om het insect negen weken (!) infectieus te houden. Hoe kan men zich voorstellen dat het insect in deze korte periode zoveel virus op kan nemen dat het daarna weken lang talloze planten kan infecteren? Ook is het moeilijk om de buitengewoon lange circulatietijden in sommige vectoren — deze tijden kunnen zelfs 10 tot 19 dagen zijn (KUNKEL) — zuiver mechanisch te verklaren. Meestal zijn de jongen van virusdragende wijfjes niet infectieus. Evenwel be-schreef FUKUSHI een geval waarbij zelfs jongen uit de tweede generatie van een virusdragend wijfje nog de ziekte konden overbrengen. Nemen wij in aanmerking hoe weinig virus de eieren kunnen bevatten dan zien wij direct dat een mechanische verklaring moeilijk is. Wanneer een dier geboren wordt uit een besmet ei dan is het niet infectieus en pas na enige dagen verschijnt het infectievermogen. Dit suggereert dat er in het ei een zeer kleine hoeveelheid virus aanwezig is en dat dit virus zich lang-zamerhand vermeerdert tot een gevaarlijke concentratie. En dan zijn er de experimenten van KUNKEL over de vergelingsziekte van asters (,,aster yellows"). Het virus van deze ziekte wordt betrekkelijk gemakke-lijk door warmte geïnactiveerd en het is mogelijk om de virusdragende insecten door een behandeling bij 31° tot 32° C hun infectievermogen te doen verliezen. Duurt de warmtebehandeling niet te lang dan keert na enige tijd het verloren gegane infectie-vermogen terug. Neemt men aan dat het virus zich in het insect vermeerdert dan is de verklaring eenvoudig. Een deel van het virus wordt geïnactiveerd — bij een lange warmtebehandeling een groot deel — zodat de concentratie van het virus in het insect te laag wordt om een gezonde plant te infecteren. Echter gaat de rest van het virus zich vermenigvuldigen, zodat op den duur het infectievermogen weer hersteld wordt (zie fig. 21).

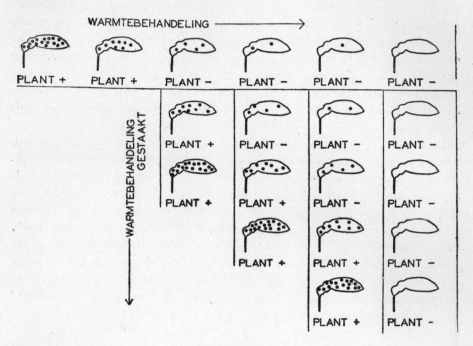

FIGUUR 21

De proeven van KUNKEL zijn het beste te verklaren als wij aannemen dat het virus zich in het insect vermeerdert. Door een warmtebehandeling wordt het virus geïnactiveerd. Daalt het virusgehalte beneden een bepaalde waarde (laten wij aannemen beneden 8 eenheden) dan wordt de ziekte niet meer overgebracht. Staakt men de behandeling tijdig, dan wordt het insect weer infectieus en wel des te eerder naarmate de warmtebehandeling korter geduurd heeft.

Wij komen tot de conclusie dat in de meeste gevallen het virus zich in het insect vermeerdert. Het strikte bewijs voor deze vermeerdering is bij een virus van een plantenziekte nog niet gegeven, maar wel wijzen vele feiten in deze richting. Voor enkele dieren-virussen — o.a. bij de gele koorts — is het rechtstreekse bewijs voor een vermeerdering van het virus in de vector wel geleverd. De mogelijkheid van een verontreiniging van een of ander lichaamsdeel van het insect met virus kan meestal direct uitgeschakeld worden, gezien de circulatietijd en gezien het feit dat de meeste insecten hun infectievermogen ook na een vervelling behouden. Wel blijven er enkele vragen bestaan als men zich op het standpunt van een biologische (niet-mechanische) relatie tussen virus en vector stelt. In de eerste plaats rijst de vraag waarom verschillende virussen zo moeilijk door insecten overgebracht kunnen worden. Wij vinden de merkwaardige paradox dat virussen die in vitro gemakkelijk geïnactiveerd worden beter door insecten overgebracht worden dan stabiele virussen. Daarnaast vraagt men zich af waarom bepaalde virussen alleen door bepaalde insecten overgebracht worden.

Vooral het werk van STOREY over het virus van de ,,streak'' van maïs moet in dit verband vermeld worden. De vector voor deze ziekte is de cicade *Cicadulina mbila* en het gelukte hem om van dit insect twee verschillende rassen te kweken, waarvan het ene de ziekte overbrengt (actieve vectoren) en het andere niet (inactieve dieren). Wat is het verschil tussen deze twee rassen? Beide rassen nemen virus op want in alle gevallen is het virus in de faeces aan te tonen. Evenwel vinden wij het virus bij de actieve exemplaren na enkele uren in het bloed, wat bij de inactieve dieren nooit lukt. Nu kon hij een inactieve cicade tot een actieve cicade maken door met een naald een gat in de darmwand te prikken, zodat het virus uit de darm rechtstreeks in het bloed kan komen Bij de inactieve dieren vormt de darmwand blijkbaar een niet te passeren barrière. Van de vele andere insecten die wel op maïs leven maar de ziekte niet overbrengen nam STOREY er een enkele (*Perigrinus maidis*) om daarmee dezelfde proeven te verrichten. Ook bij dit dier wordt het virus na een maaltijd op een zieke plant zowel in de darminhoud als in de faeces aangetroffen. Maar het virus verschijnt nooit in het bloed en wat belangrijker is: het insect wordt zelfs na het inbrengen van het virus in het bloed niet infectieus. Blijkbaar kan het virus zich in dit insect niet vermeerderen. Of een insect ten opzichte van een bepaald virus vector is of niet wordt dus niet alleen door het feit bepaald of het virus de darmwand kan passeren, maar daarnaast moet het virus zich in het insect kunnen vermeerderen. Er zal dus bij een vector een specifieke biologische relatie tussen het virus en het protoplasma van het insect bestaan.

Nu is er nog een feit dat STOREY op het spoor bracht van de verhouding die er vermoedelijk tussen virus en insect bestaat. Wanneer men een

Cicadulina infectieus maakt door het virus in het bloed te brengen dan is het infectievermogen niet zo groot als wanneer het virus op de normale wijze via de mond het lichaam binnenkomt. Hij komt dan tot de volgende voorstelling van de gang van zaken. Het virus komt in de darm en bij bepaalde dieren (actieve exemplaren van *Cicadulina*) dringt het virus in de darmcellen en vermeerdert zich daar. De virushoeveelheid is dan natuurlijk afhankelijk van het aantal vermeerderingscentra. Dit getal zal weer afhangen van de hoeveelheid virus die door het insect opgenomen is. Bij sommige rassen (inactieve *Cicadulina's*) is de weerstand van de darmcellen groot. Het virus passeert dus volgens deze voorstelling de darm niet passief en het ziet er naar uit dat de hypothese van STOREY de werkelijke gang van zaken vrij goed benadert. Alleen moet er de nadruk op gelegd worden dat voor elk virus de toestand anders kan zijn. Wat bij het ene virus gevonden wordt hoeft nog niet voor een ander virus te gelden.

Na deze beschouwingen over de weg van het virus van een zieke naar een gezonde plant interesseert ons nog de kwestie hoe het virus zich in de plant beweegt. Twee soorten van virusbeweging zijn in de loop van vele onderzoekingen naar voren gekomen: een beweging van cel tot cel die vrij langzaam gaat en een verplaatsing van het virus in de zeefvaten waarbij vrij grote snelheden bereikt kunnen worden.

Wanneer een virus de plant binnenkomt via verwondingen van de oppervlakte dan zal het virus in de levende cellen opgenomen kunnen worden. (Het is duidelijk dat hier sprake is van een virus dat met het perssap van een zieke plant overgebracht kan worden.) Het virus zal zich in het protoplasma van deze cellen vermeerderen. Nu staan de meeste plantencellen met elkaar in verbinding door zeer dunne strengen protoplasma die de diverse celwanden doorkruisen (de z.g. plasmodesmen) en de veronderstelling dat het virus zich via deze protoplasmadraden naar een volgende cel begeeft ligt voor de hand. Inderdaad zijn er voor deze opvatting enkele aanwijzingen. In de eerste plaats zijn deze plasmodesmen de enige plaatsen die voor een dergelijk transport in aanmerking komen. Dan is er nog het volgende experiment. Wanneer men een tabaksplant met het z.g. aucuba-mozaik infecteert dan vindt men na enige tijd in alle cellen merkwaardige insluitsels. De enige uitzonderingen op deze regel vormen de sluitcellen. Hierin worden de insluitsels niet gevonden en dit klopt met het feit dat deze cellen niet door plasmodesmen met de omgevende cellen verbonden zijn. Het virus is dus niet in de sluitcellen doorgedrongen. Een waarneming van WOODS kan ook als

steun van deze theorie genoemd worden. Hij vond dat natriumcyanide
de vermeerdering van het virus van de tabaksmozaikziekte remt. Dit
werd door hem in verband gebracht met de remming van bepaalde enzymsystemen door natriumcyanide. Wij geloven niet dat dit experiment zo
uitgelegd behoeft te worden. Natriumcyanide remt ook de stroming die
het protoplasma onder normale omstandigheden vertoont. Voornamelijk
daardoor zal ons inziens de verspreiding van het virus door de plant geremd worden. Het virus wordt natuurlijk passief door het protoplasma
vervoerd en de snelheid van de protoplasmastroming zal dus van groot
belang zijn voor de verspreiding.

Zoals wij gezien hebben (pag. 127) kunnen enkele virussen niet gemakkelijk de plaatsen waar de planten na enting aan elkaar gegroeid zijn,
passeren. DUFRENOY en SHAPOVALOV vonden de oorzaak van dit raadselachtige gedrag na een microscopisch onderzoek. Bij entingen van tomaten
op elkaar degenereren vele cellen aan de oppervlakken waar de cellen
contact met elkaar hebben. Deze gedegenereerde cellen kunnen door het
virus niet gepasseerd worden en het virus zal zich moeten bewegen via
de enkele bruggen van levende cellen die hier langzamerhand optreden.
Hoe beter de vergroeiïng is, hoe gemakkelijker het virus zal passeren.
De toestand van het gastheerweefsel aan de entplaats is dus van primair
belang.

Meestal wordt de langzame verspreiding van een virus in een plant —
dat is dus de beweging van cel tot cel — gevolgd door een snelle verspreiding. Wanneer wij de gang van zaken nauwkeurig bekijken dan merken
wij op dat de snelle verspreiding begint als het virus een vaatbundel
bereikt heeft. In een vaatbundel bevinden zich twee soorten vaten: de
houtvaten (xyleem) vervoeren het water en de bodemzouten uit de wortels naar de bladeren en de zeefvaten (phloëem) verzorgen het transport
in de omgekeerde richting, dus de in de bladeren geproduceerde suikers
e.d. worden hierdoor naar de wortels vervoerd. Nu zien wij dat de symptomen van een virusziekte zich na het bereiken van een vaatbundel in
benedenwaartse richting verplaatsen. Wij veronderstellen dus dat het
virus in het phloëem vervoerd wordt. De beweging van het virus zal
natuurlijk evenredig zijn aan het voedseltransport dat in de vaten plaats
heeft en het zal dus zeer afhankelijk zijn van de belichting e.d. van de
plant. In flinke suikerbieten kan de snelheid zelfs een paar cm per minuut
bedragen (proeven van BENNETT met het ,,curly top'' virus). Het is
duidelijk dat, wanneer het virus eenmaal in de vaatbundels is aangekomen de gehele plant snel een slachtoffer van het virus wordt.

BENNETT toonde op aardige wijze het belang van het phloëem voor de verspreiding van het virus aan. Hij spleet een biet in drie delen, maar zorgde er voor dat er onderaan nog contact tussen de delen was. Het linker deel werd geïnfecteerd, het middelste deel was de controle en het rechter deel werd gedurende de eerste vijf dagen in het donker gehouden.

Na 90 dagen was het middelste deel nog gezond, terwijl het linker en rechterdeel zwaar ziek waren (zie fig. 22). De uitlegging van de proef is

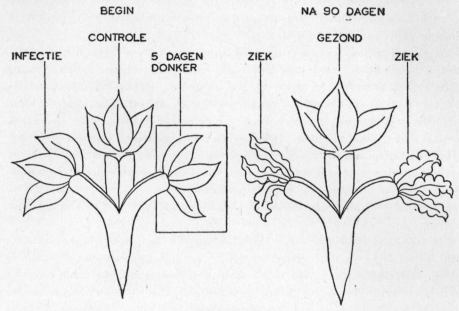

FIGUUR 22

Een normaal belichte suikerbiet vormt vele voedingsstoffen die in een constante stroom door het phloëem van de bladeren naar de wortel vervoerd worden. Wordt deze stroom onderbroken — door een deel van de plant vijf dagen in het donker te zetten — dan zal het virus de kans krijgen in de plant door te dringen (naar een foto van BENNETT; het getekende ziektebeeld heeft met de werkelijke verschijnselen weinig te maken).

eenvoudig. De normaal belichte plant — dus het middelste deel — produceert vele voedingsstoffen die door het phloëem naar de wortel afgevoerd worden. Deze constante stroom verhindert het virus om uit de wortel in de plant te komen. Vijf dagen duisternis — zie het rechterdeel van de biet — zijn voldoende om het virus de kans te geven in de plant door te dringen.

Voor sommige virussen schijnt het noodzakelijk te zijn dat zij in het phloëem van een plant gebracht worden wil er van een vermeerdering van het virus sprake zijn. Hier ligt misschien het belangrijkste verschil tussen de virussen die met perssap en die met insecten overgebracht worden. Waarom lukt het ons niet om virussen over te brengen die door insecten zeer goed verspreid worden? Om deze vraag te beantwoorden is het noodzakelijk om precies na te gaan wat er bij het zuigen van een insect gebeurt. Wij zien dan dat de insecten die als uitstekende vectoren bekend staan hun voedsel rechtstreeks uit het phloëem van de plant zuigen. Met het speeksel van het insect zal dus het virus direct in de zeefvaten terechtkomen. Dit suggereert dat wij dergelijke virussen niet kunnen overbrengen omdat onze instrumenten in fijnheid niet kunnen concurreren met de zuigsnuiten van insecten en dat deze virussen in het levende phloëem gebracht moeten worden wil er van vermeerdering sprake zijn.

Meestal zien wij bij de verspreiding van een virus door een plant beide methoden van beweging naast elkaar en de bepaling van een voorkeur voor een bepaalde beweging stuit dikwijls op moeilijkheden. THUNG bestudeerde een ,,wit mozaik" van de tabaksplant. Dit mozaik beweegt zich langs de stengel vooral naar beneden, hoewel na korte tijd ook de top ziek wordt. Hier denken wij dus aan een beweging in het phloëem. Wanneer deze verspreiding de enige manier zou zijn waarop het virus zich door de plant beweegt, dan moeten wij aannemen, dat het virus naar de top toe vervoerd wordt door de houtvaten (SAMUEL). En dan zou een infectie aan de basis van de plant eerder de top bereiken dan een infectie aan, laten wij zeggen, het vijfde blad van boven af. Nu kon THUNG dit niet vinden: een infectie onder aan de plant bereikte de top in het geheel niet en hoe hoger de infectie plaats vond des te eerder werden de symptomen in de top waargenomen. Toch kunnen wij — zoals hij terecht opmerkt — deze resultaten niet als een doorslaand bewijs tegen de opvatting van SAMUEL laten gelden, want in de oudere bladeren onderaan de stengel zal het virus zich heel weinig vermeerderen. Hoe meer wij de top naderen hoe jonger het weefsel wordt, dus ook hoe sneller het virus zich vermeerdert. Het is dus nog altijd de vraag of een virus zich al of niet door de houtvaten kan bewegen.

3. De diagnose.

Wanneer iemand een virus ontdekt heeft dan wil hij graag aan dat virus „een etiket hangen", opdat een ander dat virus kan herkennen. Men begint dus met de virusziekte een naam te geven — meestal is de naam er al voordat ontdekt wordt dat de oorzaak van de ziekte een virus is. Dan geeft men een nauwkeurige beschrijving van de ziekteverschijnselen die men waarneemt. En nu beginnen de moeilijkheden. Er zijn virussen die in verschillende rassen van één plantensoort totaal verschillende symptomen te voorschijn roepen. Het zogenaamde X-virus van de aardappel geeft in sommige aardappelrassen sterke afstervingsverschijnselen, terwijl in andere rassen totaal niets te zien is. Het is dan heel moeilijk om aan de symptomen het virus te herkennen. Aan de andere kant zijn er zeer verschillende virussen die in één plantensoort praktisch dezelfde verschijnselen laten zien. Een en ander is aanleiding geweest tot een onbeschrijfelijke verwarring in de nomenclatuur van de plantenvirussen. Het feit dat sommige planten met andere verschijnselen reageren als zij in een plantenkas gekweekt worden, verhoogt de kansen op verkeerde symptoombeschrijvingen. Meestal zijn die andere verschijnselen te wijten aan de verminderde belichting. Bestraling van de planten met kunstlicht doet dan in het algemeen de oorspronkelijke symptomen terugkeren.

Een indruk van de verwarring die op dit gebied heerst wordt gegeven in de volgende aan QUANJER ontleende beschouwing. Het „gewone mozaik" van het aardappelras Bliss Triumph wordt in de publicatie van het Agricultural Experiment Station (Wisconsin) als „rugose mosaic" beschreven. Maar het is volgens JOHNSON niet identiek met het door SCHULTZ en FOLSOM beschreven „rugose mosaic". Het blijkt overeen te komen met het door dezelfde auteurs genoemde „crinkle mosaic". Echter is dat weer niet identiek met het „crinkle mosaic" van MURPHY en MCKAY, noch met het door QUANJER beschreven „crinkle mosaic". Het lijkt tenslotte het meeste op het „gewone mozaik" van de auteurs van het Europese vasteland, een virus dat door de Engelse auteurs weer X-virus genoemd wordt. Ik ben er van overtuigd dat de lezer nu nog even wijs — en vermoedelijk zelfs minder wijs — is als hij was voor de lezing van de voorgaande regels! Gelukkig begint men er van overtuigd te raken dat deze heilloze verwarring het onderzoek van het virusprobleem ten zeerste benadeelt en men poogt nu tot internationale overeenstemming te komen.

Welke mogelijkheden hebben wij om tot een behoorlijke klassificatie van de virussen te komen? Men kan het probleem van twee volkomen verschillende kanten benaderen. Er zijn mensen die tot een natuurlijk systeem van de virussen willen komen, maar dat is gezien onze huidige kennis een veel te zware opgave. Aan de andere kant poogt men de ziekten die door de virussen veroorzaakt worden in een systeem te brengen. Een dergelijk systeem heeft natuurlijk vooral praktische en weinig theoretische waarde. In de medische wetenschap ziet men hetzelfde verschijnsel. De medicus practicus zet alle ziekten in een systeem (longziekten, hartziekten, ziekten van het bloed e.d.) terwijl aan de andere kant de bioloog poogt om de ziekteverwekkers in een natuurlijk systeem (bacteriën, schimmels, protozoën enz.) te brengen. Het is volkomen overbodig om te beweren dat het ene systeem „beter" is dan het andere; voor de één zal het ene systeem beter te gebruiken zijn dan het andere; voor de ander geldt het omgekeerde. Voor de landbouwkundige, die de bestrijding van de virusziekten tot opgave heeft, is het virus als pathogeen het belangrijkste en hij zal dus pogen tot een systeem van de virusziekten te komen. Naar ons gevoel is dit voor hem de enige bruikbare weg en hij hoeft zich niet te verontschuldigen — zoals nogal eens gebeurt — dat zijn systeem een noodoplossing is. Het is immers zeer goed mogelijk dat wij in de toekomst een „natuurlijk systeem" van de virussen vinden en dat dit systeem voor de phytopatholoog onbruikbaar zal zijn.

Daarom zal ondanks alle bezwaren de symptomatologie de grondslag van de klassificatie van de virusziekten blijven. Wij hebben gezien dat een moeilijkheid bij de symptoombeschrijvingen is, dat één virus bij verschillende rassen andere verschijnselen kan veroorzaken. Nu kan deze omstandigheid in de handen van een competente onderzoeker zelfs een voordeel zijn. Allereerst zoekt men een variëteit (b.v. van een aardappel) die op verschillende virussen zo verschillend mogelijk reageert. Een onbekend virus kan dan op zo'n z.g. differentiatie-gastheer betrekkelijk snel geïdentificeerd worden. QUANJER geeft aan dat de verschillende aardappelvirussen gemakkelijk onderscheiden kunnen worden door de verschijnselen die zij in het ras Paul Kruger te voorschijn roepen.

Ook de anatomie en de physiologie van de gastheer kunnen door de invloed van het virus veranderen en deze pathologische veranderingen kunnen bij de differentiatie van de virussen gebruikt worden. Over het algemeen is dit een gebied dat niet veel aandacht gehad heeft en waar toch nog vele mogelijkheden liggen. Reeds BEIJERINCK werd door een microscopisch onderzoek op het idee gebracht dat het phloëem de weg was waarlangs het virus zich in de plant beweegt. Wij mogen in dit verband nog eens wijzen op de door QUANJER bij de bladrolziekte beschreven phloëemnecrose. Bij vele virusziekten (IWANOWSKY vond dit reeds) worden insluitsels in de cellen van de zieke planten waargenomen die bij gezonde planten afwezig zijn. Jammer genoeg hebben deze microscopisch waarneembare vormingen praktisch geen diagnostische waarde.

Natuurlijk is ook de bepaling van het infectiespectrum van een virus van waarde bij de differentiatie. Vooral voor de ontdekking van virussen die latent in een plant aanwezig zijn is deze methode van het grootste belang. JOHNSON bracht virus uit schijnbaar gezonde aardappelen in tabak over. De tabaksplanten reageerden met sterke ziekteverschijnselen. Merkwaardig was dat de ziekte door deze behandeling gevaarlijker geworden was. De infectiekans werd verhoogd en de symptomen waren sterker geworden. Zelfs ontstond een zware ziekte in de aardappelvariëteit waaruit het virus oorspronkelijk geïsoleerd was en waarin het geen ziekteverschijnselen teweeg bracht. Met dergelijke veranderingen in het beeld van de ziekte moeten wij bij het gebruik van deze methode terdege rekening houden. Het komt ook vaak voor dat een virus in een ongewone plantensoort verzwakt wordt.

Terwijl de symptomatologie vooral belangrijk is voor de scheiding van nauw verwante virussen, komt men tot een verdeling van de virussen in grote groepen door de methoden van overbrenging te vergelijken. Er zijn virusziekten die alleen door enten over te brengen zijn (infectieuze chlorose); de mozaikziekten zijn door enten, met perssap en door insecten te verspreiden, terwijl de vergelingsziekten niet met perssap, maar wel op de twee andere manieren over te brengen zijn. ELZE heeft getracht om de verhouding tussen virus in insect tot de basis van een systeem van de virusziekten te maken. Zijn systeem ziet er als volgt uit:

I. Geen verspreiding door insecten.
   (b.v. ,,peach yellows")
II. Alleen mechanische verspreiding door insecten.
   (b.v. komkommermozaik)
III. Biologische relatie tussen virus en insect.
   a. Daarnaast mechanische overbrenging.
      (b.v. bladrol van de aardappel)
   b. Alleen biologische relatie.
      1. Met korte circulatietijd.
         (b.v. ,,curly top" van de suikerbiet)
      2. Met lange circulatietijd.
         (b.v. ,,aster yellows")

Het is natuurlijk de vraag in hoeverre een dergelijk systeem op den duur gehandhaafd kan blijven. Vooral over de kwestie van de mechanische of biologische overbrenging is men nog lang niet uitgepraat. Men moet zich afvragen of in de toekomst de systemen, die van verschillende beschouwingswijzen uitgaan — b.v. een systeem gebaseerd op symptomen en een systeem gebaseerd op de relatie tussen virus en insect — niet te combineren zullen zijn tot een systeem dat van zoveel mogelijk eigenschappen van de virussen gebruik maakt.

De grote verwarring die op het gebied van de nomenclatuur van de virussen bestaat heeft JOHNSON er toe verleid om de virussen te klassificeren naar andere eigenschappen. De wisselvalligheid van de symptomen en de andere moeilijkheden die wij zijn tegengekomen doen hem besluiten om de physische en chemische eigenschappen van de virussen als de fundamentele criteria voor een virussysteem te aanvaarden. Hij bepaalt dus bij welke temperatuur een virus geïnactiveerd wordt, hoe lang het in een reageerbuis houdbaar is, hoe de invloed van verschillende chemicaliën is enz. Wij zijn het er over eens dat de bepaling van deze eigenschappen van groot belang is. Evenwel is de grote moeilijkheid dat zijn systeem slechts voor een klein deel van de virussen kan gelden, want de meeste virussen zijn niet met perssap over te brengen en daarvan kunnen wij dus de chemische en physische eigenschappen niet bepalen. Daarbij komt dat de genoemde eigenschappen ons geen inlichtingen geven over de virussen als ziekteverwekkers en als zodanig interesseren zij de landbouwkundige voornamelijk. Voor een eventueel „natuurlijk systeem" van de virussen kunnen zij natuurlijk zeer belangrijk worden.

Wij kunnen dus nog nauwelijks van een systeem van de virusziekten spreken. Sommigen (b.v. HOLMES) laten bij de indeling van de virussen de nadruk vallen op de verschillende ziekteverschijnselen. Anderen zien de wijze van overbrenging als het belangrijkste indelingscriterium. Ook QUANJER gebruikt deze indeling, maar hij zegt er zelf bij dat aan dit systeem weinig waarde toegekend mag worden. Voor zijn onderwijs in de plantenziekten is het nu eenmaal nodig om een bepaalde volgorde voor de bespreking te kiezen.

Met dit onbevredigende resultaat zien wij ons voor de vraag gesteld hoe nu de botanicus in de praktijk een virus herkent. Eerst moet hij enige experimenten doen over de overbrenging van het virus, zodat hij het — mede in verband met de soort ziekteverschijnselen die het virus veroorzaakt — in een grote groep kan plaatsen, b.v. in die van de mozaikziekten. Daarna komt de opgave om een onbekend virus te identificeren als een reeds beschreven virus of om te bewijzen dat hij met een nieuw virus te maken heeft. Reeds in de bespreking van het werk van de arts is het gebleken dat de identificatie van een virus bemoeilijkt wordt door het feit dat er van een virus verschillende variëteiten zijn die enigszins verschillende symptomen te voorschijn roepen. Wij maakten kennis met het virus van de pokken, waarbij naast de gewone vorm ook een vorm voorkomt die een tropisme voor het centrale zenuwstelsel heeft. Bij de virussen waarmee de landbouwkundige werkt vinden wij dikwijls ontzaggelijk veel verschillende vormen van een enkel virus. Vooral bij het mozaikvirus van de tabak zijn een groot aantal variëteiten — wij spreken hier van ,,strains'' — beschreven en deze varianten veroorzaken diverse symptomen. De symptomen van het X-virus van de aardappel variëren van sterke afsterving, via een hevig mozaik en een lichte vlekkerigheid van de bladeren tot een volkomen afwezigheid van verschijnselen. Wanneer men nu wil weten of twee virussen, die b.v. allebei in een aardappel een licht mozaik veroorzaken, identiek zijn, dan maakt men gebruik van het volgende verschijnsel. Wanneer men een ardappelplant infecteert met een ,,strain'' van het X-virus die geen of zeer lichte symptomen veroorzaakt en men infecteert daarna met een variant van hetzelfde virus, die een gezonde plant doet sterven, dan ziet men dat de ongevaarlijke strain van het X-virus de plant tegen de gevaarlijke strain beschermt. Dit blijkt bij alle onderzochte virussen het geval te zijn: na een infectie van een plant met een variant van een bepaald virus is de plant immuun tegen infecties met alle andere varianten van dat virus. Wel moeten wij er voor zorgen dat het beschermende virus alle delen van de plant bereikt heeft. Het ziet er dus naar uit dat elke cel van de plant slechts plaats heeft voor één enkele variant van dat virus. Nu is het zo, dat de plant niet beschermd is tegen andere virussen. Infecteren wij dus de plant uit ons voorbeeld met Y-virus of A-virus dan wordt de plant wel ziek. Dit verschijnsel wordt bij het stellen van de diagnose vaak gebruikt. Wanneer wij willen weten of een onbekend virus misschien een ,,strain'' van het X-virus is, dan infecteren wij met het onbekende virus een plant die wij van te voren met een zwakke variant van het X-virus beschermd hebben. Wordt de plant nu ziek dan hebben wij met een ander virus (b.v. het A-virus) te maken; in het andere geval hebben wij een vorm van het X-virus in handen.

Wordt een plant door twee niet verwante virussen aangevallen dan kan het resultaat verschillend zijn. In de eerste plaats kan de aanwezigheid van het eerste virus de verspreiding van het tweede enigszins remmen. Dan verschijnen de symptomen wat later en de tweede ziekte is minder zwaar. Ook kan de ontwikkeling van het tweede virus volkomen onafhankelijk van de aanwezigheid van het eerste zijn. Dan vertonen beide virussen hun typische symptomen. Tenslotte is er de mogelijkheid dat de beide virussen als het ware samenwerken. De ziekte is veel zwaarder dan wij uit de enkelvoudige werking zouden verwachten en zij wordt door totaal andere symptomen gekarakteriseerd. In dit laatste geval is een determinatie heel moeilijk. Eerst moet men zich overtuigen of een onbekende ziekte door een of meer virussen veroorzaakt wordt en zijn er twee of meer virussen, dan moeten deze gescheiden en apart gedetermineerd worden.

De diagnose van een virusziekte is dus gebaseerd op een infectie van gezonde planten, waarbij men dan een plantenvariëteit gebruikt die de meeste kans op een determinatie van het virus geeft (differentiatie-gastheer). Het probleem komt hier op neer: in een veld met een landbouwgewas ziet men een verdachte plant en men vraagt zich af of de plant aan een gevaarlijke virusziekte lijdt. Zou dit het geval zijn, dan is het goed om de plant te verwijderen omdat de plant weer een infectiebron voor andere planten zou kunnen zijn. Is het geen virusziekte, dan zou het zonde zijn om de plant te vernietigen. Men moet dus snel weten waar men aan toe is. Als de plant in kwestie duidelijke symptomen heeft dan is de zaak eenvoudig, maar het komt zo dikwijls voor dat de verschijnselen — vooral in het beginstadium van de ziekte — erg onduidelijk zijn. Nu kan men de veronderstelde ziekte overbrengen op een gevoelige plant en zo bepalen of de verdachte plant inderdaad ziek was. Natuurlijk gaat daar enige tijd overheen — zeker een paar weken — en het is de vraag of wij daarop wachten kunnen. Nu zijn er verschillende virusziekten waarbij de symptomen pas een jaar na de infectie verschijnen. Het spreekt vanzelf dat daar de hierboven beschreven methode volkomen onbruikbaar is, want de plant kan al tientallen andere planten besmet hebben en is al volkomen afgestorven als het resultaat van ons onderzoek eindelijk bekend wordt.

Gelukkig is er in de laatste jaren een methode beschreven, die ook in die moeilijke gevallen waar de symptomen lange tijd na de infectie verschijnen, mogelijkheden biedt. Wij maken dan gebruik van het feit, dat het inspuiten van een virus in de bloedbaan van een dier aanleiding geeft tot het optreden van antilichamen. Brengen wij het virus en het antiserum (meestal worden voor deze proeven konijnen gebruikt) bij elkaar dan reageren zij met elkaar onder vorming van een neerslag. Wij kunnen dit wanneer wij het virus V en de antilichamen voorstellen door anti-V schematisch weergeven in de vergelijking:

$$V + \text{anti-V} \rightarrow V.\ \text{anti-V} \downarrow$$

De proeven worden in de praktijk zo verricht dat men enige konijnen inspuit met een gecentrifugeerd perssap van zieke planten. Het spreekt vanzelf dat deze planten gegarandeerd slechts een enkel virus mogen bevatten, anders zouden er ook antilichamen tegen een ander virus gevormd worden en dit zou onze reactie vertroebelen. Nu bevat het perssap van de zieke planten natuurlijk ook verschillende normale ei- witten; stoffen die ook in de gezonde plant voorkomen (laten wij ze A, B en C noemen) en die ook het ontstaan van antilichamen tot gevolg hebben. Het antiserum tegen het perssap van zieke planten ziet er dus uit:

$$\begin{cases} \text{anti-A} \\ \text{anti-B} \\ \text{anti-C} \\ \text{anti-V,} \end{cases}$$

en het is duidelijk, dat een dergelijk antiserum ook met gezonde planten reageert, aangezien het sap van deze planten evenals de zieke planten de eiwitten A, B en C bevat en deze eiwitten met hun antilichamen een neerslag vormen. Het serum moet nu een voorbehandeling ondergaan om het voor ons doel geschikt te maken. Wij moeten de antilichamen tegen de normale eiwitten verwijderen en dit kunnen wij doen door aan het serum het perssap van een gezonde plant toe te voegen. De volgende reactie is het resultaat:

antiserum	perssap van gezonde plant	
anti-A	A	A.anti-A $\downarrow$
anti-B $+$	B $\rightarrow$	B.anti-B $\downarrow$
anti-C	C	C.anti-C $\downarrow$
anti-V		

De respectievelijke normale eiwitten reageren met de bijbehorende antilichamen en in het behandelde (z.g. verzadigde) serum bevinden zich nu slechts antilichamen tegen het virus. Nu kunnen wij het anti- serum gebruiken, want het zal na de verzadiging slechts met het perssap van zieke planten een neerslag geven. Het is dus voor diagnostische doeleinden geschikt geworden; geeft een twijfelachtige plant een positieve reactie dan is de plant ziek, in het andere geval is de plant gezond.

Het is jammer dat de serologische methode zeer veel moeilijkheden biedt zodat zij slechts voor enkele virussen in de praktijk gebruikt wordt. Het ideaal is natuurlijk dat aan de controleurs van een bepaald landbouwgewas verzadigde antisera verstrekt worden, zodat zij het gewas op het veld kunnen onderzoeken. Vooral CHESTER heeft zich door experimenten in deze richting verdienstelijk gemaakt. Het is echter de grote vraag of het ideaal benaderd zal kunnen worden. In de eerste plaats zijn er vele virussen die geen of heel weinig antilichamen doen ontstaan. Merkwaardigerwijze kan de serologische methode alleen goed gebruikt worden bij virussen die met het perssap van zieke planten over te brengen zijn. Bij virussen die uitsluitend door insecten verspreid worden lukt de methode niet of slecht. Wat de achtergrond van deze correlatie is weten wij niet.

Reeds lange tijd weten wij dat de serologische methode ook geschikt is om de verwantschap tussen verschillende diergroepen aan te tonen en het is mogelijk om op deze wijze een stamboom van de dieren op te stellen die zich goed aansluit bij de ideeën over de afstamming van de dieren, die langs andere wegen verkregen zijn. Ook in de botanie zijn dergelijke pogingen in het werk gesteld en het spreekt vanzelf dat men ook het virusprobleem op deze manier aangepakt heeft. Het werk op dit gebied is nog niet zover gevorderd, dat de klassificatie van de virussen op grond van de serologische methode mogelijk is. Wel heeft de methode grote waarde voor het ontdekken van latente virussen. Het blijkt dat alle ,,strains'' van een virus met het antiserum tegen één ,,strain''reageren. Al deze strains zijn natuurlijk met elkaar verwant dus dit resultaat kunnen wij verwachten. Wel kunnen BAWDEN en PIRIE kleine serologische verschillen tussen de verschillende strains aantonen. Wanneer wij de verschillende antigeengroepen door diverse letters weergeven dan symboliseren zij:

gewoon tabaksmozaik als ab
aucubamozaik   als abc
strain IA   als acd.

Alle varianten zullen dus met een antiserum tegen één van de varianten reageren, want zij bevatten alle de antigeengroep a. Maken wij een antiserum tegen aucubamozaik (dit levert de antilichamen anti-a, anti-b en anti-c) en verzadigen wij dit met het gewone tabaksmozaik (nu worden uit het antiserum de antilichamen anti-a en anti-b verwijderd) dan zal dit antiserum nog met het aucubamozaik en met de strain IA reageren. Immers het antilichaam anti-c is in het serum overgebleven en de beide laatste strains bevatten de antigeengroep c. Natuurlijk zal het verzadigde antiserum niet meer met het gewone tabaksmozaik reageren. BAWDEN en PIRIE komen dus tot een fraaie karakterisatie van de verschillende strains.

Langzamerhand komen wij door de ontwikkeling van deze verschillende methoden in de mogelijkheid om de talrijke virussen die in diverse laboratoria beschreven zijn met elkaar te vergelijken. De aardappelen bijvoorbeeld hebben van een groot aantal virussen te lijden en landbouwkundigen uit verschillende landen beschreven deze virussen onafhankelijk van elkaar. De vraag is nu welke Amerikaanse virussen identiek zijn met virussen die door Engelse of Nederlandse auteurs onderzocht zijn. De beantwoording van de vraag stuitte op moeilijkheden. MURPHY en MCKAY onderzochten vele Amerikaanse virussen door er het Engelse aardappelras President (dit is dezelfde variëteit als de door QUANJER aanbevolen differentiatie-gastheer Paul Kruger) mee te infecteren en de symptomen te vergelijken met die van bekende Engelse virussen. Nu bleek dat in al het Amerikaanse knollenmateriaal een latent virus voorkwam dat bij President sterke afstervingsverschijnselen te voorschijn riep. Tot een vergelijking van de Amerikaanse en Engelse virussen konden zij daardoor niet komen.

Onder de aardappelvirussen bevindt zich een groep die zich zowel met perssap als door insecten laat overbrengen. De Amerikaanse onderzoeker DYKSTRA stelde zich tot opgave om te onderzoeken of de virussen uit deze groep identiek zijn. In Amerika (SCHULTZ en FOLSOM) was een ziekte beschreven onder de naam ,,rugose mosaic''. Dit bleek een combinatie-ziekte te zijn van twee virussen. Wanneer men de ziekte met perssap overbrengt dan blijven de symptomen eender. Wordt de ziekte met behulp van een bladluis naar een gezonde plant gebracht dan zijn de verschijnselen heel anders. Blijkbaar brengt de bladluis slechts een van van de twee componenten over. Nu is er in Amerika door het departement van landbouw een aardappelvariëteit (de zaailing 41956) gekweekt die volkomen immuun is tegen het X-virus. Wanneer men dat ras poogt te infecteren met X-virus, dan slaagt deze proef niet; het X-virus kan zich in de zaailing 41956 niet vermeerderen. Infecteert men de zaailing met het ,,rugose mosaic'' dan krijgt men niet de verschijnselen van dat mozaik, maar de symptomen alsof men de ziekte met een bladluis overgebracht heeft. Het ligt voor de hand dat een van de componenten van het ,,rugose mosaic'' het X-virus is, immers dit virus wordt moeilijk door insecten overgebracht en het wordt in zaailing 41956 uit het mengsel ,,gefiltreerd''. De tweede component kan zowel met sap als door insecten overgebracht worden en heet — naar de verschijnselen die dit virus op tabaksplanten vertoont — het „veinbanding" virus.

In Engeland was een dergelijk virus gevonden (het Y-virus van SMITH). Het is een van de gevaarlijkste virussen voor de Engelse aardappelcultuur omdat het door insecten overgebracht wordt. Daarnaast kan het ook met perssap in een gezonde plant gebracht worden. Tezamen met het X-virus geeft het aanleiding tot het optreden van een hevige combinatie-ziekte waarvan de symptomen wel wat op die van „rugose mosaic" lijken. Het Y-virus is duidelijk anders dan het „veinbanding" virus, want ook de verschijnselen van de twee virussen op de tabak zijn verschillend. Toch kon DYKSTRA laten zien dat infectie van een plant met een van de virussen bescherming verleent tegen het andere virus. Hij komt dus tot de conclusie, dat het twee „strains" van hetzelfde virus zijn, die slechts in de graad van de veroorzaakte symptomen verschillen.

Hetzelfde kan gezegd worden van het Nederlandse virus van de stippel-streepziekte (ATANASOFF). In Zeeuwse Blauwen is dat virus altijd aanwezig naast een zwakke variant van het X-virus. DYKSTRA isoleert het virus weer door zaailing 41956 te infecteren met materiaal van Zeeuwse Blauwen. Het X-virus wordt dan verwijderd en het overblijvende stippel-streepvirus vertoont soortgelijke eigenschappen als het „veinbanding" en het Y-virus. Zeeuwse Blauwen met stippel-streepziekte zijn natuurlijk immuun tegen het Y-virus.

Het blijkt dus dat de drie besproken virussen nauw met elkaar verwant zijn. CHESTER vond ook serologisch geen verschil tussen de virussen. Ook de physische en chemische eigenschappen zijn praktisch eender. De temperatuur, waarbij de virussen geïnactiveerd worden, de tijd waarin de virussen bij kamertemperatuur hun werkzaamheid verliezen, de invloed van de zuurgraad op de werking e.d. liggen bij de drie virussen vlak bij elkaar. Wij moeten het dus met de conslusie van DYKSTRA eens zijn dat deze virussen te beschouwen zijn als drie varianten van een enkel virus, wat hij dan het Y-virus noemt. Merkwaardig is wel dat CHESTER met de serologische methode verwantschap vond tussen het Y-virus en een mozaik van de komkommer. Toch is de aardappelplant niet met komkommermozaik te infecteren. Ook is de tabaksplant niet door infectie met Y-virus tegen het komkommervirus te beschermen. DYKSTRA twijfelt dus aan de verwantschap van deze virussen.

Wij hopen dat het besproken voorbeeld een inzicht geeft in de mogelijkheden die een plantkundige heeft bij de diagnose van een virus. Meestal is een langdurig onderzoek noodzakelijk om het simpele feit te bewijzen dat twee virussen identiek zijn. Natuurlijk zijn dergelijke onderzoekingen in verband met de heersende verwarring in de naamgeving van de virusziekten zeer waardevol.

4. *De bestrijding van de virusziekten*

De strijd tegen de virusziekten moet gebaseerd zijn op onze kennis van de virussen. Pas wanneer wij de wijze van verspreiding op het veld kennen zijn wij in staat om pogingen in het werk te stellen die de uitbreiding van de ziekte in het gewas moeten tegenwerken. Een zware handicap voor de botanicus is natuurlijk het feit dat de plant zich na een virusziekte nooit volledig herstelt. Alles moet er dus op ingesteld zijn om de ziekte te voorkomen, want hier geldt in sterke mate het spreekwoord ,,voorkomen is beter dan genezen''.

Wanneer wij van de virusziekten in een bepaald landbouwgewas heel weinig af weten, dan zullen wij tot de primitieve bestrijding komen om alle planten die er ook maar enigszins verdacht uitzien te verwijderen. Dit moet dan natuurlijk zo vroeg mogelijk gebeuren, omdat elke viruszieke plant in het veld een gevaarlijke infectiehaard zal vormen. Wij nemen dan op de koop toe dat wij met de viruszieke planten ook een aantal onschuldige slachtoffers zullen verwijderen. Op den duur zullen wij ons met deze methode niet kunnen vergenoegen. Het stuit iedereen — en natuurlijk vooral de landbouwer — tegen de borst om een plant te vernietigen die een of ander verdacht vlekje vertoont, maar toch een behoorlijke opbrengst zou opleveren. Onze eerste taak is dus om de ziekteverschijnselen zo scherp mogelijk aan te geven, zodat het aantal gezonde planten dat met de viruszieke organismen verwijderd wordt, zo klein mogelijk is. Het is best mogelijk dat gezonde planten onder invloed van het klimaat, een gebrek in de bodem en dergelijke factoren verschijnselen gaan vertonen die oppervlakkig bezien met de symptomen van een virusziekte verward kunnen worden. Zo kunnen gele vlekken op suikerbieten door verschillende oorzaken optreden. Er is de door een virusziekte veroorzaakte vergelingsziekte; deze ,,Zeeuwse ziekte'' werd verward met de door een schimmel (*Phytium*) veroorzaakte ,,zwarte houtvaten ziekte''. De laatste werd weer verwisseld met de ,,ontginningsziekte'' die vooral in de veenkoloniën heerst en die het gevolg is van een gebrek aan koperzouten in de bodem. Nemen wij nu nog in aanmerking dat gelige bladeren ook nog kunnen optreden bij planten die te vochtig staan, gebrek aan magnesiumzouten hebben of waar de bodem te weinig mangaanverbindingen bevat dan is het duidelijk hoeveel werk er verzet zal moeten worden voordat elk van deze ziekten nauwkeurig geïdentificeerd is. Nu nog is deze ,,vergelingsziekte" slechts door enkelen op het eerste gezicht te herkennen.

In de landbouwkunde grijpt men vaak naar het middel van de selectie om planten te krijgen die een of andere eigenschap in versterkte mate bezitten. Aan het begin van deze eeuw kweekte men planten die resistent waren tegen bepaalde schimmelziekten en sindsdien is deze methode steeds verder ontwikkeld. Tenslotte werden ook pogingen in het werk gesteld om op deze wijze een wapen tegen de virusziekten te smeden. Vooral in de U.S.A. zijn enige successen met deze methode bereikt. Vele planten bezitten van nature een zekere resistentie tegen bepaalde virussen. Zo vertoont het tabaksras Ambalema na infectie met het virus van de mozaikziekte geen symptomen. Alleen bij zeer jonge en snelgroeiende planten vallen lichte vlekjes waar te nemen. Na passage van het virus door dergelijke resistente-vormen blijkt het virus enigszins veranderd te zijn. Op gevoelige planten worden de symptomen minder; wij concluderen hier dus uit dat het virus verzwakt is. Deze natuurlijke resistentie is zo belangrijk dat men gepoogd heeft resistente vormen door kruising te krijgen. In de U.S.A. is men er zo in geslaagd om een ras van aardappelen te kweken dat resistent is tegen het X-virus. Wij hebben dit reeds gememoreerd; het merkwaardige is dat het X-virus zich in dit aardappelras absoluut niet vermeerderen kan. Vandaar dat dit ras bij het onderzoek gebruikt wordt om een mengsel van X-virus met een ander virus te scheiden. Het nummer van deze zaailing (41956) geeft een indruk van de hoeveelheid werk die noodzakelijk was om tot dit resultaat te komen. Ook bij de suikerbiet gelukte het om een ras te kweken dat resistent is tegen de gevreesde ,,curly top" ziekte. Het suikergehalte van deze biet was niet lager dan dat van de tot nu toe gebruikte bieten, zodat er geen bezwaar tegen is om het nieuwe ras in te voeren.

In het algemeen moet een dergelijk nieuw ras aan zeer veel voorwaarden voldoen. Natuurlijk mag de handelswaarde van het product niet ten achter staan bij die van de gebruikelijke variëteiten. Bij vele gewassen is door andere overwegingen de methode van weinig waarde. Stel dat onze vruchtbomen van een virus te lijden hebben en dat er een resistent ras, b.v. een soort sterappel, tegen dat virus te vinden is. Maar de grote aantrekkelijkheid van het fruit is de grote variatie in smaak en vorm en het publiek zal toch naar goudreinettes, bellefleuren e.d. blijven vragen. De opgave zou dus zijn om elke variëteit resistent te maken wat natuurlijk in de praktijk onmogelijk is. Ook bij siergewassen (b.v. bloembollen) staan wij voor hetzelfde probleem; wij kweken niet in de eerste plaats voor een grote oogst, maar wij kweken die variëteiten die door het publiek gevraagd worden. Bij de suikerbiet — die alleen om het suikergehalte gekweekt wordt — is het probleem natuurlijk veel eenvoudiger.

In de medische wetenschap valt bij de bestrijding van de virussen de nadruk op de immunisatie van het organisme. De mens of het dier wordt met het virus (al of niet verzwakt) ingespoten en een toekomstige infectie wordt door de ontwikkelde antilichamen tegengewerkt. Deze bestrijdingswijze is bij planten niet mogelijk, omdat de planten niet genezen. Ook is het wel goed om er even op te wijzen, dat de serologische methode — zoals deze door de botanicus gebruikt wordt — alleen diagnostische en geen therapeutische waarde heeft. Een plant heeft geen bloedvaatstelsel en een inspuiting met antiserum zou waardeloos zijn.

Naast de immuniteit (dit is dus de onvatbaarheid van mens of dier na het doormaken en het herstel van de ziekte) onderscheidt men in de medische wetenschap nog de premuniteit. Hierbij is het organisme voor een virusziekte onvatbaar, maar slechts zolang als het virus zich nog in de cellen bevindt. De eerste ontdekking van premuniteit bij planten danken wij aan THUNG, die over de ziekten van de Vorstenlandse tabakssoorten werkte. Hij vond dat een tabaksplant die door een bepaald virus besmet was niet meer door een verwant virus aangevallen kan worden. Ook bij de ,,ringspot'' ziekte van de tabak zijn door PRICE dergelijke zaken beschreven. Drie dagen na de infectie begint de plant ringvormige necrotische vlekken te vertonen, die zich na een week over de hele plant verspreid hebben Na een periode van twee tot vijf weken waarin de ziekte er zeer ernstig uitziet begint een zeker herstel. De oudste bladeren vallen af en de jongste bladeren vertonen bijna geen symptomen meer. Het virus verdwijnt niet uit de plant, maar de concentratie is tenslotte slechts een kwart van de oorspronkelijke hoeveelheid. De planten zijn na dit ,,herstel'' onvatbaar voor een tweede infectie met hetzelfde virus. Daarom beveelt KUNKEL in enkele gevallen aan om tabak te kweken door het stekken van herstelde zaailingen. Dit kan voordelig zijn in velden waar de ziekte gewoonlijk grote schade aanricht. Het is een methode die zeer voorzichtig gehanteerd moet worden, aangezien ook andere gewassen door de ,,ringspot''-ziekte sterk aangegrepen kunnen worden.

Voorlopig staat de methode van de premunisatie — dus het beschermen van een plant met een zeer zwakke stam van een virus — nog in het experimentele stadium. Voor de praktijk heeft de methode nog weinig of geen waarde. Elke bestrijdingswijze is gebaseerd op een zo volledig mogelijke kennis van de virussen, van de relatie tussen virus en plant en van het verband tussen virus, insect en plant. Hoe meer wij van een virus afweten, hoe meer kans er bestaat dat wij tot een effectieve bestrijding kunnen komen. Dit geldt voor de eigenschappen van de virussen in de ruimste zin. Elke eigenschap van de virussen is de moeite waard om bestudeerd te worden, want altijd bestaat de mogelijkheid om de basis van een bestrijdingswijze te vinden. Zo bestudeert men vaak de invloed van de temperatuur op de inactivatie van de verschillende virussen. Uit wetenschappelijk oogpunt gezien is dit belangrijk omdat men op die wijze kan achterhalen of de virussen een eiwitnatuur hebben. Op het eerste gezicht lijkt deze studie voor de landbouwpraktijk niet zeer belangrijk. Toch is dit wel zo: er zijn virussen, die bij een kleine temperatuurverhoging reeds geïnactiveerd worden. Dit wordt dan de basis van een warmwaterbehandeling. De planten worden bij een temperatuur gebracht die voor de planten onschadelijk is en waarbij de virussen geïnactiveerd worden. Het spreekt vanzelf dat deze methode slechts voor enkele virussen toegepast kan worden.

In het algemeen worden de virussen niet met zaad overgebracht. In de tabakscultuur zal men altijd gezonde planten uit zaad kunnen kweken. Dan wordt het probleem dus slechts hoe wij deze gezonde planten tegen een infectie met een virusziekte kunnen beschermen. Anders staat het met de peulvruchten. Daar gaan bepaalde ziekten (mozaïk) in een belangrijk percentage met het zaad over. Het gewone probleem van de landbouwer — de bescherming van het gewas tegen een infectie met virus — blijft natuurlijk bestaan, maar er komt nog een probleem bij. Men moet zorgen dat men van zaad uitgaat, dat vrij van virus is. Vandaar dat men het kweken van zaaigoed meestal overlaat aan speciale bedrijven die veel aandacht aan de ziektebestrijding kunnen geven. De planten waarvan het zaad gewonnen wordt zullen zo gezond mogelijk moeten zijn.

Deze opmerkingen gelden in versterkte mate voor die gewassen die uit knollen, bollen e.d. gekweekt worden. Een zieke aardappelplant levert zieke knollen op, dus bij het kweken van pootgoed moet de bestrijding van het virus een grote rol spelen. Wanneer wij ter demonstratie weer eens het bladrolvirus onder de loupe nemen dan ligt het voor de hand om de ontdekking van OORTWIJN BOTJES dat het virus door bladluizen overgebracht wordt als uitgangspunt voor de bestrijding te nemen. Allereerst zal men trachten om de relatie tussen het insect en de plant zo goed mogelijk na te gaan. De eerste vraag die men zich stelt is waar de insecten vandaan komen. In de wintermaanden vinden wij de eieren van de perzikbladluis voornamelijk op perzikbomen. Reeds in het begin van Maart komen hieruit gevleugelde vrouwelijke exemplaren: de stichtsters van kolonies van ongevleugelde bladluizen. In Mei verschijnen weer gevleugelde exemplaren, waarvan het aantal vooral aan het einde van de maand Juli zeer groot is. Tot aan de herfst is de voortplanting ongeslachtelijk, maar dan beginnen er echte mannelijke en vrouwelijke luizen te verschijnen. Daarna heeft de paring plaats en de vrouwtjes leggen de wintereieren. Naast deze wijze van overwinteren blijven er nog enkele ongeslachtelijke dieren 's winters in leven op onkruiden, in bewaarplaatsen van pootgoed e.d.

Het ligt voor de hand dat de besmetting op het veld afhankelijk is van de bewegelijkheid van de luizen en dus van het klimaat. Een ruw en winderig klimaat zal voor de luizen minder gunstig zijn dan warm zonnig weer. Zo is in Schotland het beste pootgoed afkomstig van berghellingen van plm. 350 meter hoogte en niet uit de beschutte dalen waar de bladluizen welig tieren. In N.W. Europa komt het gezondste pootgoed uit de kuststreken. Vroeger dacht men dat de grondsoort voor het kweken van pootgoed heel belangrijk was. Het zeekleigebied (Friesland en Groningen) heeft een veel betere naam dan de Veenkoloniën. De meeste ziekte komt voor in het beschutte Westland en in het milde klimaat van Z. Limburg. ELZE bepaalde de hoeveelheid bladluizen op aardappelplanten in deze verschillende streken en vond inderdaad dat in Limburg, het Westland en de Veenkoloniën meer luizen voorkwamen dan in het kustgebied van Friesland en Groningen. De kleine verschillen in windsterkte, vochtigheid e.d. zijn dus de primaire oorzaken dat het ene gebied veel geschikter is voor het kweken van pootgoed dan het andere. De grondsoort schijnt van zeer weinig invloed te zijn. Deze opvatting wordt door een onderzoek in Denemarken (KOESLAG) bevestigd. Jutland — waar de aardappelen op veen of humeuze zandgrond gekweekt worden — is een veel geschikter gebied dan de eilanden, waar de grond uit klei bestaat. Deze uitslag is dus wat de grondsoort betreft net andersom als in Nederland, wel een bewijs dat de grondsoort niet zeer belangrijk is.

Het is wel goed om er even op te wijzen dat gebieden die minder geschikt zijn voor het kweken van pootgoed wel zeer geschikt kunnen zijn om de aardappelen voor de consumptie te leveren. Een milder klimaat zal een grotere opbrengst geven dan een ruw klimaat en deze grotere opbrengst kan ruimschoots tegen het verlies door ziekte opwegen. Alleen zal de landbouwer van gezond pootgoed moeten uitgaan en dat moet natuurlijk

uit een geschikte streek betrokken worden. Een bestrijding van de bladluizen op grote schaal is economisch onuitvoerbaar. Wel is voorgesteld
om 's winters de perzikbomen te bespuiten om de wintereieren van de
bladluizen te vernietigen. Een dergelijke maatregel zou verplicht gesteld
moeten worden om effect te sorteren. Gezien het feit dat de luizen ook
nog op andere wijze overwinteren is het mogelijk dat de uitkomst van
deze maatregel in de praktijk tegen zou vallen.

Voorlopig moeten wij ons dus neerleggen bij het feit dat de insecten
niet rechtstreeks bestreden kunnen worden. Dan vragen wij ons af
wanneer de meeste infecties van de planten plaats hebben en hoe lang
het duurt voordat het virus in de knollen arriveert. Het is duidelijk dat
de meeste infecties in het veld plaats hebben als er veel luizen rondvliegen.
Dit zal dus in het algemeen veel in de maand Juli gebeuren. Velen hebben
zich beziggehouden met de vraag hoe lang het virus onderweg is van de
plaats van infectie naar de knollen. Murphy entte zieke stengels (wij
hebben het nog altijd over de bladrolziekte) van aardappels op gezonde
stengels en bepaalde na hoeveel tijd de knollen ziek werden. Elze loste
de vraag op andere wijze op. Hij zette kooitjes met virusdragende luizen
op een van de bovenste bladeren van gezonde planten. Bij de eerste
plant sneed hij na een week de stengel middendoor en kweekte het onder-
stuk verder. De volgende plant werd na enkele dagen op dezelfde manier
behandeld enz. Nu gaat hij na of de onderstukken vrij van virus blijven
of niet. Is de tijd die verloopt tussen de infectie en het doorsnijden van
de plant kleiner dan tien dagen dan blijft het onderste deel van de plant
gezond, bij een langere periode niet. Dat betekent dus dat het virus
een tijd van tien dagen nodig heeft om de halve stengellengte te door-
lopen. De weg door de hele stengel wordt dan in ongeveer drie weken
afgelegd. Janssen heeft deze methode enigszins gewijzigd. Ook hij zette
luizen op de top van de plant, maar nu nam hij om de twee dagen een
knol weg en kweekte die het volgende jaar op. De uitkomst van zijn proef
was te vergelijken met die van Elze en Murphy: er is een periode van
ongeveer drie weken waarin het virus zich van de top van de plant
naar de knollen begeeft.

Nu geven deze experimenten ons een mogelijkheid om het virus te
snel af te zijn. De hoofdinfectieperiode van het virus is door veldwaar-
nemingen vast te stellen. Worden er bijvoorbeeld omstreeks half Juli
veel bladluizen gevonden dan is er een goede kans dat de vóór 1 Augustus
gerooide aardappelen gezond zijn, want het virus heeft dan geen tijd
genoeg had om de knollen te bereiken. Het volgende experiment laat de

grote invloed van de rooidatum op de gezondheidstoestand van de nabouw van het aardappelras Paul Kruger zien:

gerooid op	ziektepercentage
19 Juli	0 %
5 Augustus	19 %
27 September	96 %
10 October	82 %

De keuringsvoorschriften voor het pootgoed van aardappelen houden natuurlijk rekening met de gezondheidstoestand van het gewas, maar ook met het gevaar voor besmetting dat een perceel loopt. Dit laatste is natuurlijk noodzakelijk omdat de primaire symptomen van vele virusziekten zo moeilijk te herkennen zijn. Daarom wordt bepaald (voorschriften van de Nederlandse Algemene Keuringsdienst) dat zich binnen een afstand van tien meter van het perceel geen veld mag bevinden waar een hoog percentage ziekte gevonden wordt. Ook mogen er in de buurt geen ,,carriers" voor bepaalde virussen aanwezig zijn. Bij het ras Eersteling dat zeer gevoelig is voor de stippelstreepziekte wordt zelfs een afstand van vijftig meter van de gevaarlijkste ,,carriers" voor dit virus geëist. Ook is het gewenst dat er op één bedrijf zo weinig mogelijk rassen geteeld worden; al weer omdat sommige ,,gezonde" aardappelen gevaar voor andere variëteiten opleveren.

Na deze bespreking van de gebruikelijke methoden om het gevaar voor de virusziekten te beperken wenden wij ons tot de toekomst. In welke richting zullen wij moeten werken om deze moeilijke groep van plantenziekten op betere wijze te bestrijden dan het nu het geval is? Elk gewas vraagt natuurlijk zijn eigen bestudering en er zijn planten waarbij het experimentele werk zeer moeilijk is. Denk bijvoorbeeld aan vruchtbomen en andere houtachtige gewassen waar met de ontwikkeling jaren gepaard gaan. Het heeft heel lang geduurd voordat men inzag dat vele z.g. physiologische ziekten van vruchtbomen eigenlijk virusziekten waren. De eerste symptomen verschijnen meestal pas een jaar na de infectie, een feit dat het werk ten zeerste belemmert [1]). Zelfs kan de incubatie-

---

[1]) BENNETT en JOHNSON gaven aan dat sommige virussen overgebracht kunnen worden met behulp van de parasiet *Cuscuta* (warkruid of duivelsnaaigaren). KUNKEL merkt terecht op dat deze methode een grote toekomst tegemoet gaat, omdat door de parasiet planten verbonden kunnen worden die niet op elkaar te enten zijn. Dit geeft een mogelijkheid om virussen uit lastige planten (bol- en knolgewassen, heesters en bomen) te bestuderen. Men zie hiervoor: Virus diseases, Cornell University Press 1943, p. 63—82.

periode meer dan twee jaren bedragen. Al deze moeilijkheden brengen sommige bestrijders van plantenziekten er toe om elk vlekje dat een gewas kan vertonen zonder diepgaand onderzoek aan de invloed van een virus toe te schrijven. Zij dringen dan zonder meer op vernietiging van de bedoelde planten aan. Hoewel toegegeven moet worden dat op deze wijze ook de virusziekten bestreden worden, aan de andere kant heeft natuurlijk een grote kapitaalsvernietiging plaats. Zelfs is het niet onmogelijk dat met deze methode planten uitgeroeid worden die geïnfecteerd zijn met een zeer zwakke stam van een virus. In dat geval is de uitwerking van de maatregel averechts, want deze zwakke stam beschermt de plant tegen gevaarlijke verwante virussen. Economisch is een zo grondig mogelijke studie van de virusziekten de enige weg die volkomen verantwoord is.

De toekomstige bestrijding van de virusziekten zal — naar het gevoel van de schrijver — moeten liggen in de bescherming van de plant tegen een infectie met virus. Wij hebben al gezien dat van een immunisatie van de plant geen sprake is. Dan blijft ons de mogelijkheid om een plant te beschermen door een infectie met een zeer zwakke variant van een virus, dus de premunisatie. Het is de moeite waard om deze methode nader te bekijken en te zien welke ontdekkingen er op dit gebied al gedaan zijn. Zoals wij reeds besproken hebben berust de methode op het feit dat er in een cel slechts voor één variant van een virus plaats is. Wanneer wij dus zorgen dat het beschermende virus in elke cel van de plant aanwezig is dan zal een infectie met een gevaarlijke variant van dat virus geen resultaat hebben. Het vraagstuk waarvoor wij staan is enigszins vergelijkbaar met dat van de medische wetenschap: wij moeten zoeken naar zeer zwakke stammen van gevaarlijke virussen.

In de natuur komen misschien zwakke stammen voor die door selectie gezuiverd zouden kunnen worden. Experimenteel zijn er reeds verzwakte stammen van verschillende virussen gemaakt. Een middel daarvoor is het kweken van viruszieke planten bij een hoge temperatuur. JOHNSON kweekte tabaksplanten die aan mozaik leden enige dagen bij ongeveer 36° C. Het daarna uit deze planten gewonnen virus vertoonde veel zwakkere symptomen dan het oorspronkelijke. OORTWIJN BOTJES nam waar dat het X-virus van de aardappel een verzwakking ondergaat als het in de variëteiten Bravo of Bloemgraafje gekweekt wordt. Vooral in het laatste ras heeft een grote verzwakking plaats. De planten worden eerst sterk aangetast, maar herstellen van de ziekte. Zoals altijd is dit herstel niet volkomen. Het virus is nu zo verzwakt dat het in het gevoelige

ras Bravo geen symptomen meer te voorschijn roept. Anderen hebben
beschreven dat virussen verzwakt kunnen worden door hen in een ongewone gastheer te kweken. Er zijn dus verschillende manieren om een
virus te verzwakken en de vraag rijst in hoeverre deze methode voor de
praktijk geschikt gemaakt kan worden. Bij eenjarige gewassen zal de
methode nauwelijks waarde hebben, hoewel wij gezien hebben dat KUN-
KEL in bepaalde gevallen het kweken van tabak door stekken van herstelde zaailingen aanbeveelt (bij de ,,ringspot''ziekte). Belangrijker wordt
de kwestie voor lang levende planten (b.v. bomen en heesters), terwijl
voor de vegetatief voortgeplante gewassen (aardappelen, bloembollen)
de methode zeer grote voordelen op zou leveren. Want de graad van
premuniteit gaat bij het verder kweken niet achteruit. Ook het feit dat
er zich in de plant een virus bevindt behoeft niet verontrustend te zijn.
Wij kennen immers zoveel aardappelrassen waarin een of ander virus
latent aanwezig is. Een ander bezwaar moet wel degelijk onder het oog
gezien worden. Wij weten dat twee verschillende virussen wanneer zij
samen in een plant gebracht worden aanleiding kunnen geven tot het
optreden van complexziekten. Ook de zwakke stammen van virussen
kunnen dit resultaat geven. Het kweken van aardappelen die kunstmatig met een verzwakt virus geïnfecteerd zijn moet dus met overleg
gebeuren. Al met al is het bezwaar niet zo groot. Er zijn vele aardappelrassen die latente virussen bevatten en toch komen complexziekten
weinig voor.

De voorgestelde methode (in ons land verdedigd door OORTWIJN
BOTJES) kan voor de toekomst zeer belangrijk worden. De opbrengst
van de planten hoeft onder de invloed van het verzwakte virus niet te
lijden. Het ras Bravo brengt na infectie met het verzwakte X-virus heel
weinig minder op dan normale planten. Het fraaie van de methode is
dat men binnen enkele jaren duizenden hectaren met gepremuniseerde
planten zou kunnen kweken. De moeilijkheid is dat wij op het
ogenblik nog niet over varianten van de virussen beschikken die zo zwak
zijn, dat zij in de praktijk volkomen ongevaarlijk zijn. Er zal nog veel
werk verzet moeten worden voordat wij zo ver zijn dat de bestrijding
van de virusziekten zich meer op de bescherming van de plant dan op het
vernietigen van infectiehaarden zal toeleggen. Toch is dit werk noodzakelijk omdat ons land anders terrein op de wereldmarkt zal verliezen.
Wat ons bij het virusonderzoek ontbreekt — QUANJER merkte het in
ander verband reeds op — is een centrum waar de virusziekten in al hun
aspecten grondig bestudeerd kunnen worden. Wanneer wij zien dat

pathologen, biologen, biochemici, serologen en physico-chemici zich met het virusprobleem bezig houden en dat deze verschillende mensen elk op hun beurt waardevolle bijdragen tot het probleem geleverd hebben, dan beseffen wij de noodzakelijkheid van een werkgemeenschap van al deze studierichtingen. Daarbij komt nog dat de studie van het virus niet mogelijk is zonder het gebruik van kostbare apparaten en dit feit alleen reeds moet een aansporing zijn om deze apparaten met de onderzoekers die ervan gebruik maken in een centrum voor virusonderzoek te verenigen.

LITERATUUR

BAWDEN, F. C. Plant viruses and virus diseases. Leiden 1939.

BAWDEN, F. C. and N. W. PIRIE. The relationships between liquid crystalline preparations of cucumber viruses 3 and 4 and strains of tobacco mosaic virus. Brit. J. exp. Pathol. *18*, 275—290, 1937.

CHESTER, K. S. Specific quantitative neutralization of the viruses of tobacco mosaic, tobacco ring spot and cucumber mosaic by immune sera. Phytopathology *24*, 1180—1202, 1934.

CHESTER, K. S. A critique of plant serology. Quart. Rev. Biol. *12*, 19—46, 165—190, 294—321, 1937.

DUFRENOY, J. and M. SHAPOVALOV. Cytological changes in the callus of the graft union in connection with curly top in tomatoes. Phytopathology *24*, 1116—1118, 1934.

DYKSTRA, T. P. A study of viruses infecting European and American varieties of the potato, Solanum tuberosum. Phytopathology *29*, 40—67, 1939.

ELZE, D. L. The relation between insect and virus as shown in potato leaf roll, and a classification of viroses based on this relation. Phytopathology *21*, 675—686, 1931.

GRATIA, A. Pluralité antigénique et identification sérologique des virus des plantes. C. r. Soc. Biol. *114*, 923—924, 1933.

HOLMES, F. O. Increase of tobacco-mosaic virus in the absence of chlorophyll and light. Phytopathology *24*, 1125—1126, 1934.

HOLMES, F. O. Nomenclature and classification of phytopathogenic viruses. Proc. 3d Int. Congr. Microbiol. N.Y. 278—279, 1939.

KUNKEL, L. O. General pathology of virus infections in plants. In DOERR und HALLAUER: Handbuch der Virusforschung Erg. Band I, 473—521, 1944.

KUYPER, J. Virusziekten in verband met aardappelcultuur. Groningen 1941.

MALDWYN DAVIES, W. The ecology of the aphis vector Myzus persicae Sulz. in relation to the dissemination of virus diseases of potato. Proc. 2nd Int. Congr. Microbiol. London 90, 1936.

OORTWIJN BOTJES, J. G. De bladrolziekte van de aardappelplant. Diss. Wageningen 1920.

OORTWIJN BOTJES, J. G. De stand van het immuniteitsvraagstuk bij virusziekten van de planten. Tijdschr. o. Plantenz. *42*, 1—10, 1936.

OORTWIJN BOTJES, J. G. De toepassing van een beschuttende enting als middel ter bestrijding van virusziekten bij de aardappelplant. Tijdschr. o. Plantenz. *46*, 181—193, 1940.

QUANJER, H. M. The methods of classification of plant viruses and an attempt to classify and name potato viroses. Phytopathology *21*, 577—613, 1931.

QUANJER, H. M. Problemen betreffende virusziekten van enkele Nederlandsche cultuurgewassen. Landbouwk. Tijdschr. *51*, 171—177, 1939.

QUANJER, H. M. Phytopathologische terminologie, met speciale bespreking van de begrippen biotrophie, premuniteit en antistoffen. Tijdschr. o. Plantenz. *48*, 1—16, 1942.

SHAPOVALOV, M. Graft versus insect transmissions of curly top in tomatoes (tomato yellows). Phytopathology *25*, 844—853, 1935.

SMITH, K. M. A textbook of plant virus diseases. London 1937.

SMITH, K. M. The principles of plant virus research. In DOERR und HALLAUER: Handbuch der Virusforschung II, 1292—1342, 1938.

STAPP, C. Ueber serologische Virusforschung und den diagnostischen Wert serologischer Methoden zum Nachweis der pflanzlichen, insbesondere der am Kartoffelabbau beteiligten Viron, J. f. Landwirtsch. *89*, 161—188, 1942.

STOREY, H. H. Transmission of plant viruses by insects. Botan. Rev. *5*, 240—272, 1939.

THUNG, T. H. Smetstof en plantencel bij enkele virusziekten van de tabaksplant. III. Tijdschr. o. Plantenz. *43*, 11—32, 1937.

WHITE, P. R. Multiplication of the viruses of tobacco and aucuba mosaics in growing excised tomato root tips. Phytopathology *24*, 1003—1011, 1934.

TWEEDE DEEL: DE THEORIE

HOOFDSTUK V

De bioloog spreekt over:

HET VIRUS GEZIEN ALS BIOLOGISCHE EENHEID

1. *De overeenkomst tussen virussen en microben*

Het ligt niet in mijn bedoeling om te trachten een definitie van het leven te geven voordat ik het virusprobleem van het standpunt van de bioloog uit ga bezien. Ik ga uit van het feit dat er een kenmerkend verschil is tussen een konijn dat vrij in de duinen rondhuppelt en hier en daar aan een blaadje knabbelt en zijn soortgenoot die het ongeluk heeft gehad 's nachts in een strik te lopen en die nu slap en akelig op de grond ligt. Het tweede konijn mist iets wat het eerste bezit en dat noemen wij het leven. Van philosophisch standpunt bezien is het ongetwijfeld de moeite waard om dit leven in fraaie en meestal onbegrijpelijke bewoordingen te definiëren, maar de bioloog heeft aan het feit genoeg. Hij bestudeert die vormen in de natuur die zich door het bezit van „leven" karakteriseren zonder zich al te veel zorgen te maken over de betekenis van dat woord. Betrekkelijk makkelijk is dit voor hem als hij zich met de gedragingen van hoog ontwikkelde organismen bezig houdt. Wie zich met de paringsbiologie van de zilvermeeuw occupeert komt niet licht in de verleiding om hier analogieën te zoeken met de reactie tussen waterstof en zuurstof en dergelijke zaken. Maar wee den armen bioloog die zich in een grensgebied bevindt. Een dergelijk grensgebied is het virusvraagstuk. De virussen vertonen zo weinig eigenschappen van de gewone organismen en zij zijn zo klein dat velen zich niet voor kunnen stellen dat deze vormingen inderdaad „leven". Deze mensen zien de virussen als levenloze stoffen en het is duidelijk dat de bioloog in dit grensgeschil zijn standpunt zal moeten bepalen.

Zijn de virussen levend of niet? Nogmaals, ik wens het onderwerp biologisch en niet philosophisch te benaderen. Nu moet ik trachten om te demonstreren dat de overeenkomst tussen de virussen en de organismen groot is en tevens moeten de eventuele verschillen op logische wijze verklaard worden. Het ligt dan voor de hand om niet te trachten een overeenkomst te vinden tussen een virus en b.v. een paard, maar om voor een vergelijking die organismen te kiezen die wat hun afmetingen en andere eigenschappen betreft het dichtst bij de virussen staan. Dat zijn alle mogelijke eencellige organismen: bacteriën, protozoën enz. Wij vergelijken dus de microben met de vertegenwoordigers van de virusgroep. Wel rijst nu de vraag wat wij onder de virusgroep verstaan. Ik stel voor om voorlopig alles tot de virusgroep te rekenen wat met het microscoop niet of met zeer veel moeite zichtbaar is. Alle vormingen met afmetingen beneden plm. 200 mμ en die zich in gepast milieu (meestal levende cellen) vermeerderen, zullen wij virus noemen. Natuurlijk is de grens willekeurig, maar wij kunnen na ons onderzoek altijd sommige vormen bij de bacteriën of bij andere microben indelen. Wij karakteriseren het begrip virus dus niet direct als ziekteverwekker, al zien wij in dat het woord virus oorspronkelijk wel deze betekenis had. Wij willen de mogelijkheid openlaten dat er virussen zijn die zich zelfstandig kunnen vermeerderen en die dus geen parasieten maar saprophyten zijn.

BEIJERINCK was de eerste die met zijn conceptie van het „*contagium vivum fluidum*" een verschil tussen virussen en andere microben poogde aan te geven. Het virus zou geen deeltje zijn maar het zou zich in opgeloste toestand bevinden. Het is goed om ons te herinneren dat de ontwikkeling van de colloïdchemie valt na deze stoute stap van BEIJERINCK. Het ultramicroscoop waarmee men het bestaan van anorganische deeltjes die onzichtbaar zijn voor het gewone micrsocoop aantoonde werd enige jaren later ontdekt. Pas na deze ontdekking heeft men leren inzien dat zich tussen de ware oplossingen en de suspensies van vaste deeltjes de groep van de z.g. colloïdale oplossingen bevindt, die gekarakteriseerd zijn doordat de deeltjes te klein zijn om met het microscoop waargenomen te worden. Deze colloïdale oplossingen hebben eigenschappen die hen zowel van de ware oplossingen als van de suspensies onderscheiden. Nu verrichtte BEIJERINCK enige proeven om te bewijzen dat het virus in oplossing voorkomt. Achteraf zeggen wij dat het virus zich in colloïdale oplossing bevindt, wat volkomen in overeenstemming is met de afmetingen van de deeltjes. Hoewel dus de veronderstelling van BEIJERINCK niet volkomen te handhaven is, wij weten nu dat hij met de toen bekende feiten uit de physische chemie zijn proeven niet anders kon interpreteren en het blijft zijn onvergankelijke verdienste dat hij op een typisch verschil tussen virussen en bacteriën gewezen heeft. Dit verschil hoeft evenwel niet op een fundamenteel onderscheid tussen de virussen en de andere microben te wijzen; alleen het verschil in deeltjesgrootte is voldoende om het feit te verklaren.

Vele eigenschappen van de virussen lijken zo op die van bacteriën e.d. dat het ver gezocht is om de virussen niet tot de microben te rekenen. De symptomen van virusziekten onderscheiden zich niet typisch van die van bacteriën en protozoën. Nu geldt dit vooral voor de ziekten bij mens en dier; bij de planten is de overeenkomst niet zo duidelijk. Maar ook bij de planten hoeft ons dit niet tot de slotsom te brengen dat de virussen heel andere dingen zijn dan organismen. Immers planten hebben geen bloedvaten e.d. en hun organisatie brengt met zich mee dat de afmeting van een organisme beslist over het al of niet verspreiden van dat organisme door de plant. Nu liggen bacteriën en schimmels boven de grens van deze mogelijkheid. De openingen in de vaste celwanden zijn zeer klein, daardoor lopen de plasmodesmen van cel tot cel. De bacteriën en schimmels zijn te groot om deze openingen te passeren. Anders staat het met de virussen. Deze zijn zo klein dat zij gemakkelijk via de plasmodesmen van cel tot cel kunnen komen. Bij bacteriën en schimmels zien wij locale beschadigingen, de virussen verspreiden zich over de gehele plant. Dit verschil is dus niet fundamenteel maar een gevolg van de afmetingen van de agentia. Het is duidelijk dat alleen een verschil in afmetingen geen voldoende grond is om tot het niet levend zijn van een agens te besluiten. Het zou te vergelijken zijn met de volgende bewijsvoering: Een leeuw eet een schaap op en een leverbot doet ongeveer hetzelfde, zij het dat het op een andere wijze (van binnen uit het schaap) gebeurt. Dit is reden om aan te nemen dat de leverbot niet leeft. Iedereen ziet in dat de gevolgtrekking absurd is. Dat de leverbot kleiner is dan de leeuw en dus op een andere wijze het schaap aanvalt mag niet tot de conclusie leiden dat het agens niet leeft! Hetzelfde geldt voor het virusprobleem. Een virus is kleiner dan een bacterie en kan dus daardoor ietwat andere eigenschappen hebben. Wie nu zegt dat het virus daarom niet leeft gebruikt een zonderling criterium voor het begrip leven.

Ook de epidemiologie van de virusziekten onderscheidt zich niet van die van bacterieziekten. De plaats van binnenkomst van een virus kan een wond zijn (hondsdolheid), er kan voor een infectie een nauw contact nodig zijn, terwijl andere virussen weer via de ademhalingswegen het lichaam binnentreden. Kortom, wij vinden alle wijzen van overbrenging die ons uit de bacteriologie bekend zijn. De reactie van het geïnfecteerde organisme is eveneens van dezelfde orde. Allereerst verloopt er een periode tussen de infectie en het uitbreken van de ziekte. Deze incubatietijd kennen wij reeds van de bacterieziekten en — het is alweer een punt van overeenkomst — elke virusziekte is door een vaste incubatietijd gekenmerkt.

Voor degenen die een virus als een niet-levende stof willen zien is vooral de vermeerdering van een virus een moeilijk verklaarbaar punt. Deze vermeerdering kan in een fantastisch snel tempo verlopen. Men kan een tabaksplant infecteren met een oplossing die 10^{-9} gram (dat is dus het millioenste deel van een milligram) tabaksmozaikvirus bevat. De plant wordt dan ziek en wanneer na een maand het virus uit die plant gezuiverd wordt dan blijkt men 2 gram te kunnen isoleren (STANLEY). In een maand tijds is dus de virushoeveelheid twee milliard maal zo groot geworden. Een dode stof die zich zo snel vermeerdert, is dat niet wat moeilijk, voor te stellen? In ieder geval moet die stof dan wel zeer merkwaardige eigenschappen hebben.

Nu is het waar dat vele virussen zich alleen in of bij levende cellen vermeerderen. Evenwel zijn er uitzonderingen op deze regel. Reeds in 1898 werd door NOCARD en ROUX ontdekt dat de pleuropneumonie (een runderziekte) veroorzaakt werd door een ultrafiltreerbaar agens. Zij konden de verwekker kweken op een merkwaardige wijze; zij brachten een spoor van het agens in bouillon die zich in collodiumzakjes bevond en deze zakjes werden weer in de buikholte van konijnen opgesloten. Later werd door anderen gedemonstreerd dat het virus ook op andere voedingsbodems (b.v. agar-agar gemengd met bloed) gekweekt kon worden. Hier is dus een voorbeeld van een virus dat buiten levende cellen kan leven. Nu is dit virus groot en met speciale kleurmethoden zelfs met het gewone microscoop te zien. Onlangs werd door LAIDLAW en ELFORD uit rioolmodder een organisme geïsoleerd dat ultrafiltreerbaar is en toch ademhaling en stofwisseling vertoont. Deze zeer kleine saprophytische microben hebben een doorsnede van ongeveer 150 mμ en zijn dus met behulp van het microscoop niet waar te nemen. Wij moeten dit organisme — dat helemaal geen ziekteverwekker is — ongetwijfeld tot de virusgroep rekenen.

Toch zijn er velen die zowel de verwekker van de pleuropneumonie als de ,,saprophytische virussen'' van LAIDLAW en ELFORD uit de virusgroep willen verbannen. En wel omdat deze organismen zich buiten levende cellen staande kunnen houden. Men veronderstelt dan dat de virusgroep gekenmerkt zou zijn doordat alle virussen van levende cellen afhankelijk zouden zijn. Naar mijn gevoel is dat niet gerechtvaardigd. Een patholoog zou uit de groep van de bacteriën wel alle vormen kunnen stoten die geen ziekteverwekker zijn, doch de bioloog moet tegen deze handelwijze protesteren. Uit elke dier- en plantengroep kennen wij zowel parasieten als niet-parasieten. Dat het aantal parasieten in de virusgroep zo ontzaglijk groot is mag geen reden zijn om de enkele niet-parasiet uit de groep te verwijderen. Wel kunnen wij ons afvragen waarom er zoveel parasieten in deze groep zijn. En het antwoord ligt voor de hand. Voor een groot aantal functies is een zekere organisatietrap noodzakelijk. Elke functie vraagt ruimte en de virussen zijn zo klein dat er voor vele levensfuncties geen ruimte is. Wij zien dan dat zij verschillende levensverrichtingen niet zelf kunnen volbrengen, maar afhankelijk zijn van een gastheer, m.a.w. parasiet zijn. Buiten het verband van levende cellen is het leven van een virus meestal latent. Deze opvatting wordt gesteund door het feit dat de niet-parasitaire virussen tot de grootste vormen van de groep horen.

Wel schijnt de vermeerdering van de virussen niet zo te zijn als wij bij de bacteriën en de andere microben gewend zijn. HERZBERG heeft met speciale kleuringen de betrekkingen tussen virus en cel — vooral in verband met de vermeerdering van het virus — onderzocht. Het virus (het pokkenvirus was het onderwerp van zijn studie) vermeerdert zich volgens hem direct in het protoplasma. Van verschillende ontwikkelingsstadia die wij zo goed kennen uit de groei van andere organismen is geen schijn te bekennen. De virusdeeltjes delen zich zonder meer in tweeën. Wel vindt hij op enkele plaatsen opeenhopingen van virusdeeltjes met een specifiek kleurbare celafscheiding er om heen. Dit zijn de uit diagnostisch oogpunt belangrijke lichaampjes van GUARNIERI. Anderen beschouwen deze lichaampjes wel als een stadium in de ontwikkelingscyclus van het pokkenvirus. Zij wijzen daarbij op de ontwikkelingscyclus die het virus van de papegaaienziekte ondergaat (BEDSON en BLAND). De vermeerdering van dit virus gaat gepaard met morphologische veranderingen in een bepaalde volgorde. Na de infectie gaan de virusdeeltjes zich delen om tenslotte homogene ronde of ovale massa's in het protoplasma te vormen . Daarna vallen deze ,,kolonies'' weer uit elkaar in de oorspronkelijke virusdeeltjes. Een dergelijke ontwikkelingscyclus brengt ons de ontwikkeling van andere organismen (protozoën, myxomyceten) in herinnering. Dit is voor sommigen dan ook weer aanleiding om de verwekker van de papegaaienziekte uit de virusgroep te schrappen. De reden is dan natuurlijk dat het virus te veel op een organisme lijkt en niet past in de theorie dat het virus een levenloze stof is. Voor de bioloog kan dit geen reden zijn en wij zullen dit agens rustig tot de virusgroep blijven rekenen, totdat er werkelijk dwingende redenen zijn om het agens bij een andere groep van organismen in te deelen.

Wie een virus een levenloze stof noemt zal mede tot opgave hebben om de interessante betrekkingen tussen virussen en insecten te verklaren [1]). Het is een bekend feit dat virussen zich zowel in de mens als in het overdragende insect vermeerderen. Bij de virussen die in de landbouw gevreesd worden is het rechtstreekse bewijs van een vermeerdering in het insect niet geleverd, maar de indirecte evidentie is wel zeer groot. De overeenkomst met andere door insecten overgebrachte ziekten is wel zeer treffend. De malaria bijvoorbeeld wordt veroorzaakt door een protozoo (*Plasmodium*). De ziekte wordt niet door elk bloedzuigend insect overgebracht, maar alleen bepaalde soorten muskieten zijn hiertoe in staat. Nadat de mug (*Anopheles*) bloed van een malariapatiënt opgezogen heeft is er een ,,rijpingsperiode'' van 10 tot 18 dagen noodzakelijk voordat de mug in staat is om de ziekte op een gezonde persoon over te brengen. Met behulp van het microscoop is het mogelijk om na te gaan hoe de microbe zich in de mug gedraagt. Een deel van de ontwikkelingscyclus van de protozoo speelt zich in het lichaam van de mug af. Dezelfde verhoudingen vinden wij bij de virussen. Ook hier zien wij dat bepaalde virussen slechts door bepaalde insecten overgebracht worden. Het virus van de gele koorts vermeerdert zich alleen in enkele warmbloedige dieren en in een paar muggensoorten. In onafzienbare reeksen van warmbloedigen en insecten vindt geen vermenigvuldiging van het virus plaats. Het lijkt zeer moeilijk om bij deze bizarre combinaties aan een eenvoudig chemisch verband te denken. Hoe kan een levenloze stof dergelijke merkwaardige eigenschappen hebben?

Bij de plantenziekten zien wij het zonderlinge verschijnsel dat virussen die door insecten verspreid kunnen worden niet met behulp van het perssap van zieke planten op gezonde exemplaren overgebracht kunnen worden. Wel! — zei men — dat is niet zo merkwaardig want deze virussen zullen wel snel geïnactiveerd worden als zij buiten het verband van de levende cel gebracht worden. De natuurlijke verspreiding van de vergelingsziekte van de aster is, dat een cicade het virus uit een zieke plant opneemt. Na enige tijd wordt de cicade infectieus en kan gezonde planten besmetten. Het virus is door injecties met naalden die in het perssap van zieke planten gedoopt zijn niet over te brengen. Men komt dus tot de conclusie dat het virus in het perssap niet meer actief is. Echter kunnen wij het virus wel met een naald van plant op cicade overbrengen en ook van cicade op cicade. Blijkbaar is er iets anders aan de hand en wij moeten veronderstellen dat het insect het virus op een plaats brengt die wij met

---

[1]) Hierover werd in hoofdstuk IV (blz. 129) reeds het een en ander meegedeeld en de schrijver komt in het laatste hoofdstuk op deze belangrijke kwestie terug (bldz. 295).

onze grove methoden niet kunnen bereiken. De experimenten wijzen er op dat het virus in de zeefvaten gebracht moet worden om de plant ziek te maken. Om tenslotte de specificiteit van de betrekkingen tussen virus en cicade te verklaren moet men wel aannemen dat het virus zich in het insect vermeerdert. Dan is de overeenkomst tussen dit virus en de microben zo frappant dat wij gedwongen zijn tot het levend-zijn van het virus te besluiten.

Levende organismen worden gekenmerkt door het feit dat zij hun individualiteit onder verschillende omstandigheden weten te bewaren. Uit de eieren van een kikvors zullen zich weer kikkers ontwikkelen. Zelfs heeft elke cel van de kikker specifieke kikvors-eigenschappen. Dit komt duidelijk te voorschijn in de fraaie proeven van SPEMANN. Wanneer men bij een zeer jonge larve van de axolotl de streek wegsnijdt waar zich de mond zal vormen en men brengt op die plaats een stukje uit de rugstreek van het dier, dan zal zich uit dat weefsel toch een mond ontwikkelen. Blijkbaar gaan er van het weefsel van deze streek krachten uit die het ontstaan van een mond induceren. Nu bracht SPEMANN bij een andere proef in dezelfde streek weer eens een stukje uit de rugstreek; alleen was dit niet van de axolotl afkomstig, maar van een kikkerlarve die zich in hetzelfde stadium van ontwikkeling bevond. En ziet, er ontwikkelde zich weer een mond en deze mond had alle eigenschappen van een kikkermond. Het weefsel van de kikker volgde dus wel het bevel van het er onder liggende weefsel om een mond te vormen op, maar het behield daarbij zijn individualiteit volkomen.

Deze individualiteit van het leven blijkt niet star te zijn. Een zekere variatie is er mogelijk en een organisme kan zich in mindere of meerdere mate aan zijn milieu aanpassen. Iedereen kent het grote verschil in groeiwijze en bladvorm tussen klimop die in de zon en klimop die in de schaduw groeit. Het levende organisme kenmerkt zich door een zekere plasticiteit, die bij het ene organisme zeer groot en bij het andere heel klein kan zijn.

Onze vraag is nu in hoeverre de virussen deze eigenschappen van individualiteit, variabiliteit en aanpassingsvermogen vertonen. In de eerste plaats zien wij dat de meeste virussen ziekteverwekkers zijn. Nu zijn er mensen die een virus beschouwen als een product van de gastheercel, dus als een niet-levende stof. Laten wij deze mogelijkheid eens nauwkeurig bekijken. Vooral het serologische onderzoek (GRATIA) kan licht op het vraagstuk werpen. Het is mogelijk om b.v. het tabaksmozaikvirus serologisch aan te tonen. Het virus blijkt andere antigeen-iegenschappen te hebben dan de normale planteneiwitten; het is dus serologisch van de gewone plantenbestanddelen te onderscheiden. Een ander virus (b.v. het X-virus van de aardappel) kan eveneens serologisch gevonden worden en nu blijkt de uitvlokking zeer specifiek voor de virussoort te zijn. Vandaar dat de serologische methode bruikbaar is voor de identificatie van de virussen. Nog belangrijker is het feit dat de serologische eigenschap pen van een virus steeds eender zijn, uit welke plant het ook geïsoleerd wordt. Of nu het tabaksmozaik voorkomt in de tabak, in de tomaat of zelfs in de phlox (een plant die systematisch veel verder van de tabak afstaat dan de tomaat) altijd vinden wij dat het virus dezelfde serologische eigenschappen heeft. De conclusie die GRATIA uit zijn onderzoek trekt is dan ook dat de virussen autonome elementen zijn die hun karakter in heterogene milieus weten te bewaren. Een virus kan naar zijn idee niet anders zijn dan een parasiet en dezelfde overwegingen gelden voor de bacteriophaag. De voorstelling van het virus als een product van de cel stuit op onoverkomelijke moeilijkheden. Er zou dan een verwantschap tussen het virus en de eiwitten van de gastheerplant moeten bestaan en in ieder geval zou men verwachten dat het virus al naar de plant waaruit het geïsoleerd werd enigszins andere eigenschappen zou hebben.

Nu de serologische methode toch een onderwerp van bespreking is kan nog op een andere overeenkomst tussen virussen en microben gewezen worden. Sinds lange tijd is het gebruikelijk om bepaalde bacteriën met behulp van deze methode aan te tonen. Natuurlijk interesseerde men zich zeer voor de stoffen waaraan deze mogelijkheid voor een serologische reactie gebonden is. Men vond toen dat door verschillende bacteriën ingewikkeld gebouwde verbindingen (veelal koolhydraten) geproduceerd worden die voor de specificiteit van de reacties verantwoordelijk te stellen zijn. Deze stoffen zijn in het algemeen gemakkelijk van de bacteriën te scheiden. Toen men nu bij het serologische onderzoek van het pokkenvirus ook oplosbare stoffen vond die serologisch sterk actief zijn was hier weer een argument gevonden tegen de opvatting dat het virus een niet-levende stof is. Immers het pokkenvirus is opgebouwd uit eiwit (zoals altijd nucleoproteïnen), vet en koolhydraat. Nu zou men dit geheel — zij het dat daar enige fantasie voor nodig is — nog wel als een verbinding van deze bestanddelen, dus als één stof kunnen beschouwen. Maar dan is de moeilijkheid dat het koolhydraat uit het virus gewassen kan worden zonder dat het infectievermogen van het virus er onder lijdt. Het koolhydraat is dus of geen bestanddeel van het virus of de verbinding met de andere bestanddelen is zeer los. Als het geen bestanddeel is dan moeten wij aannemen dat het virus deze stof produceert; voorwaar een merkwaardige eigenschap van een niet-levende stof. Neemt men aan dat het koolhydraat wel een bestanddeel van het virus is dan is het weer merkwaardig dat het virus zonder het koolhydraat zijn infectievermogen behoudt. Het gemakkelijkste is natuurlijk om de analogie met de bacteriën voor ogen te houden en het virus te bezien als een levend organisme dat deze specifieke stof produceert.

Een heel merkwaardig experiment werd door BERRY verricht. Er bestaan twee konijnenziekten: het myxoom dat in 1898 door SANARELLI beschreven werd en het in 1931 door SHOPE ontdekte fibroom. Bij beide ziekten werd een virus als verwekker aangewezen en deze beide virussen blijken nauw verwant te zijn. Een dier dat immuun is tegen fibroom blijkt ook tegen myxoom beschermd te zijn. En dat terwijl de ziekten volkomen uiteenlopende klinische en pathologische effecten hebben. Het fibroom is een milde ziekte, terwijl het myxoom een zware ziekte met gewoonlijk een dodelijke afloop is. Nu spoot BERRY konijnen in met een mengsel van geïnactiveerd myxoomvirus en actief fibroomvirus. Dan krijgt het konijn zonderling genoeg de symptomen van het myxoom en uit het lichaam van het konijn is actief myxoomvirus te isoleren. Een contrôle, waarbij een konijn slechts met geïnactiveerd myxoomvirus ingespoten werd, verliep negatief; het konijn bleef gezond. Op deze wijze kan dus fibroomvirus in myxoomvirus getransformeerd worden. Doen deze experimenten ons niet sterk denken aan de proeven van GRIFFITH die op volkomen dezelfde wijze een bacteriesoort in een andere nauw verwante soort kon doen overgaan?

Wat de plasticiteit van de virussen betreft, hiervan zijn zeer veel voorbeelden te vinden [1]. Eigenlijk berust een groot deel van onze bestrijding van de virusziekten op dit phenomeen. Wij hoeven in dit verband slechts te wijzen op de overgang van het menselijke pokkenvirus (variola) in het koepokvirus (vaccinia) wanneer dit virus in het kalf gekweekt wordt. Talloos zijn de voorbeelden van een langzame verhoging van de virulentie wanneer een virus langdurig in een nieuwen gastheer gekweekt wordt. Meestal gaat hiermee een afname van het ziekteverwekkende vermogen ten opzichte van den oorspronkelijken gastheer gepaard. Het virus kan zich dus aan zijn nieuwe milieu aanpassen, kortom het vertoont ook deze belangrijke eigenschap van de levende organismen.

Uit de bacteriologie kennen wij het verschijnsel dat bepaalde bacteriën zich vooral in bepaalde weefsels vermeerderen en daar hun verwoestende

---

[1] Onder andere te vinden in hoofdstuk II § 4.

werking ten toon spreiden. Het is met de virussen niet anders. Sommige virussen zullen in het centrale zenuwstelsel te vinden zijn en dan dikwijls nog in bepaalde cellen van dat weefsel. Andere virussen vermenigvuldigen zich in de huid enz. Alweer een treffende analogie van de virussen met de andere microben.

Tenslotte hoeven wij slechts naar de laatste foto's van de virussen (platen I—III) te kijken om alle ,,molecuulideeën'' te laten varen. Wij zien pokkenvirussen met kernachtige structuren, phagen met — net als spermatozooën — ,,koppen'' en ,,staarten''. Dergelijke structuren zouden moleculen zijn? Wanneer men een dergelijke opvatting huldigt dan moet men het begrip molecuul wel zeer ver uitbreiden.

Na al deze overeenkomsten tussen virussen en bacteriën e.d. is het goed de verschillen eens onder de loupe te nemen. Het meest typische is wel het verschil in grootte. Waarom zou nu een klein object niet leven en een groter wel? Wel — zeggen sommige auteurs — om alle levens-verrichtingen te volbrengen zijn er verschillende stoffen (enzymen e.d.) nodig. Nu kan men zich voorstellen dat enkele enzymgroepen in één deeltje verenigd zijn, maar men zal toe moeten geven dat er aan deze mogelijkheid een grens is. ERRERA berekende reeds in 1906 dat er in een bolletje met een diameter van 100 mμ nog maar 10.000 eiwitmoleculen aanwezig kunnen zijn. Dit leek hem zo ongeveer de grens waarbij nog leven mogelijk zou zijn. Toen de virussen bekend werden bleek deze 100 mμ lijn dwars door de virusgroep te lopen en wat erger is, de lijn scheidde virussen met overeenkomstige eigenschappen. Een deel van de onderzoekers verschoof dus de grens van leven en niet-leven naar boven en noemde alle virussen niet-levende stoffen. Wij zijn niet van plan ons door deze denkbeeldige lijn van ERRERA tot deze houding te laten dwin-gen. Waarom zouden er 10.000 eiwitmoleculen nodig zijn om een levend organisme te vormen? Kan het niet met wat minder? Principieel is het zelfs niet onmogelijk dat een enkel eiwitmolecuul een paar levenseigen-schappen vertoont!. De afmeting van de virusdeeltjes is dus geen af-doende reden om deze vormingen tot de niet-levende wereld te rekenen.

Levende organismen zijn in staat om zichzelf op te bouwen uit brok-stukken van andere organismen of zoals de groene planten uit het kool-zuur van de lucht en het water en de zouten uit de bodem. Voor deze opbouw is energie nodig en deze energie wordt door verbranding van een deel van het voedsel geleverd. Het meest markante en voor den onder-zoeker gemakkelijk hanteerbare verschijnsel is daarbij dat er zuurstof uit de lucht verbruikt wordt, met andere woorden de organismen vertonen ademhaling. Hoe staat het met de virussen? Wanneer deze agentia ademhaling vertonen is hiermee een sterk argument voor het levend zijn gevonden. Tot onze spijt moeten wij de vraag ontkennend beantwoorden. Er is tot nu toe nog nooit een ademhaling bij de virussen vastgesteld. Een uitzondering moet gemaakt worden voor de ,,saprophytische virussen" van LAIDLAW en ELFORD. Dit is dan ook de reden dat deze organismen door velen prompt uit de virusgroep verwijderd zijn. Waarom is de ademhaling van de andere virussen niet aan te tonen? Dat is te begrijpen uit het parasitaire karakter van de pathogene virussen. Zij vermeerderen zich alleen in levende cellen en deze levende cellen halen natuurlijk adem. Buiten de levende cel vermeerdert een virus zich niet dus vertoont daar ook geen stofwisseling. Wanneer het virus in een levende cel zou ademhalen dan zouden wij dat niet kunnen waarnemen omdat de levende cel zuurstof verbruikt en het zuurstofverbruik van het virus daarbij in het niet zou vallen. Het is dus lang niet onmogelijk dat een virus net als elk ander organisme ademhaalt, maar het feit is experimenteel niet of zeer lastig te benaderen. Uit de omstandigheid dat er tot nu toe bij de ziekteverwekkende virussen geen ademhaling gevonden is mag dus zeker niet zonder meer geconcludeerd worden dat de virussen niet leven. Er blijft in ieder geval nog een mogelijkheid dat iemand met een geschikt experiment de stofwisseling van deze agentia zal kunnen aantonen.

Overzien wij de eigenschappen van de virussen dan beamen wij de uitspraak van QUANJER, dat men nauwelijks het bestaan van een wereld van zeer kleine en met het microscoop onzichtbare organismen kan ontkennen. De virussen zijn kleine deeltjes die zich in passend milieu ongelimiteerd kunnen vermeerderen. Wanneer zij in verschillende media gekweekt worden behouden zij hun eigen karakter. Bij het behoud van hun individualiteit vertonen zij een zekere variabiliteit en zij kunnen zich in meerdere of mindere mate aan het milieu aanpassen. FLU zegt dan ook terecht dat practisch alle pathologen en microbiologen het virus als iets levends beschouwen. Dit hoeft bij de volkomen overeenstemming tussen de eigenschappen van de virussen en de andere microben absoluut geen verwondering te wekken. De enkele verschillen die te vinden zijn kunnen zonder meer uit de kleine afmetingen of uit het celparasitisme van de agentia afgeleid worden.

2. De gen-theorie [1])

Wanneer wij ons op het standpunt stellen dat een virus een organisme is dan kunnen wij ons als biologen niet met het vaststellen van dit feit vergenoegen. Onze opgave wordt dan om vast te stellen hoe de virussen in het systeem van de levende organismen passen. De ontzagwekkende veelsoortigheid van de levende natuur heeft al vroeg tot pogingen geleid om de organismen te ordenen. Nu moeten wij de plaats van de virussen in het langzamerhand ontwikkelde en zeker nog niet volmaakte natuurlijke systeem van de levende natuur bepalen. Deze poging stuit op grote moeilijkheden. Aan de basis van het natuurlijke systeem staan naar men algemeen aanneemt de eencellige organismen. Uit deze eencelligen denkt men zich de andere organismen langzamerhand ontstaan. Deze gedachte aan een afstamming van hogere organismen uit lager ontwikkelde vormen manifesteert zich in het opstellen van stambomen. Deze stambomen geven een enigszins verwrongen beeld van de natuurlijke ontwikkelingsgang en de Leidse hoogleraar LAM is op de gedachte gekomen om het natuurlijke systeem van de organismen in een geologische „tijdbol" te projecteren. Dan zien wij op fraaie wijze hoe de verschillende groepen van organismen met elkaar samenhangen en ons wordt duidelijk wat de bezwaren tegen de oudere stambomen zijn.

Om de plaats van de virussen in een dergelijk systeem te bepalen grijpen wij naar de middelen waarmee wij als biologen vertrouwd zijn. Wij onderzoeken de vorm en de bouw van een organisme en leiden daaruit de betrekkingen met andere organismen af. Tot voor kort wisten wij van de vorm en de bouw van de virussen bedroevend weinig af, maar sinds de ontdekking van het electronenmicroscoop zijn wij iets beter ingelicht. De virussen zijn zeer kleine ronde, kubusachtige, staaf- of naaldvormige deeltjes die soms enige differentiatie laten zien. In ieder geval kunnen wij op het eerste gezicht zeggen dat het geen organismen zijn die uit vele cellen opgebouwd zijn. Mogen wij nu zeggen dat de virussen vergelijkbaar met de eencellige organismen zijn? Om deze vraag te beantwoorden moeten wij eerst de kenmerken van de eencellige organismen nader bekijken.

Reeds in de zeventiende eeuw zag HOOKE dat een dunne doorsnede van kurk een zekere overeenkomst vertoont met een bijenraat en de

---

[1]) Een moeilijkheid is dat het gen niet als biologische eenheid gezien behoeft te worden. Vandaar dat in het laatste hoofdstuk verband gezocht wordt tussen virussen, genen en enzymen (§ 2).

ruimten die hij in dit weefsel waarnam noemde hij daarom cellen. De betekenis van deze cellen is pas veel later ingezien. Het bleek dat alle dieren en planten uit dergelijke cellen opgebouwd zijn en in 1838 werd door SCHLEIDEN en SCHWANN de mening uitgesproken dat de cellen de fundamentele bouwstenen van de organismen zijn. Deze celtheorie ziet nu de cellen als de principiële eenheden van de organismen en men mag op grond van deze theorie verwachten, dat elk levend organisme uit een of meer cellen bestaat. Een dergelijke cel wordt onderscheiden in levende en niet-levende bestanddelen. De levende bestanddelen vatten wij samen onder de naam protoplasma. Hiertoe rekenen wij de celkern, waar men de stoffelijke basis van de erfelijke eigenschappen zoekt en die bij de deling van de cellen een grote rol speelt. De rest van het protoplasma noemt men het cytoplasma, dat getypeerd wordt door de voortdurende beweging waarin het zich bevindt. Ongetwijfeld is dit celbestanddeel de zetel van vele levensprocessen. Sommige levensfuncties zijn gebonden aan bepaalde lichaampjes in het cytoplasma; de z.g. plastiden. Dit zeer summiere beeld van de bouw van een cel levert ons de gegevens om tot een vergelijking van de virussen met eencellige organismen te komen.

Wij komen dus tot de vraag: bevat een virus een kern, plastiden, cytoplasma of andere vormingen die kenmerkend voor de cellen zijn? En wij moeten een ontkennend antwoord geven, hoewel toegegeven moet worden dat de virussen niet homogeen zijn. In de foto's van de grotere virussen (het spreekt vanzelf dat wij hier foto's bedoelen die genomen werden met het electronenmicroscoop) is er van een echte kern of van andere duidelijke celvormingen niets te vinden (zie plaat III). Nu is dit niet zo ernstig als het op het eerste gezicht lijkt. Ook bij de bacteriën is nog nooit een kern gevonden. Wel kan men aannemelijk maken dat hetzelfde materiaal waaruit bij hogere organismen de celkern bestaat ook bij bacteriën te vinden is. De celkern is opgebouwd uit ingewikkelde eiwitten, de nucleo-proteinen. Er wordt nu door velen aangenomen dat het kernmateriaal bij de bacteriën niet in een apart lichaam geconcentreerd is, maar dat deze stof door de gehele cel verspreid is. De kern zou dus diffuus zijn, m.a.w. de kern is microscopisch niet waarneembaar. Nu is het een bekend feit, dat bij alle virussen de nucleoproteïnen een zeer belangrijk bestanddeel vormen. Wij zouden dus kunnen zeggen, dat de toestand bij de grotere virussen (b.v. het pokkenvirus) te vergelijken is met de verhoudingen die wij bij de bacteriën tegenkomen. Daar komt bij dat hier het bestaan van een zekere afgrenzing of membraan van het virus aannemelijk gemaakt is. De foto's vertonen deze virussen als enigszins hoekige vormingen met afgeronde hoeken. Dit wijst volgens RUSKA op een bepaalde organisatie in het viruslichaam. De hoekige vorm is namelijk het gevolg van de indroging van het preparaat dat oorspronkelijk vermoedelijk de bolvorm bezat. Bij een niet georganiseerde levenloze stof die door drogen water verliest verwachten wij niet dat een dergelijke karakteristieke vorm het resultaat zal zijn.

Kunnen wij dus de grotere virussen nog als cellen beschouwen, de kleinste virussen (mozaik van de tabak, kinderverlamming) lijken in de verste verte niet op de voorstelling die wij van cellen hebben. In de eerste plaats bestaan deze virussen uit een enkele stof, terwijl een cel juist gekarakteriseerd is door de samenwerking van vele stoffen in een hogere eenheid. Daarnaast zijn ook de vormen van deze virussen anders dan wij van cellen gewend zijn. Wel is de stof waaruit deze virussen bestaan weer nucleoproteïne, dus hier voelen wij eveneens een verband met de celkern van hogere organismen. Er zijn enkele auteurs die — uitgaande van de mening dat virussen levende organismen zijn en dus uit cellen moeten bestaan — het celbegrip willen vereenvoudigen zodat ook de eenvoudigste virussen als cellen beschouwd kunnen worden. Naar mijn mening verliest dan het celbegrip zijn wetenschappelijke waarde. Iedereen die zich met de bouw van weefsels en organen van hogere organismen bezig houdt zal het er mee eens zijn dat een cel die zo vaag gedefinieerd wordt, dat het begrip zelfs een enkelvoudige stof kan omvatten, niet bruikbaar meer is.

Wij zijn dus in een moeilijke situatie aangeland. Aan de ene kant beschouwen wij de virussen als levende organismen, terwijl ons van biologische zijde verzekerd wordt dat levende organismen altijd uit cellen opgebouwd zijn. Anderzijds zijn er virussen die zeker geen eencellige organismen zijn. Daarom gaan wij twijfelen aan de celtheorie die zich nu in de respectabele ouderdom van meer dan honderd jaren verheugt. Het is natuurlijk wat oneerbiedig tegenover deze eerbiedwaardige ouderdom, maar toch vragen wij ons af: is de cel inderdaad de kleinste levenseenheid? Is de cel de primitiefste en ondeelbare levensvorm? Van een eenheid van het leven zouden wij verwachten dat zij niet in delen te splitsen is die ieder voor zich levensvatbaar zijn. Toch is dat bij vele eencellige organismen wel het geval. Verschillende van deze levensvormen kunnen in vele stukken gesneden worden, waarbij elk stukje regenereert tot een volledig organisme. Aan deze regeneratie is echter een voorwaarde verbonden. Het stukje dat wij van de cel afsnijden moet een deel van de celkern bevatten om levensvatbaar te zijn. De cel is dus als zodanig niet ondeelbaar en dit wijst op de mogelijkheid dat het niet de primitiefste levensvorm is die denkbaar is.

Wat is dan wel de levenseenheid? Ter beantwoording van deze vraag moeten wij de celdeling bekijken en nagaan welke bestanddelen van de cel zich vermenigvuldigen. Wij kunnen ons immers voorstellen dat een cel uit delen bestaat die zich actief vermenigvuldigen (en hieronder zouden wij naar de eenheid van het leven moeten zoeken), terwijl er daarnaast delen zijn die gelijkelijk over de dochtercellen verdeeld worden. Aan de celdeling gaat de kerndeling vooraf. Deze kerndeling kan in enige phasen verdeeld worden. De eerste phase wordt gekenmerkt doordat zich in de kern een aantal lusvormige stukken vormen die wij de chromosomen noemen. Deze chromosomen delen zich overlangs in tweeën. Daarna worden de gespleten chromosomen in een vlak gerangschikt en in het protoplasma wordt een spoelvormige draadfiguur zichtbaar. De derde phase bestaat uit het uiteenwijken van de helften van de chromosomen, vermoedelijk doordat de spoeldraden zich verkorten. Tijdens de laatste phase versmelten de chromosomen met elkaar om de kernen van de dochtercellen te vormen en daarna begint zich in het protoplasma de nieuwe celwand af te tekenen.

Bij deze gang van zaken is het duidelijk dat de chromosomen zich vermeerderen terwijl bijvoorbeeld het cytoplasma passief verdeeld wordt over de twee dochtercellen. Zouden de chromosomen de gezochte levenseenheden zijn? Vermoedelijk niet, want de chromosomen zijn weer uit kleinere eenheden opgebouwd: de genen. Deze genen zijn ons bekend uit het onderzoek naar de erfelijke eigenschappen van de organismen. Uit de proeven van MENDEL (1865) kon de conclusie getrokken worden dat er in de geslachtscellen zekere factoren voorkwamen die de eigenschappen van de daaruit opgroeiende organismen bepalen. Het heeft lang geduurd voordat de oorspronkelijke speculatieve opvatting dat de genen in de chromosomen aanwezig zouden zijn (WEISMANN), bevestigd werd door het experimentele onderzoek. Wij kunnen niet op deze bewijzen ingaan maar vermelden slechts het werk van MORGAN, die er in slaagde om bij de bananenvlieg de chromosomen ,,in kaart te brengen'' en er de plaats van vele genen in aan te wijzen. Wij moeten dus de genetici geloven wanneer zij in de chromosomen zeer kleine deeltjes aanwijzen — de genen — die de dragers zijn van de erfelijke eigenschappen en als zodanig over een grote zelfstandigheid en onveranderlijkheid beschikken. Dit zijn nu geluiden die ons bij het zoeken naar een eenheid van het leven op weg kunnen helpen; autonomie en individualiteit zijn immers eigenschappen die

levende organismen kenmerken. Hoe zit het nu met die andere eigenschap
van het leven: de variabiliteit? Tussen twee haakjes, over de aanpassing
aan het milieu kunnen wij hier weinig positiefs zeggen omdat zich tussen
het gen en het milieu altijd het organisme bevindt. De verhoudingen
worden daardoor zeer ingewikkeld. Maar over de veranderlijkheid van
de genen is wel het een en ander te zeggen.

In de erfelijkheidsleer komt de veranderlijkheid van de genen tot
uitdrukking in de mutatietheorie van DE VRIES. Er kunnen bij planten
en dieren plotseling afwijkingen optreden en deze veranderingen blijken
erfelijk te zijn. Deze z.g. mutaties kunnen aan diverse oorzaken toegeschreven worden: veranderingen in de genen, in de chromosomen, in het
aantal chromosomen enz. Ons interesseren voornamelijk de mutaties
in de genen. Daarbij zien wij een dominante factor overgaan in een recessieve, wat een belangrijke verandering voor het organisme kan betekenen.
Deze soort veranderingen zijn erfelijk, dus na de gebeurtenis is het gen
wederom autonoom en overanderlijk. De slotsom is dus dat de genen
dingen zijn die zich — bij de celdeling — kunnen vermeerderen; zij zijn
autonoom en onveranderlijk, evenwel kunnen plotselinge veranderingen
het karakter van het gen beïnvloeden. Men kan het gen dus opvatten
als een bestanddeel van het cellichaam dat genoeg eigenschappen heeft
om het als de eenheid van het leven te zien (ERNST). Er zijn naar deze
mening levenseenheden die kleiner en eenvoudiger van bouw zijn dan
de cel.

Nu vragen wij naar de overeenkomst tussen de virussen en de genen.
Vooral WOLLMAN heeft zich ingespannen om de punten van overeenkomst tussen deze twee soorten biologische eenheden te belichten, maar
daarbij moet er direct de nadruk op gelegd worden dat deze overeenkomst
vooral betrekking heeft op de bacteriophaag en de kleinere virussen. In
de eerste plaats wijst hij op de afmetingen van de genen. Bij een bananenvlieg zal een gen ongeveer een inhoud hebben van een bol met een diameter van 13 mμ. Dit komt wel zeer fraai in de buurt van de afmetingen
van de kleine virussen. Van chemische zijde wordt er op gewezen dat ook
het gen vermoedelijk uit een enkele stof opgebouwd is en deze stof is
alweer het nucleoproteïne, dus de bouwstof van de virussen. De physiologische overeenkomst is gelegen in het feit dat de genen zich evenals
de virussen in de cel individueel vermeerderen en dat bij die vermeerdering zeer sterk vastgehouden wordt aan de oorspronkelijke eigenschappen, terwijl daarnaast af en toe plotselinge veranderingen (mutaties) optreden. Wat de virussen betreft is er nog een strijd gaande of

wij hier van mutatie (dus blijvende en plotselinge verandering) mogen spreken. Het lijkt ons niet dat degenen die het bestaan van mutaties bij virussen ontkennen gelijk hebben. Een eventuele verandering in de eigenschappen van een virus wordt door deze tegenstanders teruggebracht tot een selectie uit oorspronkelijk heterogeen materiaal. Hoewel dit ongetwijfeld voorkomt zal het moeilijk zijn om elke verandering die wij bij virussen zien optreden op deze wijze te verklaren. Wanneer wij zien dat dergelijke plotselinge veranderingen verkregen worden door b.v. een mozaikzieke tabaksplant met Röntgenstralen te behandelen en wij bedenken daarbij dat op dezelfde wijze bij planten kunstmatig mutaties kunnen worden opgewekt, dan ligt het voor de hand om ook hier van mutaties te spreken. SALAMAN heeft bij zijn onderzoek over het X-virus van de aardappel vele malen veranderingen in de eigenschappen van het virus waargenomen. Ook hij komt na de bestudering van deze veranderingen tot de slotsom dat wij hier gerust van mutaties kunnen spreken. In een enkele gastheersoort die zich in een constant milieu bevindt treden de veranderingen zelden op. Tijdens de zuivering van het virus — dus door chemische invloeden — ziet hij vaak het overgaan in een andere variant. Terwijl passage van het virus door planten uit dezelfde familie als de aardappel geen verandering oplevert, zien wij bij het kweken in niet-verwante planten (b.v. de suikerbiet) verzwakte varianten te voorschijn komen. Zelfs kan deze verandering in vitro plaats hebben, door namelijk het virus in het perssap van een suikerbietenplant te brengen. Hij vat deze veranderingen als mutaties op; in deze mening wordt hij gesterkt doordat de mutaties bij virussen meestal in één richting gaan. In het algemeen wordt het virus verzwakt. Ook bij de „echte" mutaties van erfelijke eigenschappen gaat meestal een dominante factor in een recessieve over.

Een aantal biologen vindt de overeenkomst tussen virussen en genen zo indrukwekkend dat zij de virussen beschouwen als vrij gemaakte genen. Door een mysterieus proces zou een gen in een virus kunnen veranderen; het treedt dan uit de cel en gaat een zelfstandig bestaan voeren. Het is de grote vraag of wij zo ver mogen gaan. Kan een gen werkelijk uit het celverband losgemaakt worden? Is het bestand tegen de extreme milieufactoren die sommige virussen kunnen verdragen? De stap van een gen in celverband naar een parasitair virus is wel heel groot. Hoe verschillend zijn de betrekkingen van het gen tot de cel niet van die van het virus tot de cel. Aan de ene kant zijn genen physiologische eenheden die in het grote geheel van het organisme bepaalde reactieketens besturen.

Aan de andere kant de virussen, ziekteverwekkers die van organisme tot organisme overgebracht worden en dan grote beschadigingen kunnen aanbrengen. Het lijkt ver gezocht om hier een direct verband te leggen.

Nu komt er nog iets bij. Men vond dat de uitwerking van een gen afhankelijk is van de plaats die het in het chromosoom inneemt. Dit noemt men het positie-effect (STURTEVANT). Het wordt dus veroorzaakt als een gen bij een fout in de deling die tot de geslachtscellen leidt toevallig in een ander deel van het chromosoom terecht komt. Enkele genetici (GOLDSCHMIDT) trekken uit deze vondst de consequentie dat het zogenaamde gen eigenlijk niet bestaat. Zij geloven dat het chromosoom een groot ondeelbaar geheel is en dat wat wij gen-werking noemen niet anders is dan een positie-effect. Nu kan het grootste deel der genetici zich niet met deze voorstelling verenigen. Vooral ook niet omdat er wel eens een verlies van erfelijke eigenschappen vastgesteld wordt dat met zekerheid teruggebracht kan worden tot het ontbreken van kleine stukjes uit de chromosomen (LIZYNSKI). Toch wijst deze mening op het bezwaar om de virussen te vergelijken met de genen; vormingen waarvan zij nog zo weinig weten.

Natuurlijk trachtte men om een uitweg uit deze moeilijkheden te vinden. Men zou zich kunnen voorstellen dat een virus meer op een chromosoom dan op een gen lijkt, aangezien het gehele chromosoom de normale ontwikkeling bestuurt, waarbij een zeer bepaalde innerlijke orde voor de goede functie van het chromosoom noodzakelijk is. Ook bij een virus kunnen wij tekenen van een innerlijke orde waarnemen. Evenwel is de overeenkomst tussen een virus en een chromosoom niet indrukwekkend. De groei van een chromosoom in een cel is heel anders dan die van een virus.

Een laatste mogelijkheid ligt nog in een suggestie van HALDANE. Lange tijd heeft het geschenen alsof alleen de kern de materiële grondslagen van de erfelijke eigenschappen zou bevatten. In de laatste jaren worden er steeds meer voorbeelden bekend die moeilijk anders verklaard kunnen worden dan door aan te nemen dat er ook buiten de kern (dus in het cytoplasma) erfelijke eigenschappen gelokaliseerd zijn. Zoals men weet bevatten de mannelijke geslachtscellen geen of weinig, de vrouwelijke cellen daarentegen veel cytoplasma. In overeenstemming hiermee vindt men soms dat de invloed van het moederlijke plasma groot is. Men kan zich voorstellen dat bepaalde genen niet in staat zijn hun wil aan het cytoplasma op te leggen. Het is duidelijk dat een bepaalde erfelijke eigenschap die door een gen meegebracht wordt slechts via het cytoplasma tot uitdrukking kan komen. Zijn nu in dat plasma erfelijke eigenschappen vastgelegd die ,,sterker" zijn dan de door het gen meegebrachte eigenschap, dan zal de laatste eigenschap in het geheel niet verschijnen. Zo komen wij tot de voorstelling dat er ,,cytoplasmagenen" zijn; de stoffelijke bases van de plasmatische erfelijke eigenschappen. Niet dat wij reeds weten waar deze cytoplasmagenen in het cytoplasma te vinden zijn; wij leiden het bestaan hiervan slechts uit het experiment af. Nu suggereert HALDANE dat de virussen te beschouwen zouden zijn als vrije cytoplasmagenen. Men beweert dat er overeenkomst zou bestaan van de mutabiliteit van virussen en cytoplasmagenen. De invloed van het milieu zou groter zijn dan bij de kerngenen. Dikwijls worden kenmerken gevonden die onder invloed van een milieufactor langzamerhand kunnen veranderen zodat men een langzame overgang van twee types planten of dieren in elkaar vindt. Dit wordt vergeleken met de langzame virulentieafname die bij virussen nogal eens waargenomen wordt als een virus in een andere gastheer gekweekt wordt. Al met al is deze voorstelling te hypothetisch om voor een kritische bespreking in aanmerking te komen. Een belangrijk feit is natuurlijk dat de virussen zich dikwijls in het cytoplasma bevinden. Chemisch gezien is er verband tussen de meeste virussen en de nucleoproteinen uit het cytoplasma, terwijl er verschil is met de nucleoproteinen uit de kern. Dit kan een belangrijke aanwijzing zijn, alleen moet niet vergeten worden dat wij dan stilzwijgend aannemen dat die cytoplasmagenen geheel of voor een belangrijk deel uit nucleoproteinen bestaan. Weten doen wij dat niet.

De theorieën die van biologische zijde over het wezen van de virussen ontwikkeld zijn kunnen ons niet erg bevredigen. Wij geloven dat het virus leeft, maar onze pogingen om deze organismen te vergelijken met andere levenseenheden zijn niet in alle opzichten geslaagd. Kan het niet zijn dat de virussen een heel aparte groep van levende eenheden vormen? Uit alle onderzoekingen van het gehele levensgebied komt duidelijk naar voren dat de tot nu toe bekende zich zelf reproducerende elementen nucleoproteinen zijn of deze stoffen bevatten. In het cytoplasma van jong en sterk groeiend weefsel is het gehalte aan nucleoproteinen hoog. Gaat de differentiatie van de cellen verder dan verliezen zij deze eigenschap. Zeer opvallend is dat bij de sterk gespecialiseerde bloedcellen. Op de een of andere wijze zijn de nucleoproteinen bij de celgroei betrokken. Is er een grote eiwitproductie, dan vinden wij veel nucleoproteinen. Het is verleidelijk om hier weer een bewijs in te zien dat wij de virussen — die immers uit nucleoproteinen bestaan — als levende dingen moeten zien.

CASPERSSON, die belangrijk werk over de levensfuncties van de nucleo-proteinen verrichtte, ziet dan ook in de verschillende organismen drie trappen wat betreft hun organisatiegraad. De laagste trap vormen de virussen, die eenvoudig uit nucleoproteinen bestaan. Daarna volgen de gisten en bacteriën. Deze bevatten reeds vele elementen die zich zelf kunnen reproduceren. Het onderscheid met de virussen is dat deze cellen er een eigen stofwisseling op na houden. Tenslotte krijgen wij de hogere cellen, waar het mechanisme van de stofwisseling e.d. eender is als bij de bacteriën en gisten. Evenwel is hier een deel van het nucleoproteine in de kern geconcentreerd.

Ik geloof dat wij ons met deze beschouwingswijze tevreden moeten stellen. Zeker zijn er overeenkomsten tussen de virussen en de genen maar aan de andere kant zijn er ook evidente verschillen. Het lijkt niet noodzakelijk om een virus met een gen gelijk te stellen. Al was het alleen maar omdat de vergelijking van de grotere virussen met de genen zeker niet opgaat. Waarom zouden wij de virussen niet beschouwen als een aparte vorm van leven, een vorm die tot nu toe nog niet bekend was?

3. *De afstamming van de virussen.*

De bioloog is na het werk van DARWIN volkomen vertrouwd met het idee dat het systeem van de levende organismen meer is dan een ge-makkelijke en noodzakelijke manier om de objecten te ordenen. Een timmerman zal zijn spijkers, schroeven e.d. ordenen omdat hij op een gegeven moment bijvoorbeeld een spijker van vier centimeter lengte nodig heeft en het is lastig om deze spijker op te diepen uit een vat vol met spijkers en schroeven van de meest uiteenlopende grootten. Daarom maakt hij een bak met verschillende vakjes en legt daarin zijn spijkers, naar de grootte gerangschikt. In een andere bak zal hij zijn schroeven doen, allereerst verdeeld in koperen en ijzeren schroeven, die dan verder weer naar de grootte onderverdeeld worden.

Ongeveer op dezelfde wijze heeft zich de systematiek van de organis-men ontwikkeld. Men ziet direct in dat hier een indeling naar de grootte van de objecten heel weinig zin zou hebben, al was het alleen maar daarom dat een jong paard dan in een andere klasse geplaatst moet worden als een oud paard. Ook de oudere systemen (PLINIUS) die de dieren indelen naar het milieu waarin de dieren leven — land-, water- en luchtdieren — stuiten op moeilijkheden. Pas een indeling naar de organisatie van de organismen kon de talloze dieren en planten tot handelbare objecten voor de biologische wetenschap maken. De studie van de organisatie is dus de noodzakelijke basis voor een indeling van de levensvormen. Bij deze studie viel het reeds vroeg op dat de organisatiegraad van de objecten verschillend was. Er zijn vormen die hoog en andere die laag georganiseerd zijn. Evenwel ontbrak er een inzicht waaraan deze verschillen in organisatiegraad toegeschreven konden worden. Totdat men op het idee kwam dat de groepen die verschillend zijn in organisatiegraad beschouwd moesten worden als trappen in de ontwikkeling van het leven op aarde. De groep met een hoge organisatiegraad stamt van een lager georganiseerde groep af. Deze afstammingsleer wordt door gegevens uit verschillende onderdelen van de biologie gesteund. Het ligt niet op de weg van dit boek om daar nader op in te gaan; wij gaan uit van het feit dat een ontwikkeling van hogere organismen uit lagere organismen in de loop van de aardgeschiedenis algemeen aangenomen wordt.

Deze instelling van de bioloog brengt met zich mee dat hij zal trachten ook voor de virussen uit te maken welke plaats zij in de afstammingsreeks innemen. Op de voorgrond moet gesteld worden dat wij van de organisatie en de bouw van de virussen nog niet zoveel afweten, zodat alle beschouwingen over de afstamming van de virussen een sterk speculatieve inslag zullen hebben.

Wij zijn dus tot de conclusie gekomen dat de virussen de primitiefste levensvormen zijn die wij kennen. Het ligt nu voor de hand om de virussen aan het begin van de afstammingsreeks te plaatsen en te veronderstellen dat alle andere organismen zich uit de virussen ontwikkeld hebben. Wij naderen hier een probleem dat reeds lang de gemoederen bezig houdt en dat tot felle discussies aanleiding gegeven heeft: het vraagstuk van het ontstaan van het leven. Alleen voor degenen die hier aan een wonder geloven bestaat het probleem niet. Voor ieder ander is de vraag: hoe is het leven ontstaan? Er zijn antwoorden gegeven die een ontwijken van het probleem betekenen. Het leven zou van andere delen van het heelal op aarde gearriveerd zijn; zoals ARRHENIUS meende door de stralingsdruk overgebracht. Deze hypothese verlegt het probleem naar andere werelden, behalve als men aanneemt dat het leven evenals de anorganische natuur eeuwig is. Dergelijke theorieën hebben betrekkelijk weinig aanhangers gevonden en het ontstaan van het leven is een fascinerend probleem gebleven.

In vroeger eeuwen was men er van overtuigd dat levende organismen onder bijzondere omstandigheden uit levenloze materie konden ontstaan.

Bij deze ideeën over „generatio spontanea" speelden modder, vuile hemden en dergelijke onverkwikkelijkheden een grote rol. Door het werk van PASTEUR werd aan deze theorieën de vaste grond ontnomen. Substanties die aan bederf onderhevig zijn gaan niet „leven", maar overal in de lucht bevinden zich kiemen van lagere organismen, die zich in elk gunstig milieu zullen ontwikkelen. Alle experimenten door PASTEUR en de na hem komende bacteriologen gedaan, wijzen er op dat leven slechts uit leven kan ontstaan. Nooit heeft men aannemelijk kunnen maken dat een levend organisme uit niet-levende stof ontstaat. Dit is — naast beweegredenen van metaphysische aard — ongetwijfeld de oorzaak dat velen het leven zien als een „enclave, afgesloten naar de zijde van het levenloze en niet daaruit voortgekomen" (BOEKE). Allen die op het tegenovergestelde standpunt staan en dus het leven willen verklaren met behulp van physische en chemische theorieën moeten ook trachten om zich van het begin van dat leven een voorstelling te maken. Daar de overgang van een anorganische stof in een levend organisme in het laboratorium niet (of nog niet, zeggen anderen) bewerkstelligd kan worden, is men geneigd om het onstaan van het leven naar een vroegere periode van de aardgeschiedenis te verleggen, toen de milieuomstandigheden heel anders waren als tegenwoordig. Zo ziet PFLÜGER het verschil tussen levend en dood ciwit in het aanwezig zijn van cyaangroepen. Daar cyaan alleen bij hoge temperatuur kan ontstaan zal het begin van het leven gevonden moeten worden in de periode dat de aarde nog een gloeiende bol was. Anderen zien in het water een zeer belangrijke voorwaarde voor het ontstaan van het leven. Alle theorieën komen in principe hierin overeen dat aan de evolutie van de organismen een soort evolutie van de niet-levende materie vooraf gegaan moet zijn. Steeds ingewikkelder werd de bouw van de moleculen, totdat er dingen gevormd waren die op het praedicaat leven aanspraak konden maken. Of wij dit eerste leven nu ontstaan denken uit een „eiwitzee" (HAECKEL) waaruit plotseling en toevallig een levend wezen te voorschijn kwam, of dat wij deze ontwikkelingsgang meer geleidelijk zien (OPARIN) doet aan deze theorieën betrekkelijk weinig af. Ook ALEXANDER meent dat het leven op aarde begonnen is met vormingen van moleculaire aard. Steeds ingewikkelder wordt de bouw totdat wij op een gegeven moment een molecuul zien verschijnen dat een bepaalde chemische reactie kan katalyseren en dat daarnaast zichzelf vermeerderen kan. Dit zijn nu de eigenschappen die elke vorm van leven heeft. Wanneer wij bijvoorbeeld een gistcel bekijken dan zien wij dat deze cel de reactie „suiker $\rightarrow$ alcohol $+$ koolzuur" katalyseert, terwijl het organisme zich met behulp van de daarbij vrijkomende energie uit een heterogeen milieu kan opbouwen. Een dergelijk molecuul dat tevens de primitiefste vorm van leven is, noemt ALEXANDER een moleculobiont.

Deze inzichten, dat aan de cellulaire evolutie van de bioloog, welke van eencelligen tot de hoogst georganiseerde levensuitingen voert, een praecellulaire evolutie voorafgegaan moet zijn, hebben KLUYVER de opvatting doen opperen dat de virussen verschillende trappen in deze praecellulaire evolutie representeren. Wanneer wij de bouw van de virussen bezien, dan lijkt deze opvatting een fraaie aanvulling van de biologische afstammingstheorie. Wij zien zeer eenvoudig gebouwde virussen (tabaksmozaikvirus) die een zo lage organisatietrap hebben dat velen hier van moleculen willen spreken. Steeds ingewikkelder wordt de bouw, totdat tenslotte de grootste virussen (pokkenvirus) al veel op bacteriën lijken en misschien als eencelligen bekeken kunnen worden. Het lijkt mooier dan het in werkelijkheid is. Want virussen zijn parasieten en hoe kan een parasiet aan het begin van een afstammingsreeks staan? Het tabaksmozaikvirus kan alleen leven in de cellen van hogere planten; het kan dus onmogelijk geleefd hebben voordat deze hogere organismen ontwikkeld waren. Hier zit de theorie in een impasse. Het is nog mogelijk om de veronderstelling te redden, maar dan moet men aannemen, dat de omstandigheden op de aarde vroeger zo waren dat dergelijke „levende moleculen" wel een zelfstandig en niet-parasitair leven konden leiden. Deze omstandigheden moeten dan tot aan het ontstaan van de hogere planten geheerst hebben. Toen zijn er factoren gekomen die het vrije bestaan van de moleculobionten onmogelijk maakten en er hebben zich uit deze vormingen de parasitaire levende moleculen (dus de eenvoudigste virussen) ontwikkeld. Zoals men ziet is er een ingewikkelde constructie nodig om de theorie op de been te houden.

Een andere mogelijkheid is nog dat de vrije vormen van de levende moleculen tegenwoordig wel voorkomen, maar nog niet gevonden zijn. Dit is niet zo'n gezochte verklaring als het op het eerste gezicht lijkt, aangezien dit soort moleculen bijna onvindbaar zou zijn. Zij zijn te klein om direct waar te nemen en verraden zich niet zoals de virussen die bij hogere organismen ziekten veroorzaken.

De meeste biologen voelen niet veel voor de opvatting dat de virussen aan het begin van de ontwikkeling van het leven geplaatst zouden moeten worden. De andere uitweg — het virus is een product van de gastheercel dat zichzelf op merkwaardige wijze kan reproduceren — wordt afgewezen omdat wij niet kunnen inzien dat een product van een cel levend zou kunnen zijn. Trouwens er is op deze hypothese nog wel het een en ander aan te merken wat in de volgende paragraaf uitvoerig zal geschieden. Is er nog een andere mogelijkheid?

Wanneer wij uitgaan van het feit dat de virussen parasieten zijn, is er over de afstamming van de virussen nog wel iets op te merken. Immers parasitaire organismen zullen zich altijd uit vrij levende organismen ontwikkeld hebben. Wanneer er bijvoorbeeld alleen maar parasitaire bacteriën waren, dan zou de bioloog de volgende veronderstellingen kunnen maken. In de eerste plaats kunnen deze parasitaire bacteriën uit vrij levende bacteriën zijn ontstaan, maar de vrij levende vormen zijn uitgestorven of nog niet gevonden. Of wel de parasitaire bacteriën hebben zich uit een heel andere groep van organismen ontwikkeld. Wat zien wij als er uit een groep van organismen parasieten voortkomen? Laten wij eens een paar parasieten bekijken.

Aan de buikzijde van krabben vinden wij af en toe een zakvormige parasiet (*Sacculina*). Deze parasiet doet zich voor als een groot gezwel waaruit zich een soort wortelvormig systeem in het lichaam van de krab ontwikkelt. De weefsels van de gastheer worden daardoor uitgezogen. Wanneer wij nu willen weten waar deze parasiet in het systeem van de organismen thuishoort dan staan wij voor een raadsel. Het dier heeft geen mond, geen anus, geen ledematen, geen segmentatie, kortom er is geen enkel kenmerk aanwezig dat een systematicus houvast kan geven. Slechts de geslachtsklieren zijn aanwezig en bij volwassen dieren zijn deze gevuld met embryonen. Wanneer deze vrij komen blijken zij er uit te zien als de larven van kreeftachtigen, zij zwemmen vrij rond, maken enkele vervellingen door en vestigen zich tenslotte op een krab. Zij verliezen dan al hun kenmerken en gaan in een *Sacculina* over. Aan de eigenschappen van de vrij levende larven is het mogelijk om het dier te klassificeren. *Sacculina* blijkt met de eendenmossel verwant te zijn.

Ons andere voorbeeld ontlenen wij aan de plantkunde. 's Zomers kan men op de heide dikwijls een warnet van rode draden vinden, het warkruid of duivelsnaaigaren. Bij nadere beschouwing blijkt dat het aan de heideplanten vastgegroeid zit door zuigwortels, waardoor het warkruid aan de gastheer zijn voedsel onttrekt. Verder ontbreken weer alle kenmerken die tot een determinatie van de plant zouden kunnen leiden. Er is slechts die rode stengel waarop zich wat gele schubjes bevinden, de restanten van de bladeren. Een wortel is helemaal niet aanwezig, d.w.z. in het jeugdstadium van de plant te gronde gegaan. Totdat de

plant begint te bloeien en wij aan de bloemen kunnen zien in welke familie
het warkruid ondergebracht moet worden.

Uit deze voorbeelden is duidelijk wat er gebeurt als er zich uit vrij
levende organismen een parasiet ontwikkelt. Deze parasieten worden
sterk gereduceerd en verliezen alle kenmerken die voor het parasitaire
leven van geen belang zijn. Tenslotte wordt een parasiet nog slechts door
twee zaken gekenmerkt: het opnemen van voedsel en de vermeerdering.
Deze beschouwing is door GREEN op de virussen toegepast. In hun eenvoudigste vorm zijn de virussen nucleoproteinen, stoffen die bij alle
levende organismen als de dragers van leven, vermeerdering en erfelijke
eigenschappen te vinden zijn. Wat ligt meer voor de hand dan deze virussen ontstaan te denken uit hogere organismen door een sterke vereenvoudiging als gevolg van het parasitisme van deze vormen? Wanneer wij
deze hypothese van GREEN aanvaarden dan kunnen er enkele conclusies
uit getrokken worden. In de eerste plaats hoeven er geen vrij levende
virussen te zijn. Wij kennen wel enkele grote vrij levende vormen die
wat hun afmetingen betreft op de grootste virussen lijken, maar wij hoeven
niet tot de hypothese te komen dat er ook veel kleinere, vrij levende
virussen zouden zijn. Daarnaast is het zeer onwaarschijnlijk dat alle
virussen uit een enkele stamvorm afkomstig zijn. Het is in principe niet
onmogelijk dat enkele virussen zich uit de bacteriën ontwikkeld hebben,
anderen uit de protozoën en derden uit de groep van de schimmels. Dat
zou de heterogenitieit van de virusgroep kunnen verklaren. En de belangrijkste conclusie is wel dat de virussen niet de eenvoudigste levensvormen
zijn. Zij staan niet aan het begin van de afstammingsreeks maar moeten
uit andere groepen van organismen afgeleid worden [1]). Wij zien dus het
„virus-molecuul" niet als het begin maar als het einde van een continue
reeks. Het vertegenwoordigt de eenvoudigste mogelijkheid van parasi-
terend bestaan. Van de microben af tot aan de kleinste virussen is er
nergens een grens te trekken, tenminste niet wat de biologische uitingen
van deze vormingen betreft. Het virus is een gespecialiseerde vorm van
de eenvoudigste levensvormen en deze specialisatie gaat niet in de richting
van een ingewikkelde structuur of een bijzondere levenscyclus, maar
naar een zeer gemakkelijke vermenigvuldiging (HOLMES). Daarbij zijn
praktisch alle eigenschappen verloren gegaan. Bij de grote virussen zijn
nog enzymen te vinden, bij de laagste is geen enzymwerking meer aan

---

[1]) Deze gedachtegang kan ook tot een heel andere voorstelling leiden, nl.
dat de virussen „op hol geslagen" biologische eenheden zijn (vergelijk hoofdstuk VIII § 3).

te tonen. Dit is voor parasieten geen ongewoon verschijnsel. KRIJGSMAN
toonde aan dat de fermentatieve prestaties van *Trypanosoma evansi*
(een eencellige parasiet) zich beperken tot de afbraak van hexose en
eiwit. Voor de andere enzymen is het organisme op de gastheer aangewezen. In dit gebrek aan enzymsystemen ziet McINTOSH ook de oorzaak dat de virussen niet in kunstmatige voedingsbodems gekweekt
kunnen worden. Zij hangen immers van de enzymstelsels van de levende
cel af.

Nu het ons mogelijk geweest is om de virussen in het evolutieschema
van de organismen te passen kunnen wij ons nog afvragen of een bestudering van de virussen vruchten kan afwerpen voor het evolutievraagstuk,
zoals dat door biologen en palaeontologen gezien wordt. FINDLAY meent
dat deze vraag bevestigend beantwoord moet worden. In de eerste plaats
geven de veelvuldig optredende mutaties bij de virussen de kans dat er
op een gegeven moment een heel nieuwe ziekte ontstaat. Nu zal een dergelijk nieuw virus een klein areaal hebben. Hij wijst in dit verband op de
St. Louis-encephalitis, een virusziekte die nog niet lang geleden ontstaan
zou zijn en die bijgevolg nog pas over een klein oppervlak verspreid is.
In de botanie kennen wij dergelijke beschouwingen uit het werk van
WILLIS, die uit de grootte van de arealen der planten de geologische ouderdom van die planten afleidde. In het gehele plantenrijk — zo berekent
men — zouden per eeuw twee nieuwe soorten kunnen ontstaan. Bestudering van de evolutie van deze hogere organismen met behulp van het
experiment is dus vrijwel uitgesloten. Hier leveren de virussen — alweer
volgens FINDLAY — een veel bruikbaarder object. De vermeerderings-
snelheid van de virussen is enorm en ook het aantal optredende mutaties
is daarmee in overeenstemming. De factor tijd speelt dus een veel kleinere
rol en het moet in principe mogelijk zijn om sommige vragen uit de
evolutieleer op te lossen bij de virussen die immers beschouwd kunnen
worden als organismen die de complexe structuur van de hogere levensvormen verloren hebben. Voorlopig zijn wij nog niet zo ver maar het is
theoretisch zeker niet uitgesloten dat een grotere kennis van de virussen
meer licht op het evolutievraagstuk zal werpen.

Wanneer wij de virussen in een schaal naar afnemende grootte rang-
schikken dan zien wij dat de organisatiegraad in dezelfde richting kleiner
wordt. Wij hebben er al op gewezen waarom de systematicus die gewend
is de organismen naar toenemende organisatiegraad te klassificeren, in
dit geval de verkeerde methode zou gebruiken. Ook de door CASPERSSON
ingevoerde onderscheiding van het leven in drie trappen — 1. virus

2. gisten en bacteriën en 3. hogere cellen — suggereert een afstamming in deze richting. Wij moeten bedenken dat het hier slechts om de bouw van de virussen gaat. Aan het einde van de virusreeks vinden wij een organisme dat — naar physico-chemici ons verzekeren — de eigenschappen van een ingewikkeld eiwitmolecuul vertoont. Daar wij deze vorming ook levend moeten noemen komen wij tot de conceptie van het „levende molecuul", een term die ons BEIJERINCK in het geheugen terugroept. Hier ligt een zeer belangrijk punt voor de beschouwing van het begrip „leven". Zal het in de toekomst mogelijk blijken om het levend zijn van dat molecuul te begrijpen uit physische en chemische wetmatigheden? Velen zullen deze vraag a priori ontkennend beantwoorden, anderen zullen in de overtuiging dat het wel mogelijk is om op deze gewichtige vraag een positief antwoord te vinden, een stimulans krijgen om met hernieuwde ijver de physische en chemische eigenschappen van de eenvoudigste virussen te bestuderen.

4. *De bezwaren tegen de biologische opvatting*

Van een bioloog mag verwacht worden dat hij zijn levende object uit het oogpunt van de biologische theorieën bekijkt en poogt om het object in de gangbare opvattingen te passen. Wij hebben gezien dat deze pogingen met het object virus nogal eens falen; geen van de van biologische zijde aangevoerde theorieën kan ons eerlijk gezegd volkomen bevredigen. Deze moeilijkheden brachten sommige onderzoekers er reeds vroeg toe om — zij het wat schuchter — op andere mogelijkheden te wijzen. Tabaksmozaikvirus wordt al aan het begin van deze eeuw door WOODS gezien als een stof met een enzymatisch karakter. HUNGER meent dat het virus een toxine is dat in de plant gevormd wordt onder abnormale voedingstoestanden. Natuurlijk moet in al deze gevallen een hulphypothese de veronderstelling steunen; men moet aannemen dat het enzym of toxine een autokatalytische werkzaamheid ontvouwt, m.a.w. zichzelf kan vormen uit stoffen van de gastheer. Steeds doken theorieën op die op de een of andere manier met de genoemde hypothesen samenhangen. Het hoofdmotief van al deze theorieën is dat er zekere verschillen tussen de virussen enerzijds en de bacteriën anderzijds aan te wijzen zijn. Er zou dan meer overeenkomst van de virussen met niet-levende stoffen zijn en dus zou het virus ook tot de niet-levende agentia gerekend moeten worden.

Welke bezwaren worden er tegen de biologische opvatting ingebracht en wat is de waarde van deze bezwaren? Een bezwaar dat wij al uitvoerig besproken hebben, ligt in de afmeting van de virussen. Men kan zich niet voorstellen dat dergelijke kleine agentia kunnen leven. Toegegeven moet worden dat men, consequent doorredenerend, komt tot de conceptie van het „levende molecuul" en dat deze twee woorden begrippen verbinden die men van oudsher gescheiden ziet. Maar het is niet aan de bioloog om uit te maken of de twee begrippen leven en materie innig verbonden, als twee uitingen van eenzelfde zaak of als twee volkomen gescheiden beginselen gezien moeten worden. Wij geven slechts aan tot welke conclusies het onderzoek ons leidt en laten het aan de philosooph over om deze uitkomsten te verwerken. Een kritische beschouwing van de tot nu toe besproken experimenten voert ons — dunkt mij — tot het resultaat dat leven en materie innig verbonden zijn. De feiten spreken, wij moeten onze theorieën zo goed mogelijk aan de feiten aanpassen.

Een tweede bezwaar dat wij nogal eens horen noemen, is gelegen in het feit dat het soortelijke gewicht van de virussen (1.25) wat hoog is. Het ligt namelijk dichter bij dat van de eiwitten (1.35) dan bij dat van de bacteriën (1.10). Wat wil dit zeggen? Naar het gevoel van de bioloog slechts dat de samenstelling van de bacteriën anders is dan die van de virussen. Vermoedelijk bevat de bacterie veel meer water dan het virus. Men zou bij een indeling van de natuur in levende en niet-levende objecten tot heel merkwaardige resultaten komen als men het soortelijke gewicht van het object als criterium nam.

Van iets meer waarde zijn de tegenwerpingen die gebaseerd zijn op het verschil van virussen en bacteriën wat betreft de inwerking van chemische en physische factoren. Men kan virussen met sublimaat behandelen zonder dat hun activiteit daaronder lijdt, terwijl sublimaat een ontsmettingsmiddel is, m.a.w. een stof die alle ziektekiemen doodt. Het verschil is niet zo evident als men oppervlakkig gezien zou verwachten. De proeven zijn — wat het virus betreft — genomen met het tabaksmozaikvirus (STANLEY). Toevoeging van sublimaat remt de ontwikkeling, maar deze remming is niet blijvend, het is mogelijk om de activiteit te herstellen door een behandeling met zwavelwaterstof, waardoor het sublimaat weer verwijderd wordt. Wij moeten niet vergeten dat deze merkwaardige eigenschap lang niet door alle virussen vertoond wordt. De meeste virussen zijn tegen dit ingrijpende middel niet bestand. Er zijn ook bijna geen levende organismen die de invloed van sublimaat zonder bezwaar kunnen verdragen. Maar er zijn weer uitzonderingen. Von GEGENBAUER behandelde zekere bacteriën (staphylococcen) op dezelfde wijze met sublimaat en kreeg hetzelfde resultaat. Ook deze organismen kunnen na inactivatie met sublimaat weer „tot leven gewekt" worden door een behandeling met zwavelwaterstof.

Hier zien wij het gevaar van de neiging om de eigenschappen van een enkel virus te generaliseren. Ongetwijfeld zijn er virussen die zeer resistent zijn tegen bepaalde milieufactoren. Vergelijkt men dan dat virus met een gewoon organisme dan is er verschil te constateren. Deze vergelijking is natuurlijk niet geoorloofd. Men moet of alle virussen met alle organismen vergelijken — wat natuurlijk een onbegonnen werk is — of men moet de extreem resistente virussen met extreem resistente organismen vergelijken.

Zo zijn er virussen die lang houdbaar zijn in media waarin bacteriën geen groei meer vertonen. Wij hoeven er nauwelijks bij te zeggen dat de virussen zich in dergelijke media ook niet vermenigvuldigen. DOERR wijst er terecht op dat al deze feiten — ook het herstel van de activiteit na vergiftiging met sublimaat — gezien kunnen worden als gevallen van anabiose, dat merkwaardige hoofdstuk uit de biologische wetenschap. Er kunnen zich grote veranderingen in organismen voltrekken zonder dat het leven uit deze organismen wijkt. Beerdiertjes kunnen in uitgedroogde toestand jaren lang bewaard worden. Zij lijken dan op vormeloze kleine stofjes die geen enkele eigenschap van het leven meer vertonen. Worden zij echter in een vochtige omgeving gebracht dan zwellen zij op en „de levensgeesten keren terug". Het is alsof het leven lange tijd ingesluimerd is om na een herstel van de oorspronkelijke toestand te ontwaken. Het komt ons voor dat wij alle resistentieproeven van de virussen uit dit gezichtspunt moeten zien. Alle experimenten wijzen erop dat het leven in de virussen door bepaalde invloeden van buiten af latent gemaakt kan worden. Brengen wij het virus in zijn oude milieu — de levende gastheercel — dan keert het leven terug. Daarom worden wij niet zeer geïmponeerd door het feit dat sommige virussen (tabaksnecrose) bestand zijn tegen een oplossing van alcohol met een sterkte van 99 %, dat tabaksmozaikvirus een verhitting tot 90° C kan verdragen (sporen van *Bacillus botulinus* halen 130° C) of dat hetzelfde virus tientallen jaren in gedroogde toestand bewaard kan blijven, zonder zijn activiteit te verliezen.

Van sommige zijden zijn de experimenten van MACHEBOEUF en BASSET aangevoerd als een bewijs dat de virussen niet levend zouden zijn. Zij bepaalden de resistentie van verschillende agentia tegen zeer hoge druk. Uit het feit dat virussen lang niet zo'n hoge druk kunnen verdragen als de sporen van bacteriën (die een druk van 20.000 atmosferen kunnen weerstaan) zou volgen dat zij niet levend zijn. De enige conclusie die misschien gerechtvaardigd zou zijn (Doerr) is dat de virussen geen spore-achtige stadia bezitten. Dat is een gedachte waarmee wij ons direct kunnen verenigen, temeer daar de druk die een vegetatieve bacterie verdraagt ook veel lager ligt dan 20.000 atmosferen.

Het is — hoop ik — duidelijk dat de gevolgtrekkingen uit de resistentie-proeven zich niet uit mogen strekken tot conclusies over het al of niet leven van het object. Sommige auteurs gaan in dit opzicht wel heel ver. Wanneer een agens zich niet gedraagt zoals men van een virus zou ver-wachten dan schrapt men het eenvoudig uit de lijst van de virussen. Sturm, Gates en Murphy gingen de invloed van bestraling met ultra-violet licht op verschillende objecten na. Zij zagen dat een bacterie (*Staphylococcus aureus*), het pokkenvirus en een bacteriophaag op overeenkomstige wijze geïnactiveerd werden. De bacterie leeft — zeggen zij — ergo de twee andere objecten leven ook. Het is een ietwat simpele bewijsvoering maar wij zullen ons er bij neerleggen. Nu gedroeg het agens van het Rous-sarcoom (een gezwel bij vogels, veroorzaakt door een verwekker met virusachtige eigenschappen) zich bij de bestraling anders. Dus — is hun conclusie — dit agens leeft niet en kan ook geen virus zijn. Het is evident dat hun criterium voor leven of niet-leven niet goed kan zijn.

Tot aan het jaar 1935 hadden wij biologen het in het virusprobleem nogal rustig. Wel werd af en toe de mening uitgesproken dat het virus niet levend was, maar in het algemeen waren de aangevoerde bewijzen niet overtuigend. Maar toen Stanley kwam met de bewering dat hij het virus van de tabaksmozaikziekte gekristalliseerd had, werd de situatie anders. Hier was een ding, dat als een levend organisme beschouwd werd, gebracht in een vorm — het kristal — dat altijd als de typische verschij-ning van de anorganische natuur gezien is. De eerste uitweg in zo'n geval — ontkennen — werd afgesneden toen Bawden en Pirie even later dezelfde resultaten bekend maakten en toen bleek dat iedereen die over een behoorlijk ingericht laboratorium beschikt deze kristallisatie zonder bezwaar kan verrichten. Het is dus noodzakelijk om na te gaan wat deze zeer merkwaardige vondst uit biologisch standpunt bezien, betekent. Is nu het virus toch een niet-levende stof?

Wij zijn de schok, die de ontdekking van Stanley aan de wetenschap-pelijke wereld toebracht, nu wel zover te boven dat wij een kritische houding ten opzichte van deze chemische aanval op de biologische be-

schouwingswijze kunnen aannemen. Onze eerste afweer richt zich
op het feit dat de kristallen van STANLEY geen kristallen in de
mineralogische zin van het woord zijn. Er worden bij zijn kristallen geen
regelmatige afstanden in drie dimensies gevonden, maar er is slechts een
ordening in twee richtingen (de ,,kristallen'' zijn parakristallen).Vele
staafvormige virusdeeltjes zijn samengevoegd in een naaldvormig geheel,
waarbij de zijdelingse afstand van staafje tot staafje constant is. In de
lengterichting van het kristal vinden wij geen regelmatigheid. Ongetwijfeld wordt de waarde van de overeenkomst tussen het virus en de
anorganische natuur hierdoor verminderd.

Een ander belangrijk feit is dat de kristallisatie van het virus niet
waarborgt dat het virus werkelijk zuiver is (BAWDEN en PIRIE). In de
kristallen van het virus kunnen zich nog aanzienlijke hoeveelheden onzuiverheden bevinden, zonder dat het uiterlijk van de kristallen merkbaar verandert. Van biologische zijde werd toen de stelling verdedigd
dat het eigenlijke virus een accidentele bijmenging van de kristallen zou
zijn, terwijl de grondstof van de kristallen door de gastheercel geproduceerd zou worden. De zuiverheid van de kristallen werd steeds meer
opgevoerd en steeds bleef de virusactiviteit voorhanden. Langzamerhand
is ook deze uitweg voor de bioloog gesloten; het is wel zeer onwaarschijnlijk
dat het virus als een verontreiniging van de kristallen opgevat kan
worden. Wij moeten ons neerleggen bij het feit dat sommige virussen
werkelijk in kristallijne staat gebracht kunnen worden en het is ons een
schrale troost dat deze kristallisatie slechts bij enkele virussen gelukt is
en dat de zogenaamde kristallen geen echte kristallen zijn.

Nu kunnen wij ons nog de vraag stellen in hoeverre er bij levende organismen kristallen voorkomen. En dan vragen wij natuurlijk niet naar
afscheidingen van levende cellen (zoals bijvoorbeeld de kristallen van
calciumoxalaat in plantencellen), maar naar kristalvormingen die on-
afscheidelijk met het leven verbonden zijn. Ook hier zien wij weer dat
echte kristallen geen rol spelen, maar dat wij meerdere malen een zekere
ordening of regelmatigheid kunnen waarnemen. Bij spiervezels ziet men
een kristalachtige ordening die teruggebracht kan worden tot de parakristallijne structuur van het spiereiwit myosine. Ook bij de koppen van
spermatozoën kan een parakristallijne bouw waargenomen worden. Het
is een merkwaardige coincidentie dat hier evenals bij de virussen nucleoproteinen in grote hoeveelheden aanwezig zijn. Voegen wij hier nog aan
toe dat BUNGENBERG DE JONG uit indirecte gegevens tot een structuur
van de buitenlaag van het protoplasma concludeert waar ook een or-

dening in twee dimensies verondersteld wordt. Het is dus zo, dat ideeën over ordening en regelmatigheid (tot in moleculaire dimensies, anders spreken wij niet van kristallen) langzamerhand in de biologie beginnen door te dringen. Gezien deze ontwikkeling kan het ons niet ontstellen dat een virus in kristalvorm gebracht kan worden.

Wel moeten wij bezwaren maken tegen een gedachtegang die onder de invloed van het belangrijke chemische werk over de virussen gekweekt is. In het kort komt de gedachtengang hier op neer dat men — omdat een virus gekristalliseerd kan worden en omdat een virus zich als een homogene stof kan voordoen — het virus beschouwt als een molecuul zonder meer. Vooral op de laatste twee woorden komt het aan. Men bepaalt de grootte van de deeltjes en spreekt dan zonder meer van één moleculairgewicht. Maar — zo vraagt DARANYI zich af — bevindt zich niet ergens in dat ,,molecuul'' een ,,construerend deel'', een groep die voor de vermeerdering van het virus aansprakelijk gesteld kan worden en waardoor het virusdeeltje zich juist van een gewoon molecuul onderscheidt?

Men is dikwijls te snel tevreden als men de virussen uit physisch-chemisch oogpunt bestudeert. Als blijkt dat een virus bij bestudering in de ultracentrifuge met een constante snelheid sedimenteert, is men direct geneigd om te zeggen dat dat virus homogeen is. Zoiets is natuurlijk niet aan dat ene criterium te zeggen. Nemen wij als voorbeeld eens het haemoglobine, de rode bloedkleurstof van de hogere dieren. Wanneer men het haemoglobine van alle gewervelde dieren zou vergelijken met de ultracentrifuge dan zou men concluderen dat deze kleurstof in alle gevallen dezelfde was, want het moleculairgewicht is altijd 68.000. Het is duidelijk dat deze conclusie niet gewettigd is. Immers wij weten dat de bloedkleurstof van elke diersoort specifiek is, zelfs in die mate dat de kristalvorm van elke haemoglobine verschillend is. Ook de scheikundige samenstelling van het haemoglobine wisselt van diersoort tot diersoort, wat weer tot gevolg heeft dat de haemoglobinen in hun functie — de binding van zuurstof — zeer verschillend zijn. Wanneer iemand dus beweert dat een virus homogeen is en deze bewering steunt op één of slechts enkele waarnemingen, dan is er een goede kans dat deze onderzoeker zich vergist. In het algemeen is men van physisch-chemische zijde geneigd om de biologische specificiteit van de virussen te vergeten.

Volkomen ontoelaatbaar worden de voorstellingen dat de grotere virussen als reuzenmoleculen opgevat mogen worden. Een pokkenvirus met een semipermeabele grensmembraan (GREEN), een innerlijke struc-

tuur en orde (Ruska) en opgebouwd uit drie verschillende stoffen — eiwit, vet en koolhydraat — kan geen molecuul zijn. Het virus spreidt
een enzymatische activiteit ten toon, in zoutoplossingen van verschillende
concentraties zijn osmotische verschijnselen geconstateerd; kan een
dergelijk virus iets anders zijn dan een organisme? Bij het virus van de
papegaaienziekte is de beschouwing van het agens als reuzenmolecuul
helemaal absurd. Dit komt bij een simpele beschouwing van de vormen
van dit virus al heel duidelijk naar voren. Naast ronde deeltjes zien wij
staafjes, ringvormige structuren en delingsvormen van het virus. Deze
grote variabiliteit van de vorm is met het begrip molecuul volkomen
onverenigbaar.

Ik heb getracht om de betekenis van de ontdekking van Stanley
tot zijn ware proporties terug te brengen. Eén ding kunnen wij niet ontkennen: er zijn virussen die in de kristalvorm te brengen zijn. Hier heeft
Gratia het verlossende woord gesproken. Hij wijst er op dat bepaalde
bacteriën (*Streptococcus*) zich in ketenen samenleggen, andere bacteriën
(*Sarcina*) vormen kubussen, sommige virussen kunnen in parakristallijne
vorm gebracht worden, terwijl vele zouten als echte kristallen bekend zijn.
Het is eenvoudig een kwestie van afmeting: hoe kleiner het object,
hoe ,,echter'' het kristal.

Wie de tot nu toe aangevoerde argumenten gevolgd heeft zal de sub-
jectiviteit van de verschillende argumenten gevoeld hebben. De een kan
zich niet voorstellen dat een zo klein deeltje als een virus kan leven; de
ander legt de nadruk op de overeenkomsten met de microben en trekt de
conclusie dat de virussen wel leven. In het algemeen zullen de tegenstanders elkaar niet kunnen overtuigen, omdat voor de bioloog de ene soort
argumenten zwaarder weegt dan de andere soort, terwijl de chemicus
juist andersom reageert. Zelfs de slag van ,,het virus in kristalvorm'' is
door de biologen zonder al te veel ongemakken geïncasseerd. Omdat men
inziet dat het heel moeilijk zal zijn om een argument te vinden dat inderdaad de tegenstander kan overtuigen heeft de strijd zich langzamerhand
naar een ander terrein verplaatst.

Dit meer beperkte terrein is voor experimentele onderzoekingen toegankelijk. Het idee is dat een oplossing van de vraag, of het virus een
product van de cel is of niet, tevens een oplossing van het virusprobleem
zal geven. Wanneer een virus in een cel kan ontstaan zonder dat deze
cel van te voren geïnfecteerd is met dat virus, dan leeft het virus niet.
Immers het kan dan als een product van de cel beschouwd worden. Het
eerst dook deze mening op bij de bestudering van de bacteriophagie en

een paar jaren later werd hetzelfde standpunt ten opzichte van de virussen verdedigd. FLU meent: ,,Indien een dergelijke opvatting van het virus door nader onderzoek werd bevestigd, zou dit een volkomen revolutie van onze inzichten betreffende een groot aantal infectieziekten tengevolge hebben, immers niet minder dan het probleem van de generatio spontanea dat door de ontdekkingen en het werk van PASTEUR was opgelost, werd, zij het onder gewijzigde vorm, weer op het tapijt gebracht''. Met het eerste deel van zijn uitspraak ga ik onmiddellijk accoord. Inderdaad zou de bevestiging van de hypothese van het endogene ontstaan van de virussen een revolutie betekenen; een revolutie waarvoor de meeste pathologen niet veel zouden voelen. Maar dat het probleem van de generatio spontanea herleeft, daar moet ik bezwaar tegen maken. Generatio spontanea is het ontstaan van levende organismen uit anorganische materie. Het endogene ontstaan van virussen zou betekenen dat er een niet-levende stof (het virus) uit een levende cel zou ontstaan. Het is dus precies het omgekeerde. Deze vergissing van FLU is heel begrijpelijk; hij is als bacterioloog van het levend-zijn van de virussen zo overtuigd, dat hij de begrippen virus en levend als vanzelfsprekend verbindt en vergeet dat er nog anderen zijn die zijn mening niet delen.

Er zijn enkele argumenten aangevoerd die het endogene ontstaan van de virussen moeten bewijzen. In de eerste plaats zouden er spontaan virusziekten ontstaan, d.w.z. zonder dat er een aanwijsbare infectie is. Het spreekt vanzelf dat hier een zeer glibberig terrein aanwezig is. Dikwijls zal men met reden kunnen veronderstellen dat er in de experimenten een fout geslopen is, doordat het object niet voldoende tegen infecties van buiten af beschermd werd. Een bekend voorbeeld is het zogenaamde spontane optreden van het necrose-virus in de tabak. Dit virus trad ,,spontaan'' in de wortels van gezonde zaailingen op, hoewel de grond vóór de proefnemingen gesteriliseerd was. SMITH, die deze experimenten verrichtte, vond tenslotte de virusbron in de modder van een watertank waaruit de planten besproeid werden. Ook in de lucht van de plantenkas werd virus gevonden. Het was dus toch een kwestie van infectie, zij het dan dat deze vorm van besmetting bij planten bijna nooit gevonden wordt. In 1922 verdedigde DOERR de stelling dat roos (herpes fibrilis) zonder aanwijsbare infectie optreedt en hij voerde dit terug tot het spontane ontstaan van het virus. Belangrijk is dat deze ziekte door de meest verschillende factoren veroorzaakt kan worden, wat uitgelegd wordt als een verstoring van de harmonie in de cel, waardoor het virus ontstaat.

Ook bij verschillende gezwellen veronderstelt men dat een infectie ontbreekt. Zowel CARREL als MCINTOSH spoten hoenders met kanker-verwekkende chemicaliën in en zagen gezwellen ontstaan. Het merk-waardige feit deed zich voor dat enkele gezwellen een filtreerbaar agens bevatten. FLU wijst er op dat deze proeven wel lukten in laboratoria waar met ROUS-sarcoom (een gezwel met een filtreerbaar agens) gewerkt werd, maar niet in andere laboratoria. In dit verband wordt op de proeven van MELLAMY gewezen. Hij bewees dat gezwellen die door chemicaliën geïnduceerd zijn het virus van het ROUS-sarcoom op kunnen nemen. Wordt het gezwel dan door transplantatie van enkele cellen overgebracht, dan gaat het ROUS-sarcoom virus mee. Pogen wij nu het gezwel met een filtraat over te brengen dan is het resultaat een echt ROUS-sarcoom, dus een gezwel dat niet op het oorspronkelijke gezwel lijkt, maar waarvan de verwekker als een verontreiniging aanwezig was. Hij denkt dus aan de mogelijkheid dat de positieve resultaten van CARREL en MCINTOSH aan een dergelijke fout toe te schrijven zijn.

Wanneer men influenza op een fret tracht over te brengen dan slaagt de infectie een enkele maal niet. Brengt men dan een suspensie van long-weefsel van dit dier in een tweede fret dan kan deze weer gezond blijven. Doet men dit enkele malen achter elkaar, dan zal bijvoorbeeld de vijfde fret plotseling ziek worden. Wat betekent dit? Natuurlijk niet dat het virus endogeen ontstaan is, maar dat er een mogelijkheid van latente infectie bestaat. Het virus kan zich in een organisme bevinden zonder dat het organisme ziek is. Deze mogelijkheid moeten wij bij alle zoge-naamde bewijzen voor het endogene ontstaan van virussen in aanmerking nemen. Velen zullen b.v. voor herpes fibrilis aannemen dat er een alge-mene latente infectie bij de mens bestaat. Door bepaalde invloeden wordt het virus geactiveerd waarna de ziekte uitbreekt. Een infectie is dan natuurlijk niet nodig, want het virus is al aanwezig. Nauw met deze opvatting verwant is de mening dat er tussen dit virus en de mens een symbiose bestaat. Dan is in praktisch alle gevallen het virus onschuldig, maar wordt op de een of andere manier het evenwicht verstoord, dan is het resultaat dat het virus van symbiont tot parasiet wordt.

Over een derde bewijs inzake het spontane optreden van virussen kunnen wij kort zijn. Men moet — als het virus een product van de cel is — een serologische verwantschap tussen het virus en de cel verwachten. Er is reeds op gewezen dat deze veronderstelling bij het tabaksmozaik-virus helemaal niet op gaat. Het virus is niet verwant met de normale bestanddelen van de plant en behoudt zelfs zijn serologische individualiteit als het in verschillende planten gekweekt wordt. Er is dus geen sprake van dat alle virussen verwantschap met de gastheercellen zouden vertonen [1]).

Tenslotte wordt er op gewezen dat de vermeerdering van de virussen ten nauwste samenhangt met de stofwisseling van de gastheer. Dit zou ook een aanwijzing kunnen zijn dat het virus een product van de gastheercel is. Als bioloog ben ik geneigd om de nadruk te leggen op het parasitaire karakter van de virussen. Dat is de reden dat zij verband met de stofwisseling van de gastheer vertonen en dat zij in het algemeen niet buiten de gastheercel gekweekt kunnen worden. ALEXANDER heeft er op gewezen dat dit eigenlijk niet meer betekent dan dat wij de voorwaarden voor het kweken in vitro niet kennen. Wij moeten de principiële mogelijkheid dat ook de virussen nog eens buiten celverband te kweken zullen zijn niet uit het oog verliezen. Maar voorlopig zijn wij nog niet zo ver en het probleem beperkt zich tot de vraag of de binding van de virusvermeerdering aan de stofwisseling van de gastheer werkelijk zo straf is.

Bij de meeste virussen schijnt een groei van het gastheerweefsel niet noodzakelijk te zijn voor een vermeerdering van het virus. Aan de andere kant is volledig rustend weefsel niet geschikt als voedingsbodem voor een virus. De beste voorwaarden voor de virusgroei worden in sterk groeiend weefsel gegeven. Nu komt het voor — en dat is het beste bewijs voor de betrekkelijke zelfstandigheid van een virus — dat de temperatuuroptima van het virus en de gastheer niet samenvallen. De tabaksplant groeit het beste bij 65° F., terwijl het mozaikvirus nog bij 85° F. een maximale vermeerdering vertoont (GRAINGER). De invloed van de temperatuur op de groei van de gastheer en van het virus is totaal verschillend en dit wijst op een zekere onafhankelijkheid van het virus.

De strijd over het endogene ontstaan van de virussen is nog lang niet beslist. De bewijzen voor de hypothese kunnen ons niet overtuigen. Pas indien een doorslaggevend bewijs geleverd zou worden ten gunste van deze theorie dan zouden wij genoodzaakt zijn om het standpunt dat het virus een levend organisme is, te herzien.

Elke theorie die het virus als een niet-levende stof ziet, staat voor grote moeilijkheden. Op de een of andere manier moet deze niet-levende

---

[1]) De chemicus geeft enkele bewijzen voor het endogene ontstaan van eenige virussen, terwijl de schrijver de gegeven oplossingen resumeert (men vergelijke ook het probleem van de bacteriophaag — blz. 303 — en de proeven van Den Dooren de Jong).

stof in hoeveelheid toenemen, de stof moet dus autokatalytisch werkzaam zijn. De meeste beschouwingen over de autokatalyse van de virussen sluiten aan bij de vondst van NORTHROP dat de pancreas een niet-
actieve voorloper van het enzym trypsine vormt (het trypsinogeen).
Voegt men nu een klein beetje trypsine toe dan wordt het trypsinogeen
in trypsine omgezet. Wil men deze gang van zaken ook voor de vorming
van de virussen aannemen, dan stuit men op vele moeilijkheden. In de
eerste plaats zou er in alle gezonde planten een voorloper van het virus
gevonden moeten worden. Men zoekt echter tevergeefs naar deze voorlopers. Daar komt bij dat uit verschillende gastheren een enkel virus
geïsoleerd kan worden. In al die planten, die dikwijls nauwelijks verwant
zijn, zou toch dezelfde voorloper moeten zitten. Moeilijk is het ook als
een gastheer van vele virussen last heeft; men moet dan aannemen dat
er van al deze virussen voorlopers in die plant aanwezig zijn. Bekijken
wij de activering van de enzym-voorlopers nog wat nauwkeuriger dan
wordt de overeenkomst met de virussen minder goed. Maken wij een
grote hoeveelheid pepsinogeen (de voorloper van pepsine) uit kippen-
magen, dan kunnen wij de autokatalyse met varkenspepsine in gang
zetten. Het resultaat is nu dat er een grote hoeveelheid kippenpepsine
ontstaat. Belangrijk is voor ons dat het activerende enzym de specificiteit van het product niet bepaalt. Immers wij activeerden met varkenspepsine en het resultaat is kippenpepsine. Uit het virusonderzoek kennen
wij een andere gang van zaken. Hier bepaalt juist het virus waarmee
geïnfecteerd wordt (en dat dus de autokatalyse in gang zou zetten) de
specificiteit van het gevormde virus. De autokatalyse-opvatting moet
door zoveel hulphypothesen geschraagd worden dat wij zelfs een miltvuur-
bacil als een complex van autokatalytisch gevormde eiwitten zouden
kunnen zien. SANNIE die dit voorbeeld geeft, zegt terecht dat wij met een
dergelijke bewering niet vooruit komen.

Wanneer ik de argumenten die voor en tegen het levend zijn van de
virussen overzie dan kom ik tot de overtuiging dat een vitalistische opvatting van het virus noodzakelijk is. De individualiteit gepaard gaande
met mutabiliteit en een zeker aanpassingsvermogen aan veranderde
omstandigheden, het zijn allen eigenschappen die de levende natuur
karakteriseren. Voeg hierbij de ingewikkelde relaties tussen virussen,
insecten en hogere organismen en het is onbegrijpelijk hoe iemand dergelijke zaken met een niet-levende stof wil verklaren,. Het belangrijkste
punt dat van chemische zijde aangevoerd is — de kristallisatie van het
virus — kan zonder bezwaar met het begrip leven verenigd worden.

Tegen de opvatting dat het virus een molecuul zonder meer is, moeten wij ons verzetten. Als het virus een molecuul is, dan toch in ieder geval een levend molecuul, met de nadruk op het woord levend. Wij geven toe dat er bezwaren aan verbonden zijn om het virus met een eenvoudige cel gelijk te stellen, zoals GRATIA doet, maar wel staan wij op het standpunt dat virussen, bacteriophagen en genen de primitiefste vormen van leven zijn die wij kennen. Het is vermoedelijk voldoende om dit feit te constateren en misschien is het niet verantwoord om zo ver te gaan als DARANYI die in zijn protosomatheorie de virussen, bacteriophagen en genen de primaire eenheden van het leven noemt, die tot de cellen staan zoals de cellen tot het gehele organisme. Zelfs van physische zijde (JORDAN) wordt toegegeven dat de tegenwoordige physische en chemische middelen naar hun natuur niet geschikt zouden kunnen zijn om de vermeerdering van het virus (dus een levensprobleem tot zijn eenvoudigste vorm teruggebracht) op te lossen. Misschien zijn aan de studie van de eiwitten (en wij denken vooral aan de structuur van deze voor het leven zo belangrijke verbindingen) principiële grenzen getrokken, grenzen die niet door de tegenwoordige stand van de techniek bepaald zijn. Dan blijft het geheim van het leven een mysterie.

LITERATUUR

BAWDEN, F. C. and N. W. PIRIE. A note on anaphylaxis with tobacco mosaic virus preparations. Brit. J. exp. Path. *18*, 290—291, 1937.

BECHHOLD, H. Ferment oder Lebewesen? Kolloid Z. *66*, 329—340; *67*. 66—79, 1934.

BEDSON, S. P. Observations on the morphology of viruses with special reference to the virus of psittacosis and the bearing of these observations on the nature of the viruses. Proc. 2nd. Int. Congr. Microbiol. London 73, 1936.

BERRY, G. P. and H. M. DEDRICK. A method for changing the virus of rabbit fibroma (SHOPE) into that of infectious myxomatosis (SANARELLI). J. Bacteriology *31*, 50—51, 1936.

BOEKE, J. Problemen der onsterfelijkheid. Bldz. 217 e.v. Amsterdam 1941.

BUNGENBERG DE JONG, H. G. Permeabiliteit. In KONINGSBERGER: Leerboek der algemeene plantkunde, I, 175—197, 1942.

CASPERSSON, T. Studien über den Eiweissumsatz der Zelle. Naturwiss. *29*, 33—43, 1941.

DARANYI, J. v. The essence of the ultravirus based on recent researches. Proc. 3d Int. Congr. Microbiol. N.Y. 283—284, 1939.

DOERR, R. Die Natur der Virusarten. In DOERR und HALLAUER: Handbuch der Virusforschung Erg. Band I, 1—87, 1944.

FINDLAY, G. M. Variation in viruses. In DOERR und HALLAUER: Handbuch der Virusforschung II, 861—994, 1938.

FLU, P. C. Het ultravirus als ziekteoorzaak, zijn eigenschappen en een critisch overzicht van de opvattingen omtrent zijn aard. Ned. Tijdschr. v. Geneesk. *84*, 3198—3211, 1940. (Hierna volgt in dit tijdschrift een artikel van L. W. JANSSEN, waarbij een uitgebreide discussie over het virusprobleem aansluit.)

GORTNER, R. A. Viruses — Living or non-living? Science *87*, 529—530, 1938.

GRAINGER, J. Temperature relations of tobacco-mosaic virus and its host. Phytopathology *29*, 441—448, 1939.

GRATIA, A. Nature des ultravirus. In LEVADITI et LEPINE: Les ultravirus des maladies humaines. I, 109—157, 1938.

GRATIA, A. Nature and characteristics of filtrable viruses. Proc. 3d Int. Congr. Microbiol. N.Y. 285—286, 1939.

GREEN, R. G. On the nature of filterable viruses. Science *82*, 443—445, 1935.

HERZBERG, K. Die färberische Darstellung von filtrierbarem Virus unter besonderer Berücksichtigung des intracellularen Vermehrungsvorganges. Proc. 2nd Int. Congr. Microbiol. London 72—73, 1936.

JORDAN, P. Uber die Spezifität von Antikörpern, Fermenten, Viren, Genen. Naturwiss. *29*, 89—100, 1941.

KLUYVER, A. J. 's Levens nevels. Handel. 26e Ned. Natuur- Geneesk. Congr. 82—106, 1937.

LAM, H. J. Indeeling, verwantschap, afstamming en verspreiding. In SIRKS: Het leven ontsluierd 279—326.

LEVADITI, C. Nature des ultravirus et des bactériophages. In LEVADITI et LEPINE: Les ultravirus des maladies humaines 89—107, 1938.

McINTOSH, J. The nature of viruses. Proc. 3d Int. Congr. Microbiol. N.Y. 283, 1939.

QUANJER, H. M. The methods of classification of plant viruses and an attempt to classify and name potato viroses. Phytopathology 21, 577—613, 1931.

RAWLINS, T. E. and W. N. TAKAHASHI. The nature of viruses. Science 87, 255—256, 1938.

RUSKA, H. Versuch zu einer Ordnung der Virusarten. Arch. Virusf. 2, 480—498, 1943.

SALAMAN, R. N. The potato virus X: its strains and reactions. Philosoph. Trans. Roy. Soc. London B, 229, 137—217, 1939.

WOLLMAN, E. Le problème des virus filtrables et les recherches sur la bactériophagie. Proc. 3d Int. Congr. Microbiol. N.Y. 284, 1939.

HOOFDSTUK VI

De chemicus spreekt over:

KRISTALLEN ZIJN GEEN ORGANISMEN

1. *De betekenis van de ontdekking van Stanley*

Toen BEIJERINCK de gangbare mening over de virussen verwierp en veronderstelde dat er een scherp verschil bestond tussen virussen en microben, was daarmee een stap gedaan die van grote draagwijdte had kunnen zijn, ware het niet dat de tijd voor zijn opvatting nog niet rijp was. Zijn belangrijke werk werd nauwelijks opgemerkt, omdat — zoals wij nu kunnen begrijpen — de chemie zich nog nauwelijks op biologisch terrein gewaagd had. Pas veel later, toen de betrekkingen tussen chemie en biologie veel inniger werden is het onderzoek van BEIJERINCK in zijn ware grootte gezien. Hij is de eerste die bij het virusonderzoek een nieuw geluid doet horen, een geluid dat in de loop der jaren steeds sterker geworden is. Alleen daarom reeds zijn wij verplicht om zijn werk wat nader te bekijken. Het virus van de mozaikziekte van de tabak was het onderwerp van zijn studie. Bij zijn pogingen om de ziekteverwekker in handen te krijgen, oogstte hij steeds een negatief resultaat. Noch het microscoop noch de in zijn handen tot groote hoogte opgevoerde bacteriologische kweekmethoden leidden tot de isolatie van het agens. Zelfs bleek dat een perssap van zieke planten, dat door filtratie door bacteriefilters volkomen vrij van bacteriën was gemaakt, nog in staat was om gezonde planten ziek te maken. Het agens moest zich dus nog in dat bacterievrije perssap bevinden. Om nu de natuur van het virus nader te leren kennen, ging hij uit van de volgende proef. Hij bracht het perssap van een zieke plant op een agarplaat. Na enige tijd schrapte hij de bovenlaag van deze plaat af en bepaalde daarna of er zich virus in de onderlaag bevond. Inderdaad kon hij daarin virus aantonen. Hieruit trok hij de conclusie, dat het virus een opgeloste smetstof moest zijn. Het kon geen corpusculair agens zijn. Om deze conclusie te begrijpen, moeten wij nader ingaan op de gangbare voorstellingen van zijn tijd. Zijn onderzoek werd in 1898 gepubliceerd, dus in een tijd waarin de colloidchemie nog nauwelijks van zich doet spreken. De voorstelling was toentertijd dat een opgeloste stof kan diffunderen, iets wat een deeltje van vaste stof niet kan. Doen wij dus de „agarproef" met een bacterie, dan zien wij dat er zich in de onderlaag geen bacteriën bevinden, deze zijn natuurlijk corpusculair. Wordt — zoals bij het experiment van BEIJERINCK — het agens wel in de onderlaag gevonden, dan vertoont het blijkbaar difffusie, dus het moet in opgeloste toestand voorkomen. Zo komt hij tot de conceptie dat een virus is een „*contagium vivum fluidum*", dus een levende, vloeibare ziekteverwekker. Hij kon zich natuurlijk nog niet losmaken van het idee dat iets wat zich vermeerdert, leeft; vandaar de term „*vivum*". Tegenwoordig zouden wij zeggen dat iets wat opgelost kan worden natuurlijk moleculair is en niet kan leven. Dat het virus in de tabaksplant toeneemt moet dus aan andere oorzaken liggen.

Wanneer wij de logische consequentie die BEIJERINCK op zijn proeven liet volgen, vergelijken met die van IWANOWSKY, die vier jaren eerder dezelfde filtratieproeven met hetzelfde virus verrichtte, dan valt de stoutmoedigheid van BEIJERINCK direct op. IWANOWSKY zit met zijn gedachten nog zo in de voorstelling van PASTEUR: „Tout virus est un microbe", dat hij ook in het geval van de mozaikziekte aan bacteriën denkt. Deze zouden dan of een vergift afscheiden, dat vanzelfsprekend het filter passeert, of de bacteriën ontsnappen door kleine barstjes van het filter. Nu weten wij dat de proef van BEIJERINCK zeker niet bewijzend was. Het virus is in zo kleine hoeveelheden besmettelijk, dat het onmogelijk is om de bovenlaag van een agarplaat af te schrappen zonder wat virus op de onderlaag te brengen. Het virus hoeft er dus niet door diffusie gekomen te zijn. Ook is na zijn experimenten de colloidchemie veel verder ontwikkeld, waardoor wij met een wereld van oplossingen kennis gemaakt hebben, die wat hun eigenschappen betreft tussen de echte oplossingen en de suspensies van vaste deeltjes in staan. Gezien hun afmetingen moeten alle virussen in colloidale oplossing voorkomen. Wie het werk van BEIJERINCK onbevangen en vooral in zijn tijd geplaatst ziet, kan niet anders dan onder de indruk raken van de geest die een volkomen nieuwe opvatting van het virusbegrip lanceert.

Evenwel duurt het heel lang voordat deze nieuwe ideeën zich een baan breken door de conservatieve opvattingen die nog steeds gehuldigd werden en worden, omdat het virusprobleem zich voornamelijk in de handen van biologen en pathologen bevindt. Af en toe komt eens een ongewone opvatting naar voren, maar veel indruk maken deze meningen niet. Verschillende onderzoekers (WOODS, CHAPMAN, HEINTZEL) schrijven aan het mozaikvirus een enzymatisch karakter toe, terwijl HUNGER het virus ziet als een toxine, dat onder abnormale omstandigheden gevormd kan worden. HAGEDOORN beschouwt een levend organisme als een samenhangend geheel van vele — niet-levende — autokatalysatoren. Een dergelijke autokatalysator kan buiten het verband van het organisme komen en zal zich als een ,,virus" gaan gedragen. Een ander argument voor het niet-levend zijn van de virussen vindt DOERR in het feit, dat enkele virusziekten (b.v. herpes fibrilis) spontaan of door buitengewoon uiteenlopende factoren bij volkomen gezonde mensen kunnen ontstaan. Ook JANSSEN kon zich — na de resistentie van het mond- en klauwzeer-virus bestudeerd te hebben — niet op het standpunt stellen dat dit virus levend zou zijn.

Maar deze enkele stemmen waren van onderzoekers ,,roepende in de woestijn". Het was niet mogelijk om met dergelijke experimenten en hypothesen de grote massa van de wetenschappelijke werkers op virus-gebied te overtuigen. Pas in 1935 kwam het krachtigste argument voor de opvatting dat de virussen inderdaad levenloze stoffen zijn. Toen publiceerde een chemicus — STANLEY van het Rockefeller Institute for Medical Research — zijn virusonderzoekingen. Het object van zijn werk was wederom het virus van de mozaïkziekte van de tabak. Natuurlijk is het onderzoek van een biochemicus gebaseerd op de methoden van de moderne eiwitchemie en STANLEY kon door gefractioneerde precipitatie en adsorptie het virus in steeds zuiverder vorm krijgen. Ten slotte krijgt hij een heldere oplossing met een zeer sterk ziekteverwekkend vermogen en wanneer hij nu de ziekteverwekker met ammoniumsulfaat neerslaat, ziet hij een preparaat van naaldvormige kristallen ontstaan; kristallen die zich gedragen alsof zij zelf de ziekteverwekker zijn, Het hoeft geen verbazing te wekken dat zijn mededeling met wantrouwen begroet werd. Een kristal dat tevens ziekteverwekker was, dat was volkomen on-mogelijk.

Maar STANLEY kon vele bewijzen geven dat inderdaad het kristal het-zelfde moest zijn als het virus. De kristallen bestonden uit eiwitmoleculen en het is duidelijk dat onze houding tegenover deze vondst staat en valt met de oplossing van de vraag of dit eiwit hetzelfde is als het virus. Men kan bij de isolatie van het eiwit uitgaan van verschillende soorten gastheerplanten. Of men het virus bereidt uit de tabak, de tomaat of zelfs uit phlox, steeds krijgt men een eiwit met volkomen eendere biologische eigenschappen. Het kan dus moeilijk anders zijn of dit eiwit is inderdaad gelijk te stellen aan het virus. Wanneer men een plant infecteert met twee verschillende virussen, dan kunnen uit deze plant twee eiwitten geïsoleerd worden die ieder respectievelijk de eigenschappen van één van die virussen vertonen. Daarbij komt dat een dergelijk viruseiwit na de vele behandelingen, die het bij de zuivering ondergaat, zijn activiteit als ziekteverwekker behoudt. Zo kon STANLEY het eiwit vele malen om-kristalliseren — de proef, die in de scheikunde verricht wordt om onzuiver-heden te verwijderen. De opvatting, dat het virus een toevallig bijmengsel van het kristalliserende eiwit is, kan dan ook als waardeloos bestempeld worden. Wordt het eiwit door een of andere behandeling gedenatureerd, dan verliest het preparaat zijn activiteit als virus. Dezelfde zaken vinden wij bij het serologische onderzoek van de virussen. Wanneer er een anti-serum tegen het virus gemaakt wordt, dan kan daarmee het geïsoleerde eiwit neergeslagen worden en omgekeerd. Deze twee moeten dus identiek zijn. Reeds voordat STANLEY het viruseiwit in kristallijne vorm afscheid-de, was reeds bekend, dat de virusactiviteit door ultra-violette stralen gedestrueerd kon worden. Hierbij werken de verschillende golflengten niet even sterk en er kon een destructie-spectrum opgesteld worden. Dit blijkt volkomen identiek te zijn met het absorptiespectrum van het geïsoleerde eiwit; wel een goed bewijs dat het eiwit een integrerend bestand-deel van het virus moet zijn. Ten slotte is het op geen enkele wijze gelukt om de virusactiviteit van het eiwit te scheiden, zodat iedereen moet toe-geven dat de kristallen van STANLEY inderdaad uit virus bestaan.

Beïnvloed door de biologische theorieën heeft men vaak getracht ook bij de virussen — deze ,,celparasieten'' — levenscycli te vinden. Er wordt dan de theorie gegeven dat het filtreerbare virus slechts één vorm is waaronder de ziekteverwekker zich kan voordoen; de andere vorm zou als microscopisch zichtbaar ,,insluitsel'' in de cellen van den gastheer te vinden zijn. Inderdaad worden bij vele virusziekten insluitingen ge-vonden en het is van belang dat de chemicus zich over de betekenis van deze vormingen uitspreekt. Het eenvoudigste geval is dat van de mozaik-ziekten. Daarbij vindt men in de zieke plant amorphe en soms zelfs echt kristallijne vormingen. Toen HELEN PURDY BEALE opmerkte dat deze vormingen onder de invloed van zoutzuur uiteenvielen in bundels van naaldvormige kristallen à la STANLEY was de oplossing van het vraag-stuk gegeven. Er was blijkbaar zoveel virus gevormd door de zieke cel, dat het virus uitgekristalliseerd was, zoals wij in elke oververzadigde oplossing kristallen zien verschijnen. Bij andere virussen treffen wij der-gelijke verhoudingen aan. Het pokkenvirus — dat ook als een reuzen-molecuul gezien kan worden, zij het dat het heel wat ingewikkelder gebouwd is dan het mozaikvirus — zal zich verenigen tot insluitingen, die als de lichaampjes van GUARNIERI bekend staan. Alleen komt hier nog iets bij. Wij krijgen de indruk dat de gastheercel hierbij een actieve rol speelt en de virusdeeltjes met een afscheidingsproduct omgeeft. Het spreekt vanzelf dat wij hier voorlopig geen reden hebben om van ,,virus-kolonies'' of zelfs van een andere vorm uit de levenscyclus van het virus te spreken . Al deze termen gaan uit van biologische opvattingen, die nog bewezen moeten worden. Ten slotte zijn er nog virusziekten waarbij geen verband tussen de virusdeeltjes en het in de cel gevormde insluitsel gevonden kan worden. Hier is natuurlijk het terrein vrij voor fantasieën over vormen uit levenscycli. Meestal is de ware gang van zaken veel eenvoudiger. SHEFFIELD kon met bepaalde chemicaliën in plantencellen ,,insluitingen'' krijgen, die precies leken op de vormen die bij verschillende stadia van het aucubamozaik van de tomaat te voorschijn komen. Ook is het mogelijk gebleken om karakteristieke ,,insluitingen'' van andere virusziekten te krijgen met kunstmatige middelen bij gezonde organismen. Deze zogenaamde karakteristieke insluitingen hebben dus met het virus niets te maken. Het enige wat wij mogen zeggen is, dat de stofwisseling van de cel gestoord is — en dit op karakteristieke wijze — waardoor een bepaald insluitsel verschijnt. Vooral veranderingen in het water-gehalte van de cellen kan aanleiding geven tot het optreden van vreemde vormingen. Ik hoop, dat deze voorbeelden voldoende zijn om te demon-streren dat het zoeken naar biologische analogieën wel eens te ver kan gaan.

Nadat het virus gekristalliseerd was kon men tot een nadere chemische en physische studie overgaan. De samenstelling van een bepaald virus bleek altijd constant te zijn en wel bestond het mozaikvirus uit een ver-binding van nucleïnezuur en eiwit en het is dus een nucleoproteine. Het soortelijke gewicht van het virus was precies als dat van elk ander eiwit (1.30 tot 1.37). Met behulp van de ultracentrifuge kon het moleculair-gewicht bepaald worden (omstreeks 40.000.000). Aangezien wij met een homogene stof te maken hebben is er geen enkel bezwaar tegen om hier van een moleculairgewicht te spreken. Ook het hiermee samenhangende begrip molecuul kan in de eiwitchemie zonder bezwaar gebruikt worden. Van biologische zijde worden geregeld twee vragen gesteld die de waarde van de ontdekking van STANLEY zouden verminderen: Waarom lukt deze kristallisatie bij zoveel virussen niet? Is de parakristallijne toestand waarin het virus gebracht kan worden wel zo belangrijk, aangezien wij biologen iets dergelijks wel eens bij levende organismen aantreffen [1]). Wat de eerste vraag betreft, hoeven wij alleen maar te wijzen op het feit

---

[1]) Vergelijk blz. 195.

dat het bij vele gewone eiwitten niet gelukt is om de zuivering zover voort te zetten dat er kristallen resulteerden. Men kan er over twisten of dit ligt aan de bouw van deze eiwitten of aan het feit dat wij de voorwaarden om tot een kristallisatie te komen nog niet kennen. Ook bij de virussen die nog niet gekristalliseerd zijn kunnen beide standpunten verdedigd worden. Over de parakristallijne toestand in de levende natuur moet nog een enkele opmerking gemaakt worden. Meestal wordt het voorbeeld van de spiervezels aangehaald waarbij er op gewezen wordt dat er daar röntgenografisch een innerlijke regelmatigheid gevonden wordt. Nu is deze inwendige orde dezelfde als die van het spiereiwit myosine, dat uit de spieren geïsoleerd kan worden. Dus die regelmatigheid is niet de orde van de gehele cel, maar slechts de orde van een celproduct. Bij de virussen is de regelmatigheid inhaerent aan het gehele virusdeeltje, m.a.w. zelfs de biologische analogie zou er op wijzen dat het virus een celproduct en geen organisme is. Eén virus blijkt opgebouwd te zijn uit kleinere — onderling gelijke — bouwstenen en deze waarneming brengt ons steeds verder van de biologische opvatting af.

De pogingen van de biologen om de virussen in een natuurlijk systeem van de organismen te passen, kunnen niet bepaald geslaagd genoemd worden. Dat ligt ook voor de hand. De objecten lenen er zich niet toe. Het zou te vergelijken zijn met den bioloog die de koolhydraten volgens biologische principes gaat indelen. Ongetwijfeld zou hij tot een aardig systeem van families, geslachten en soorten komen, maar veel wetenschappelijke waarde zou een dergelijk systeem niet hebben. En wanneer hij de begrippen afstamming, evolutie, e.d. gaat toepassen, derailleert hij volkomen [1]). Wanneer wij nu zien dat de „strain" aucubamozaik zeer veel eigenschappen met het gewone mozaik van de tabak gemeen heeft, maar er toch duidelijk van verschilt, dan kan men natuurlijk zeggen dat het twee „variëteiten" van een „soort" zijn. De mozaikvirussen van de komkommer lijken ook op het mozaik van de tabak maar vertonen weer grotere verschillen. Dit zou dan een andere „soort" zijn, weer met enkele „variëteiten". Het geheel kan dan tot een „geslacht" verenigd worden. Het doet den chemicus denken aan een „familie" van suikers, met een „geslacht" van suikers met zes koolstofatomen, weer onder te verdelen in „soorten" — b.v. glucose, waar weer links- en rechtsdraaiende „variëteiten" te onderscheiden zijn. Wij kunnen dit systeem in de chemie niet gebruiken, omdat de begrippen „soort", „geslacht" e.d.

---

[1]) Vergelijk blz. 184.

de graad van exactheid missen die in de chemie bereikt is. Daarom is het
gevaarlijk om deze begrippen in de viruschemie in te voeren. Over „afstamming" en „evolutie" van celproducten hoeft helemaal niets gezegd
te worden.

Wel zal men zich afvragen of de physisch-chemische beschouwingen
die voornamelijk op de studie van het mozaikvirus gebaseerd zijn voor
alle virussen gelden. In de laatste jaren zijn vele virussen gezuiverd en
steeds bleek dat het voornaamste bestanddeel nucleoproteïne was. De
verschillende plantenvirussen die gezuiverd zijn bleken alle zowel intern
als extern kristallijn te zijn. (BAWDEN en PIRIE). Dit betekent niet dat
zij alle in kristallijne vorm afgescheiden konden worden. Sommige
kunnen alleen als amorphe neerslagen geprecipiteerd worden, maar deze
virussen vertonen in „opgeloste" toestand eigenschappen die men „vloeibaar kristallijn" noemt en die op een bepaalde ordening in de vloeistof
wijzen. Andere virussen worden in parakristallijne toestand aangetroffen
en er zijn virussen die zich in echt kristallijne vorm laten afscheiden.
Hierbij bedenken wij dat echte kristallen bij levende organismen slechts
bij celproducten gezien worden, nooit bij levende organismen als geheel.

Dezelfde beschouwingswijze kan — zoals JANSSEN heeft laten zien —
met vrucht gevolgd worden bij het virus van het mond- en klauwzeer.
Ook dit virus blijkt een homogene stof te zijn (natuurlijk een nucleoproteïne) met een voor virussen laag moleculairgewicht. Maar — zo zal
men vragen — hoe zit het nu met de grotere virussen? Wij zien toch dat
de grootste virussen duizenden malen zo groot zijn als de kleinste virussen
en tot nu toe heeft U het alleen over de kleinste virussen gehad. Daarom
zal ik mij tot een van de grootste virussen wenden, n.l. het door Mc
FARLANE bestudeerde pokkenvirus. Ook dit virus is in gezuiverde staat
— maar niet kristallijn — te isoleren. Dat het virus niet in kristalvorm
te krijgen is kan aan de afmeting van het virus liggen. Vermoedelijk is de
kristallisatie van zeer grote eenheden niet mogelijk. Het virus bevat
naast nucleoproteïnen nog vetachtige stoffen (lipoid). Ook is er koolhydraat in aangetoond, maar het is de grote vraag of wij hier met een
integrerend bestanddeel van het virus te maken hebben, dus dat zal ik
in mijn beschouwing niet betrekken. Mc FARLANE komt uit zijn onderzoekingen tot de conclusie dat het virus opgebouwd is uit „stenen" van
specifiek eiwit, die door „cement" van nucleïnezuur en lipoid verbonden
zijn tot een groot geheel. Ongetwijfeld is dit virus meer complex dan de
eenvoudige plantenvirussen, maar er is geen enkele reden om te veronderstellen dat aan de integriteit van deze structuur een fundamenteel

ander physisch principe ten grondslag ligt. Wij mogen concluderen dat zelfs de grootste virussen in principe vergelijkbaar zijn met het mozaik-virus, al zal zo'n virus wel eens eigenschappen vertonen die de een-voudigste virussen niet bezitten.

Waarom is het virus zo lang als een biologische eenheid beschouwd? Omdat er een suggestie is dat infectie-ziekten door organismen veroor-zaakt moeten worden (JANSSEN). Zoals altijd gebeurt, is men bij gerecht-vaardigde kritiek op bepaalde opvattingen te ver gegaan. Onder de indruk van de celtheorie zag VIRCHOW de ziekten als een functie van de cel onder abnormale omstandigheden. De zetel van de ziekte werd in de cel gelegd. Toen het werk van PASTEUR en KOCH meer aanhang begon te krijgen, vergat men langzamerhand de cel als zetel van de ziekte. Bij elke infectieziekte moest een parasiet gevonden worden en de infectie leidde tot een strijd tussen parasiet en gastheer. Ook de virussen moesten dus parasieten zijn. Men vergat, dat bacteriën dikwijls toxinen afscheiden die de celstofwisseling storen, zodat ten slotte toch de ziekte een gestoorde harmonie in de cel is. En zeker kon men niet op de gedachte komen dat de virusziekten eigenlijk besmettelijke stofwisselingsstoornissen waren. Zelfs alle verschillen die tussen virussen en microben bekend werden, leidden niet tot andere opvattingen. Het is — zoals JANSSEN, aan wie deze beschouwing ontleend is, terecht opmerkt — moeilijk om met ar-gumenten ontleend aan de chemie een suggestie te bestrijden. Pas in 1935 komt er een behoorlijke contra-suggestie en dat is het belangrijke van het werk van STANLEY. Zelfs zij die via het microscoop en niet via het molecuul denken, zijn onder de indruk geraakt. Een ziekteverwekker die in kristalvorm gebracht kan worden; het is een feit, dat belangrijk genoeg is om zelfs de meest overtuigde microbenaanhanger aan het wan-kelen te krijgen.

Wij zijn het met JANSSEN eens als hij in deze theoretische kwestie een zeer belangrijk gevolg van STANLEY's werk ziet. En dan vergeten wij niet dat zijn onderzoekingen ook op praktisch gebied een grote stap voor-uit betekenden. Nog een enkele vraag willen wij ons stellen. Moeten wij in de virusgroep alle agentia opnemen die kleiner zijn dan ongeveer 200 mµ? Zeker niet; de zogenaamde saprophytische virussen van LAIDLAW en ELFORD kunnen niet tot de groep horen, maar moeten als zeer een-voudig gebouwde organismen gezien worden. Hun bouw, die door het electronenmicroscoop ontraadseld is, wijst er ook op dat zij een heel ander karakter dan de virussen hebben. Hier zien wij werkelijk een protoplasma-achtige structuur. Dezelfde overwegingen gelden ten opzichte van de verwekker van de pleuro-pneumonie. Tot de virusgroep horen slechts agentia die bij ziekteprocessen betrokken zijn, van cel tot cel overgedragen kunnen worden en nauw met de stofwisseling van de cel betrokken zijn. Zij moeten opgevat worden als producten van de zieke cel, die evenwel de merkwaardige eigenschap hebben, dat het ziekteproces met het deeltje overgedragen kan worden.

2. *Het virus kan geen organisme zijn*

Hoewel het feit dat het virus in kristalvorm afgescheiden is voldoende moet zijn om ons van de levenloosheid van de virussen te overtuigen, toch is het goed om nu alle z.g. biologische activiteit van de virussen te beschouwen uit het oog van de chemicus. Ik zal daarom successievelijk alle argumenten, die van biologische zijde naar voren zijn gebracht de revue laten passeren en het zal duidelijk worden dat vele feiten in een ander licht gezien, een volkomen verschillend effect maken.

Allereerst is daar de kwestie van de afmeting van de virussen. Reeds in 1903 had ERRERA berekend dat de kleinste organismen niet veel kleiner dan de bacteriën zouden kunnen zijn. Ongeveer bij 100 mμ zou de grens tussen leven en niet-leven liggen. Zijn argument was uiteraard — gezien de stand van de wetenschap toentertijd — een gevoelsargument; hij meende dat een levend wezen zeker uit 10.000 eiwitmoleculen zou moeten bestaan. Later zijn er meer feiten bekend geworden die aan deze beschouwingen een ietwat vastere grond geven. Eiwitten vormen de basis van het leven en SVEDBERG vond dat alle eiwitten opgebouwd zijn uit eenheden met een moleculairgewicht van 34.500. Verder moet het levende wezen katalysatoren bevatten omdat de reacties waaruit het organisme de voor het leven benodigde energie haalt bij normale temperatuur niet verlopen. Deze katalysatoren noemen wij enzymen en zij bestaan alweer uit eiwit. De kleinste vormen daarvan hebben een moleculairgewicht van 34.500. Elk organisme moet deze soort katalysatoren bevatten, al was het alleen maar voor de opbouw van het eigen lichaam. Nu wordt het de moeite waard om een microbe en wat enzymen en eiwitten met elkaar te vergelijken en te berekenen hoeveel eiwiteenheden van 34.500 er in aanwezig zijn.

		doorsnede	bevat
bacterie	Staphylococcus	1000 mμ	$\pm$ 8.000.000 eenheden
virussen	bacteriophaag	25 mμ	$\pm$ 200
	mond- en klauwzeer	10 mμ	8 ,,
enzymen	urease	12 mμ	14 ,,
	dehydrogenase	6 mμ	2 ,,
	pepsine	5 mμ	1 ,,
eiwitten	haemocyanine	24 mμ	$\pm$ 192 ,,
	erythrocruorine	11 mμ	12 ,,
	eialbumine	5 mμ	1 ,,

Een vergelijking van deze getallen dringt zeer sterk de vraag op of virussen die bijvoorbeeld uit sléchts 8 eiwiteenheden opgebouwd zijn levende organismen genoemd kunnen worden. Wij zien eiwitten en enzymen — dus bestanddelen van organismen — die veel en veel groter zijn. Als wij opmerken dat de dehydrogenase (NEGELEIN) reeds een doorsnede van 6 mμ heeft en wij bedenken dat deze biokatalysator — zoals KLUYVER zegt — een ,,bescheiden taak" heeft, dan is het wel heel opmerkelijk dat er een organisme zou bestaan dat even groter is en zoveel meer taken kan vervullen. Hier schiet het voorstellingsvermogen van den chemicus te kort. Naar ons gevoel is er in het virus geen ruimte voor alle levensverrichtingen (die toch elk gedragen moeten worden door enzymen), bijgevolg kan het ook niet levend zijn.

Daar komt nog iets heel merkwaardigs bij. Toen NORTHROP een bacteriophaag gezuiverd had poogde hij natuurlijk om het moleculairgewicht van dit nucleoproteïne te bepalen. En nu het zonderlinge: in geconcentreerde oplossingen was het moleculairgewicht 300.000.000 en in verdunde oplossingen slechts 400.000, dat is dus 750 maal zo klein! Het moleculairgewicht is dus afhankelijk van de afstand van de deeltjes tot elkaar. Stelt U zich nu eens voor dat wij een weiland hebben waar een millioen katten rondlopen. Het weiland is heel groot, dus de beestjes lopen elkaar niet in de weg. Op een gegeven dag komt er een experimentator die alle katten vangt en ze in een klein schuurtje weer loslaat (de ,,concentratie" wordt dus groter). Wat zien wij nu als wij door het raampje van de schuur kijken? Er zijn geen millioen katten meer, maar nog slechts tienduizend en elke kat is honderd maal zo groot worden. Het geheel lijkt te veel op een sprookje van Andersen om nog in een wetenschappelijke theorie opgenomen te worden. Wij zullen dan ook alleen opmerken dat de analogie met levende organismen niet bepaald goed opgaat.

Het grote probleem voor de chemicus is natuurlijk om de achtergrond van de vermeerdering van het virus te vinden. Dit is een probleem dat uiterst moeilijk is omdat deze vermeerdering altijd in levende cellen plaats heeft en wij de omstandigheden van de virusproductie niet kennen. Wij weten reeds dat het mozaikvirus uit kleinere onderling gelijke bouwstenen is opgebouwd. Wat zijn deze bouwstenen? SCHRAMM kon het virus door een voorzichtige behandeling in kleinere stukken breken die echter geen virusactiviteit meer vertoonden. Brengt hij nu het mengsel weer onder de oorspronkelijke omstandigheden dan leggen de brokstukken zich aaneen tot iets dat op geen enkele physische of chemische wijze van het virus te onderscheiden is. Alleen .... het vertoont geen biologische activiteit meer. Uit deze proeven kunnen wij afleiden dat blijkbaar de activiteit gestoord is door de (willekeurige) hergroepering van de bouwstenen. Vermoedelijk is de totale configuratie van het molecuul de voorwaarde voor de vermeerdering van het virus. Wordt de harmonie van het molecuul verstoord dan kan het niet meer gereproduceerd worden. Natuurlijk blijft hiernaast de mogelijkheid bestaan dat de bouwstenen op zichzelf infectieus zijn. Sommige proeven zouden in die richting wijzen. KREBS en SMIT JENSEN bestraalden mond- en klauwzeervirus en vonden een toename van de activiteit. Er is dus of een deling van de moleculen geweest, of er zijn meer actieve groepen gevormd, of molecuulaggregaten zijn uit elkaar gebroken. Uit de grote stijging die de sterkte van mozaikvirus na bestraling met γ-stralen ondergaat concludeert KAUSCHE dat het molecuul wel degelijk in kleinere infectieuze eenheden gebroken wordt. Dan wordt het vraagstuk van de afmeting van het virus wederom belangrijk.

Nu kunnen wij ons nog afvragen of er bepaalde atoomgroepen in het virusmolecuul aanwijsbaar zijn die met de vermeerdering te maken hebben. Er is een mogelijkheid om deze opgave te benaderen: wij kunnen bepaalde atoomgroepen uit het virusmolecuul blokkeren en zien of de biologische activiteit behouden blijft. Natuurlijk moeten deze reacties met onschuldige middelen gedaan worden, omdat anders het gehele molecuul vernietigd wordt. Veel keus in onze chemicaliën hebben wij dus niet en veel heeft het onderzoek nog niet opgeleverd. Wel zien wij dat de vermeerderingscapaciteit de eerste eigenschap is die beïnvloed wordt. Een behandeling met formaldehyde vernietigt het vermeerderingsvermogen, terwijl alle andere eigenschappen (ook het immuniserende vermogen) behouden blijven. Nu worden door deze stof de aminogroepen geblokkeerd en er moet dus verondersteld worden dat deze groepen

voor de vermeerdering van belang zijn. De blokkade van de groepen
kan opgeheven worden door het formaldehyde te verwijderen en
de activiteit keert terug. Ook andere groepen schijnen voor de vermeerdering van belang te zijn en wij hebben er in ander verband al op
gewezen dat het molecuul een onbeschadigd geheel moet zijn wil er
reproductie plaats hebben. Experimenten over de invloed van verschillende stralen (Röntgen-, γ-, ultraviolette stralen e.d.) op de inactivering
van virussen voeren ons tot een soortgelijke conclusie. Bij een levende
cel kunnen er vele atomen door de stralen geraakt worden die met het
„leven" van die cel weinig te maken hebben. Er bevinden zich eiwitten,
suikers, e.d. in, waarbij de vernietiging door een treffer met een straal
geen invloed heeft op de cel als geheel. Pas als een zeer belangrijk onderdeel van de cel geraakt wordt (een chromosoom b.v.) zien wij een effect.
Bij het mozaikvirus is de zaak anders. Daar heeft bijna elke treffer resultaat (Lea) en daar is dus de totale configuratie van het molecuul van
belang. Concluderende kunnen wij opmerken dat de biologische activiteit
van de virussen een kwestie van reacties van atoomgroepen is, waarbij
het hele molecuul een rol speelt.

Deze opvatting brengt met zich mee dat elke eigenschap van de virussen gekoppeld moet zijn aan bepaalde atoomgroepen van het molecuul.
Kunnen wij nu de „typisch biologische" kenmerken van een virus —
variabiliteit, aanpassingsvermogen en mutabiliteit — ook als een chemische kwestie zien? Onze eerste aanwijzing ligt in het feit dat een mutatie
van een virus gepaard gaat met een aanwijsbare verandering van de
chemische en physische eigenschappen. Dit brengt ons tot nadenken en
wij vragen ons af of die verandering in de chemische eigenschappen niet
primair is, waarbij de verandering in het ziekteverschijnsel als het resultaat
gezien moet worden. [1]) Het lijkt een veel logischere volgorde. Salaman
spreekt zijn verwachtingen over de variabiliteit van een virus, beschouwd
in de eerste plaats als een molecuul en daarnaast als een levend organisme,
als volgt uit. In het eerste geval verwacht hij dat het molecuul in constant
milieu constante eigenschappen zal hebben. Natuurlijk kan door kunstmatige middelen (bestraling) een atoomgroep weleens zo mishandeld
worden dat een mutant van het virusmolecuul het gevolg is. Bij levende
organismen zien wij daarentegen een grote variabiliteit (ook in constant
milieu) en deze variabiliteit is weinig door milieuveranderingen te be-

---

[1]) Het hoeft nauwelijks gezegd te worden dat de bioloog (blz. 180) een
heel andere opvatting van het begrip mutatie heeft. In dit verband kan
nog eens op fig. 9 gewezen worden.

ïnvloeden. Dat wil zeggen, er is dikwijls een invloed van uitwendige factoren waar te nemen, maar die invloed is volgens de meeste biologen nooit van blijvende aard. Hoe is het nu met de virussen gesteld? Praktisch altijd blijft het virus constant als het steeds in dezelfde gastheer gekweekt wordt. Zien wij een enkele keer een andere vorm ontstaan, dan kunnen wij aannemen dat het materiaal oorspronkelijk niet homogeen was. Wel zien wij dikwijls veranderingen in de eigenschappen te voorschijn komen als het virus in een ongewone gastheer gebracht wordt. Toen Loring en Stanley het gewone mozaikvirus op een andere soort tabak overbrachten, vonden zij een virus dat volkomen dezelfde symptomen vertoonde, maar toch waren de kristallen anders gevormd, terwijl de sedimentatieconstante hoger en de oplosbaarheid van het virus minder waren. Voor deze veranderingen kunnen in principe twee verklaringen gegeven worden. De eerste zegt dat er in het oorspronkelijke virus al wat van het tweede materiaal aanwezig was, maar dat dit virus pas zijn kans kreeg op de tweede gastheer. Een andere opvatting is: het gewone mozaikvirus komt in de tweede plant, hierin zijn andere bouwmaterialen aanwezig, zodat het virus nu een enigszins andere atoomgroepering krijgt. Vanzelfsprekend leidt dit tot veranderde chemische en physische eigenschappen. Met deze beschouwingen wil gedemonstreerd worden dat zelfs de begrippen variabiliteit en dergelijke bij de virussen wel degelijk een chemische basis hebben.

Wat moeten wij nu denken van de argumenten die ontleend zijn aan de binding van de groei van het virus aan de stofwisseling van de gastheer? In het algemeen is het argument van de tegenstanders dus: de optimale milieuomstandigheden waaronder de virussen werken zijn niet precies dezelfde als de optimale milieuomstandigheden voor de gastheer, ergo het virus is in zekere mate onafhankelijk van de gastheer. Er wordt dan bijvoorbeeld op gewezen dat er temperaturen zijn waarbij een bacterie zich nog wel vermeerdert, maar de bijbehorende bacteriophaag niet. Ik kan mij voorstellen dat de optimale temperatuur waarbij, laten wij zeggen, haemoglobine geproduceerd wordt anders is dan $37°$ C, dus anders dan de optimale temperatuur van de mens is. Toch trek ik daaruit niet de conclusie dat haemoglobine leeft. Een ander voorbeeld: ik weet dat de optimale zuurgraad waarbij pepsine werkt anders is dan den optimale zuurgraad die in het menselijke organisme heerst. De enige gevolgtrekking die ik mag maken is, dat die pepsine wat anders is dan de mens en dat het in zekere mate onafhankelijk is. Maar om daaruit tot het levend zijn van de pepsine te besluiten zou een beetje te ver gaan.

Ik geeft direct toe, dat de virussen in zekere mate onafhankelijk van de gastheer zijn, maar is niet elk product van een cel in zekere mate onafhankelijk van die cel?

De tropismen van de virussen (dus het zich bewegen naar en de voorkeur voor bepaalde organen) vormen het volgende onderwerp dat ik aan wil roeren. Alweer een term die verkeerde suggesties wekt. In het algemeen verstaan wij onder tropismen regelmatige en gedwongen plaatsveranderingen van levende organismen onder de invloed van prikkels van buiten af (b.v. van planten die zich naar het licht toebuigen). Toen de term in de parasitologie ingevoerd werd veranderde de betekenis enigszins. Het werd de beweging van de parasiet naar een bepaald orgaan toe, dus op de verhouding tussen de parasiet en de gastheer kwam de nadruk te liggen. Omdat men bij de term tropisme meestal aan een eigen bewegelijkheid van de parasiet denkt, heeft de invoering van het begrip tropisme in het virusonderzoek enige bezwaren. Maar de term is nu eenmaal ingevoerd en het enige wat wij nog kunnen doen is er op te wijzen dat er een grote overeenkomst bestaat tussen de beweging van — levenloze — toxinen en van virussen. In verschillende weefsels worden andere niet-levende deeltjes — inkt, roet, steenstof e.d. — met grote snelheid opgenomen. Geldt de term dus voor de virussen dan moeten wij ook in dit geval van tropisme spreken. Vooral de bewegingen van de virussen in de zenuwbanen doen sterk aan die van toxinen (tetanus-toxine) denken. Het virus dat natuurlijk geen eigen bewegelijkheid vertoont wordt aan de zenuwuiteinden opgenomen en zeer snel naar het centrale zenuwstelsel getransporteerd. Uit het feit dat bepaalde kleurstoffen zich op dezelfde wijze gedragen, moeten wij afleiden, dat dit transport passief geschiedt. Er zijn twee verklaringen te bedenken voor een dergelijk transport. Allereerst zou er een — tot nu toe niet gevonden — vloeistofbeweging in de zenuwen kunnen zijn. Dit lijkt onwaarschijnlijk en dus moet er een andere motor voor deze beweging zijn. Het kan wel niet anders of het virus (eventueel het toxine of de kleurstof) wordt specifiek geadsorbeerd aan stoffen uit de zenuw. Op een andere manier gezegd: er moet een specifieke aantrekking tussen bepaalde atoomgroepen van het virus en de inhoud van de zenuw zijn. Nu begrijpen wij ook wat het zeggen wil als er bij een bepaald virus stammen gevonden worden die een tropisme tot het zenuwstelsel vertonen, terwijl andere stammen zich tot een tweede soort organen aangetrokken voelen. Dit moet betekenen dat de eerste stammen veel van die specifieke atoomgroeperingen bevatten die zich door een aantrekking tot het zenuwweefsel kenmerken. Een

zogenaamde aanpassing aan het zenuwweefsel zou dus eenvoudig betekenen dat in het virus, als het in zenuwweefsel gekweekt wordt,
langzamerhand meer van die atoomgroepen (wij denken bijvoorbeeld
aan apolaire lipoidachtige groepen die een sterke affiniteit tot de
zenuwlipoiden zullen vertonen) ingebouwd worden. Het verschil tussen
deze stammen van een virus zal dus chemisch, maar daarnaast ook door
adsorptieproeven aantoonbaar moeten zijn.

Ook de opname van virussen via het neusslijmvlies herinnert meer
aan de opname van Berlijns blauw dan aan die van bacteriën (OLITSKY).
Men ziet dus dat hier met vrucht een chemische beschouwing toegepast
kan worden, al verheel ik mij niet dat wij van de hele gang van zaken
nog veel te weinig weten om een vruchtbare theorie op te bouwen. Maar
wel is het goed om er op te wijzen dat er aan de tropismen van de virussen
— juist omdat zij geen eigen bewegelijkheid vertonen — een chemische
kwestie ten grondslag moet liggen. Dan moet het ook in principe mogelijk
zijn om de specifieke krachten die hier in het spel zijn te ontdekken.

DOERR wees er op dat de serologische reacties op een virus doen denken aan de betrekkingen tussen een toxine en het bijbehorende antiserum.
Er is meer overeenkomst met de werking van een antiserum op het diphthe-
rietoxine dan met de reactie tussen een bacterie en zijn antiserum. Dit
wijst er weer op dat de microbennatuur van de virussen wel enigszins
twijfelachtig is. Nu moet ik toegeven dat deze verhoudingen niet kenmerkend zijn voor alle virussen. Wanneer wij het pokkenvirus nemen dan
is de zaak heel wat ingewikkelder. Wij zien daar naast het virus zelf
oplosbare antigenen die tot de klasse van de koolhydraten behoren. Nu
is nog niet bewezen dat deze koolhydraten tot het virus behoren, integendeel, zij zijn van het virus te verwijderen door het virus te wassen. Wat
ligt meer voor de hand dan de veronderstelling dat de koolhydraten eyen-
eens een product van de zieke cel zijn? Deze opvatting verklaart met één
slag alle moeilijkheden: het koolhydraat behoort niet tot het virus en
is dus gemakkelijk te verwijderen.

De biologische opvattingen culmineren in de gen-theorie, een theorie
die veel bezwaren heeft. Niet alleen dat de overeenkomst tussen genen
en virussen niet zo frappant is, erger is, dat er in de laatste tijd steeds
meer stemmen opgaan die het gen niet als biologische eenheid willen
erkennen. Ook het gen is een product van de cel, dus een molecuul en
het leeft niet. Wij mogen niet zeggen dat het gen zich vermenigvuldigt;
daar is geen enkele aanwijzing voor. De enige juiste uitdrukking is, dat
een gen vermenigvuldigd wordt en ook deze „biologische eenheid" wordt

langzaamaan in de chemische gezichtskring getrokken. Er zijn biologen, die deze moeilijkheden aanvoelen en nu de uiterste consequentie van hun zienswijze trekken door van „levende moleculen" te spreken. Voor ieder die gewend is met moleculen om te gaan klinkt dit absurd. Een molecuul bestaat uit bepaalde atomen en heeft een vaste configuratie. Wanneer wij een atoomgroep uit het molecuul door een andere groep vervangen dan veranderen de eigenschappen van de stof. Met het begrip leven heeft een molecuul niets te maken. Vindt men dat een bepaalde stof in een of ander milieu toeneemt dan moet men trachten de chemische achtergrond van deze autokatalyse te doorgronden. Ziet men dus dat het aantal virusmoleculen in een plant groter wordt, dan is het onze opgave om het reactiemechanisme van deze toename te achterhalen. Dit heeft met het levensprobleem (b.v. een celdeling) niets te maken. Zo kunnen tinnen vaasjes een „huidziekte" vertonen. De oppervlakte wordt grauw en deze „uitslag" noemen wij tinpest. Raken wij een ziek vaasje met een glazen staaf aan dan kunnen wij met die staaf de ziekte op een normaal vaasje overbrengen en dit kan men ad libitum voortzetten. Is hier een zich vermeerderend organisme in het spel? De achtergrond van dit phenomeen is niet zo poëtisch. Er zijn twee vormen van tin: wit en grauw tin. Bij normale en vooral bij lage temperatuur is het gewone witte tin niet stabiel en af en toe zal het veranderen in grauw tin. Deze reactie wordt versneld als men grauw tin met wit tin in contact brengt. Uit dit voorbeeld mag een waarschuwing gedestilleerd worden. Alleen uit het feit dat een ziekte (de tinpest) infectieus is en dat de ziekteverwekker (het grauwe tin) zich vermeerdert, hoeft men niet te concluderen dat de ziekteverwekker leeft.

De chemicus stelt zich dus op het standpunt dat een virus niet leeft, maar een product van de zieke cel is. Het virus — om het wat meer biologisch uit te drukken — ontstaat endogeen. Steeds meer bewijzen voor deze opvatting worden gegeven. Vooral DOERR heeft deze mening verdedigd met argumenten ontleend aan de epidemiologie van roos (herpes fibrilis). Deze ziekte treedt bij de mens op zonder aanwijsbare infectie. Een latente infectie die door velen ter verklaring van de waarnemingen verondersteld wordt kan door hem niet gevonden worden. Verder spreken er enkele feiten tegen het idee dat wij hier met een gewone microbe te maken hebben. In de eerste plaats is de ziekte van de ouderdom van het individu afhankelijk; bij zuigelingen is de ziekte zeer zeldzaam. Dan is de gevoeligheid voor de ziekte erfelijk en wat meer zegt: het symptoom is bij voorvaders en nakomelingen op een bepaalde plaats (b.v. het oorlelletje) gelokaliseerd. In de menselijke maatschappij speelt de infectie praktisch geen rol; wel is het mogelijk om de ziekte door zeer uiteenlopende middelen te provoceren. Komt dus bij een natuurlijk geval bij één persoon het verschijnsel altijd op dezelfde plaats voor, een kunstmatige infectie kan het symptoom op elke willekeurige plaats (de plaats van infectie) doen verschijnen. Is na een kunstmatige infectie de patiënt hersteld, dan kunnen wij de ziekte weer doen optreden met aspecifieke middelen en het symptoom verschijnt weer op dezelfde plaats waar het de eerste keer ingebracht is. Uit al deze experimenten krijgt men de indruk dat sommige weefselplekken van huis uit voor de productie van het virus geschikt zijn en dat het virus endogeen ontstaat. Heeft de ziekte eenmaal op een bepaalde plaats gewoed, dan is deze plek meer geneigd tot virusvorming dan de rest van het organisme.

Bij gezwellen vinden wij vaak dezelfde verschijnselen en de overeenkomst met herpes fibrilis is groot. Het is dan ook uit het oogpunt van den chemicus gezien niet gewenst om bij de gezwellen een scherpe scheiding tussen het virusprobleem en het kankerprobleem te maken. Bij het konijnenpapilloom (SHOPE) zien wij immers dat in het vroege stadium een celvrije overbrenging mogelijk is en dan spreken wij van een virus als verwekker van het gezwel. Later — in het kwaadaardige stadium — is dit niet meer mogelijk en de overeenkomst met kanker wordt groter. Het lijkt ongewenst om nu twee volkomen gescheiden processen aan te nemen en dat is ook niet noodzakelijk als men beseft dat een virus geen parasiet, dus geen exogene ziekteverwekker is.

Daar komt bij dat men bij gezwelvirussen een serologische verwantschap tussen het virus en de normale eiwitten van de gastheer heeft kunnen aantonen. Wat kan dit anders betekenen dan dat het virus endogeen ontstaan is en dat daarbij bestanddelen van de cel verwerkt zijn? De invloed van de gastheer op het virus is zeer groot. Zelfs is het moleculairgewicht van een virus afhankelijk van de ouderdom van de plant waarin het zich bevindt. Natuurlijk is de stofwisseling van een oude plant anders dan die van een jonge; dit moet de verklaring van het verschijnsel zijn.

Na de experimenten van YAMAFUJI en zijn medewerkers kan eigenlijk aan het endogene ontstaan van de virussen niet meer getwijfeld worden. Zij zagen dat de polyederziekte van zijderupsen plotseling over grote gebieden uitbreken kan. Het is moeilijk om deze waarneming met een steeds verder gaande infectie te verklaren. Nu namen zij vier groepen van zijderupsen die ieder een andere behandeling ondergingen. De eerste groep dieren werd gedurende 10 tot 15 minuten op 45° C verwarmd, de tweede groep werd éénmaal gevoed met moerbeibladeren die in formaline gedoopt waren, de derde groep werd rechtstreeks met het virus besmet, terwijl de laatste groep de contrôle vormde. De eerste drie groepen kregen de ziekte en deze uitslag is moeilijk anders te begrijpen dan met de veronderstelling dat de door verwarmen, formalinebehandeling of andere middelen gestoorde stofwisseling tot het optreden van het virus leidt, welk virus zich dan in de levende cellen vermeerdert.

Meestal wordt bij de bespreking van de hypothese over het endogene ontstaan van de virussen uit het oog verloren dat de virussen zich ten opzichte van dit ontstaan volkomen verschillend gedragen. Aan de ene kant van de reeks staan de virussen die éénmaal of slechts af en toe endogeen ontstaan en zich daarna door hun infectievermogen verspreiden om zo in het mensdom of in de planten- en dierenwereld aanwezig te blijven. Deze ziekten zijn dan natuurlijk typische infectieziekten en het endogene ontstaan zal nooit of slechts zelden waargenomen worden. FINDLAY meent aangetoond te hebben dat het virus van de gele koorts — een infectieziekte bij uitnemendheid — endogeen in apen kan ontstaan. Aan de andere kant van de reeks staan de ziekten die heel weinig of nooit door infectie overgebracht worden, maar waarbij het virus praktisch altijd — meestal door een of andere ,,irritatie'' geprovoceerd — endogeen ontstaat. Herpes fibrilis is daarvan het beste voorbeeld.

Na deze beschouwingen blijft er een belangrijk vraagstuk over en dat is het volgende. Waardoor is het mogelijk dat een dergelijk endogeen ontstaan virus infectievermogen heeft? Deze vraag kan alleen beantwoord worden door de betrekkingen van het virus tot de stofwisseling van de cel nauwkeurig te bestuderen. Iets anders gesteld luidt de vraag: hoe is het mogelijk dat een virus de stofwisseling van een cel zodanig beïnvloedt dat deze cel datzelfde virus gaat produceren? In hoofdzaak zijn op deze vraag twee antwoorden gegeven die in de volgende bladzijden naar voren gebracht zullen worden.

3. De enzymtheorie [1])

In het levende organisme voltrekken zich processen bij een temperatuur van 37° C die een chemicus in een reageerbuis pas kan laten verlopen bij een veel hogere temperatuur, bijvoorbeeld in een kokende

---

[1]) Vergelijk hoofdstuk VIII § 2.

vloeistof. Om deze reacties te volbrengen bevinden zich in het organisme katalysatoren, stoffen van eiwitnatuur die in staat zijn de snelheid van de reacties zodanig op te voeren, dat de reacties bij veel lagere temperatuur merkbaar plaats vinden. De eerste enzymen die geïsoleerd werden waren de katalysatoren die in het darmkanaal het voedsel afbreken.

Nu nam men al spoedig waar dat de virusziekten in het algemeen gekenmerkt zijn door een veranderde stofwisseling in de cellen. Dikwijls ziet men in de planten die aan een viruszickte lijden een ophoping van zetmeel. In het normale geval wordt het zetmeel — dat een onoplosbaar reservevoedsel is — afgebroken tot oplosbare suikers. Voor deze omzetting is natuurlijk een enzym nodig en men komt licht tot het idee dat er bij de virusziekten een ,,concurrerend'' enzym optreedt, dat de normale gang van zaken stoort en het zetmeel onopgelost laat liggen. Het virus zou dan met een (schadelijk) enzym gelijkgesteld moeten worden. De moeilijkheid is natuurlijk dat dat schadelijke enzym, wanneer het in een gezond organisme gebracht wordt, een grote toename in hoeveelheid vertoont. Vandaar dat de meeste onderzoekers huiverig tegenover de enzymtheorie stonden. Zij kenden immers uit de enzymologie geen overeenkomstige waarnemingen.

Langzamerhand heeft de aansluiting van de virussen aan de enzymen meer mogelijkheden gekregen. De ccrste enzymen waarvan de afmetingen werden onderzocht stonden in hun moleculairgewicht (34.500) wel zeer ver van de virussen af. Nu weten wij dat er enzymen zijn met een hoog moleculairgewicht (urease heeft een moleculairgewicht van 473.000) en een molecuul van deze stof is groter dan de kleinste virusdeeltjes. Hierdoor krijgt de hypothese dat de virussen eigenlijk enzymen zijn een iets vastere basis. In ieder geval zijn de afmetingen van de virussen geen bezwaar meer tegen deze opvatting.

Er blijft nog de moeilijkheid van de vermeerdering van de virussen. Maar ook hier werden mogelijkheden geopend door het fraaie werk van NORTHROP over enkele spijsverteringsenzymen. Het veld van de enzymen is altijd een soort niemandsland tussen de biologie en de chemie geweest. De eerste phase van de onderzoekingen op dit gebied wordt gekenmerkt door de hypothese dat de in levende wezens plaats grijpende reacties volkomen verschillend zijn van de reacties met anorganisch materiaal. Het zou dan ook principieel niet eens mogelijk zijn om een ,,organische stof'' in het laboratorium uit anorganische verbindingen te synthetiseren. In de loop van de negentiende eeuw verandert het standpunt volkomen; er komt de zekerheid dat het maken van stoffen, die kenmerkend zijn

voor levende organismen wel mogelijk is en het resultaat is dat zich
met zeer grote snelheid de ,,organische chemie'', dat zeer belangrijke
onderdeel van de scheikunde ontwikkelt. Experimenten toonden al
spoedig aan aan dat de reacties in de levende wezens veroorzaakt worden
door onbekende stoffen (enzymen) die zelf niet leven maar door de levende
cellen geproduceerd worden. BERZELIUS wijst dan op de overeenkomst
met de katalysatoren die de reacties met anorganisch materiaal versnel-
len. Pas in 1926 werd het eerste enzym (urease) door SUMMER gekristalliseerd en daarmee werd de enzymologie een vak dat ook door chemici
met veel succes bedreven kon worden. Het blijkt dan dat de enzymen
eiwitten zijn die dikwijls een ingewikkelde structuur hebben. Nu kunnen
er verschillende eiwitten geïsoleerd worden die nauw verwant zijn aan
de actieve enzymen, maar die zelf niet de minste enzymwerkzaamheid
ontvouwen (NORTHROP). Dat zijn voorlopers van de actieve enzymen
die uit de enzymafscheidende klieren gewonnen kunnen worden. Het
enzym en zijn voorloper verschillen in hun bouw niet zo veel en dit geeft
de mogelijkheid om te trachten de structuur of de atoomgroep te vinden
die verantwoordelijk is voor de werkzaamheid van het enzym, maar dat
niet alleen; het moet ook mogelijk zijn om langs deze weg iets te weten
te komen over de vorming van de enzymen in het lichaam. In het algemeen laten de onderzoekingen zien dat door een kleine verandering een
inactieve voorloper verandert in een actief enzym. Daarbij blijkt dat
deze reactie autokatalytisch is, d.w.z. het actieve enzym stimuleert de
overgang van het onwerkzame in het werkzame materiaal. Het enzym
vormt dus zichzelf uit een stof met andere eigenschappen.

Deze zeer merkwaardige eigenschap is waard om nader bestudeerd
te worden. Het chymo-trypsine (een enzym uit de pancreas) wordt door
een eenvoudige reactie — het openen van een peptidering — uit het
chymo-trypsinogeen gevormd. Deze kleine chemische verandering veroorzaakt evenwel een grote verandering in de totale bouw van het molecuul, zodat röntgenologisch de twee stoffen volkomen verschillend zijn.
En wat ons nog meer interesseert: de twee stoffen zijn langs serologische
weg te onderscheiden. Werpt dit niet een bijzonder licht op de argumenten van biologische zijde die uit de serologische verschillen tussen
virus en gastheer tot de zelfstandigheid van het virus willen besluiten?
Wij zien nu dat stoffen die rechtstreeks uit elkaar ontstaan (zoals het
enzym en zijn voorloper) serologisch verschillend kunnen zijn. Omgekeerd mag men dus uit een verschillend serologisch gedrag absoluut
niet de conclusie trekken dat men met twee niet-verwante zaken (in

casu virus en cel) te maken heeft. Ook de omzetting van trypsinogeen in trypsine, een reactie, die het gevolg is van een interne verschuiving in de structuur van het molecuul, is merkwaardig, omdat het verloop van deze reactie een overeenkomst vertoont met de groeikromme van bacteriën. Op de mogelijkheden die dit weer opent en op de achtergrond ervan, kan ik natuurlijk niet nader ingaan.

Terwijl deze ontwikkeling in de enzymologie plaats vond, rees er een controverse over de natuur van de virussen, dus in een gebied dat zich tot voor kort in het biologische ideeënveld bevond. Het essentiële van de virussen zou zijn dat zij zich na de infectie van een gezonde cel gaan vermeerderen ten koste van die cel. BORDET meende dat de feiten veel beter verklaard konden worden — de bacteriophaag was het onderwerp van zijn bespreking — door de autokatalytische productie van een phaag uit een normaal celbestanddeel aan te nemen. Virussen kunnen dus enzymen zijn (want zij grijpen in de stofwisseling van de cellen in) die zichzelve onder bepaalde omstandigheden kunnen vormen. Voor de bacteriophaag is deze zienswijze experimenteel gesteund door KRUEGER, een leerling van NORTHROP. In bacteriën die zich snel vermeerderen wordt de voorloper van de bacteriophaag gevormd. Dit kan hij aantonen doordat in een celvrij filtraat van deze bacteriën na toevoeging van wat bacteriophaag de vorming van meer phaag waargenomen wordt. Er moet dus in dat extract een voorloper van de bacteriophaag aanwezig geweest zijn. Van de achtergrond van de reactie, waarbij de phaag uit de celcomponent gevormd wordt, weten wij nog niets af. Het is mogelijk dat wij te maken hebben met een betrekkelijk eenvoudige verandering in het molecuul van de voorloper, waardoor de overeenkomst met de enzymen nog sprekender zou worden. Ook moet de mogelijkheid niet afgewezen worden dat er verschillende componenten zijn die samen als het ware de voorloper vormen en waaruit de bacteriophaag door autokatalyse gesynthetiseerd wordt. Deze reactie gaat zeer snel want in twee minuten is alles in bacteriophaag omgezet.

Wanneer deze opvattingen op waarheid berusten, dan moeten er overeenkomsten in de bouw van virussen en enzymen aan te wijzen zijn. De eenvoudigste enzymen zijn eiwitten zonder meer, maar vele enzymen bevatten naast een eiwit (de drager) een werkzame groep (de werkgroep). Alleen de samenwerking van drager en werkgroep maakt het enzym tot een actieve biokatalysator. Wanneer wij nu de bouw van de virussen bekijken dan vallen de twee bestanddelen eiwit en nucleïnezuur op en het is voor de hand liggend om op de parallel met de enzymen te wijzen en van drager en werkgroep te spreken. Ook hier geldt weer: het virus is alleen werkzaam als de werkgroep aan de drager gebonden is tot het nucleoproteïne. Bij de eenvoudigste enzymen is van aparte werkgroepen geen sprake, alles wijst er op dat de werkzaamheid van het enzym gebonden is aan de totale configuratie van het eiwitmolecuul, iets waarop bij de vermeerdering van de virussen ook met nadruk gewezen is. Elke poging om van een enzym of een virus een fragment uit het molecuul te isoleren resulteert in het verlies van de werkzaamheid.

Het is onwaarschijnlijk dat een eiwit gesynthetiseerd kan worden zonder dat daarbij energie toegevoerd wordt en dit is de reden dat een virus alleen gevormd kan worden in een levende cel, die deze energie kan verschaffen. Hierdoor wordt verklaard dat er een sterke binding van de virusvorming aan de stofwisseling van de levende cel gevonden wordt. Het betekent natuurlijk niet dat een milieufactor op het virus op dezelfde wijze zal werken als op de gastheercel. Zo vinden KRUEGER en FONG dat de productie van de bacteriophaag en de groei van de bacteriën verschillende temperatuur- en zuurgraadoptima hebben. Het werk van GRAINGER die uit de invloed van de temperatuur op de vermeerdering van het mozaikvirus en op de groei van de tabaksplant tot een zekere onafhankelijkheid van het virus ten opzichte van de gastheer concludeerde, is reeds besproken. Zeker is deze conclusie verdedigbaar, alleen moet men scherp omschrijven wat men onder een ,,zekere onafhankelijkheid" verstaat. Ook een enzym is in zekere mate — vooral wat betreft de invloed van milieufactoren — onafhankelijk van het producerende organisme. Wij zien dikwijls bij hoge temperatuur de symptomen van een virusziekte tijdelijk verdwijnen. Dit kan het gevolg zijn van het feit dat het virus — als enzym beschouwd — bij deze temperatuur zijn werkzaamheid niet kan vertonen. Een argument voor de enzymtheorie van de virussen wordt nog gevonden in het feit dat de invloed van de zuurgraad op de activiteit van mozaikvirus veel overeenkomst met de invloed van dezelfde factor op enzymen vertoont (BEST en SAMUEL). De werking van de zuurgraad op levende organismen vertoont in het algemeen een ander verloop.

Nu kan men dikwijls geen fraaie overeenkomst vinden tussen de vorming van virussen en de autokatalyse van enzymen zoals deze door NORTHROP beschreven werd. De bezwaren zijn voornamelijk gelegen in het feit dat er geen stoffen in de gastheer gevonden worden die als ,,voorloper" van het virus in aanmerking komen en in de omstandigheid dat een plant die aangevallen kan worden door enige virussen even zovele

„voorlopers" van die virussen zou moeten bevatten. Men gaat zich afvragen hoe de autokatalyse van het virus wel zal plaats hebben. Gewezen wordt dan (LANGENBECK) op de overeenkomst met de condensatie van formaldehyde waar eveneens toevoeging van het reactieproduct een grote synthese kan opleveren. Wij komen door deze opmerking op het idee om de virussen met de macromoleculaire kunststoffen (kunsthars, kunstrubber, bakelite e.d.) te vergelijken. Er hoeft nauwelijks bij gezegd te worden dat deze vergelijking niet meer dan zeer oppervlakkig kan zijn. Belangrijk is slechts dat wij uit stoffen met een klein moleculairgewicht (formaldehyde, phenol enz.) verbindingen met geweldige moleculairgewichten zien ontstaan. Merkwaardig is dat men in de besprekingen van dergelijke reacties dikwijls termen vindt als: deze stof is door condensatie (zelfesterificatie) tot een kettingmolecuul „uitgegroeid". Laat deze biologische terminologie ons duidelijk maken dat er in de anorganische materie reeds mogelijkheden liggen voor het aaneenleggen van kleine moleculen tot grote vormsels (de z.g. polymerisatie).

Natuurlijk hebben dergelijke ideeën ook in het virusonderzoek verdedigers gevonden. BAWDEN en PIRIE zien het virus als een zeer groot eiwitmolecuul, dat uit veel kleinere bouwstenen die van de gastheer afkomstig zijn, opgebouwd is. KAUSCHE heeft deze hypothese verder uitgebouwd. Volgens hem zijn de brokstukken van een virus normale nucleoproteïnen van de gastheer, zodat het virus beschouwd moet worden als een polymerisatie-katalysator. Deze normale nucleoproteinen vormen in de plant een voornaam bestanddeel van de plastiden, dat zijn dus de plaatsen waar met behulp van de zonne-energie de suikers gesynthetiseerd worden. Een binnengedrongen virusmolecuul zal deze nucleoproteïnen polymeriseren en aan de plastiden onttrekken. Hierdoor wordt het chlorophylapparaat beschadigd, hetgeen zich in de plant manifesteert, doordat op de bladeren gele vlekken optreden. Er zal nog veel werk verricht moeten worden om deze hypothese tot een waarschijnlijkheid te maken.

Wat is de werking van deze virus-enzymen? Wat wij van de gewone enzymen afweten is dat zij altijd op de een of andere wijze met de afbraak van stoffen in verband gebracht kunnen worden. De amylase breekt het zetmeel af in kleinere brokstukken, trypsine doet hetzelfde met eiwitten en zo kan elk enzym een bepaalde reactie toegeschreven worden. Nu zijn de pogingen om de reacties te vinden waarvoor de virussen verantwoordelijk zouden zijn, niet geslaagd. Een paar Japanse onderzoekers (MORIYAMA en OHASHI) zien de virussen als „denaturasen", d.w.z. als katalysatoren die het levende eiwit zouden denatureren,

waardoor het zou coaguleren tot kleine deeltjes. Dit lijkt een onvrucht-
bare speculatie omdat niet in te zien is dat het gedenatureerde eiwit de
basis kan zijn van het daaruit gevormde viruslichaampje. Er is geen
enkele aanwijzing dat virussen uit gedenatureerd eiwit zouden bestaan,
integendeel, met de denaturatie verliest een virus zijn activiteit.

In de laatste tijd is er veel aandacht (BERGMANN) voor de processen
van eiwitopbouw en afbraak die in de cel plaats hebben. Hoewel de enzymen een afbraakfunctie hebben, is het in enkele gevallen mogelijk
om de werking van een enzym om te keren en bepaalde stoffen met enzymen te synthetiseren in plaats van af te breken. Nu stelt men zich op
het standpunt dat er zich in de cel enzymen moeten bevinden waar wij
nog niets van af weten, maar die bij de eiwitsynthese betrokken moeten
zijn. Dat zouden dan „proteïnasen" zijn; katalysatoren die gewoonlijk
eiwitten afbreken maar in speciale gevallen — dus in de levende cel —
zouden opbouwen. Er moet in de cel een voortdurende afbraak, verplaatsing van brokstukken en opbouw van eiwitten plaats hebben en er
zijn eiwitten die in de tegenwoordigheid van deze proteïnasen stabiel
zijn. Ongetwijfeld is er een zekere overeenkomst met de virusvorming.
Het materiaal voor de bouw van het virus is het eiwit van de gastheer,
daarover zullen wij het wel eens zijn. Maar het lijkt voorshands voorbarig
om het virus gelijk te stellen met proteïnasen, enzymen waarvan wij nog
zo weinig afweten.

De enzymtheorie is dus slechts ten dele bevredigend. Zij faalt wanneer
wij vragen wat nu de rol van dat enzym in het organisme is en hoe de
vermeerdering van het enzym plaats heeft. Ongetwijfeld is het mogelijk
de theorie door enige hypothesen te schragen, waardoor een min of meer
afgerond geheel verkregen wordt. STANLEY waarschuwt dan ook tegen
een klakkeloos gelijkstellen van de virussen met de ons bekende biokatalysatoren en in versterkte mate tegen de vergelijking met de in de
gewone scheikunde gebruikte katalysatoren. Men moet — zoals hij zegt —
niet aan de gangbare betekenis van het woord katalysator denken en
hij gebruikt liever de term superkatalysator. Natuurlijk verklaart een
dergelijk woord niets van het reactiemechanisme dat aan de vermeerdering en de eigenschappen van de virussen ten grondslag ligt. Dit vermindert de waarde van de term aanzienlijk.

4. *De biosynthese*

Ietwat ontevreden hebben wij afscheid genomen van de enzymtheorie en het is goed om even te pauseren en de vaststaande feiten te resumeren, opdat wij daarna met nieuwe moed verder kunnen gaan. Ons eerste punt is dat de virussen — zij het zelden — endogeen kunnen ontstaan. Dat wil dus zeggen dat de normale celbestanddelen op de een of andere manier, door een chemische reactie, een aaneenleggen van normaliter gescheiden verbindingen of iets dergelijks, veranderd kunnen worden in stoffen met viruseigenschappen, dus in vormingen die een oppervlakkige gelijkenis met parasieten vertonen. Daarom is de vorming van virussen aan de levende cel gebonden. Ten tweede passeren virussen dikwijls een levende cel zonder er verwoestingen aan te richten. Dit is uit parasitologisch oogpunt — gezien de onbewegelijkheid van de virussen — onbegrijpelijk, maar voor ons een feit dat bij de waarneming van het endogene ontstaan van de virussen past. De verwantschap tussen de virussen en de normale celbestanddelen is nauwer dan men uit enkele waarnemingen (serologie) zou verwachten en blijkbaar is een bepaald virus alleen voor bepaalde cellen gevaarlijk. Wanneer wij dan nog zien dat een virus niet eenvoudigweg een enzym is, dan moet er een andere weg gezocht worden om de virusvorming te verklaren.

Onze landgenoot JANSSEN is de eerste geweest die — inziende dat de geldende theorieën niet voldeden — een poging gewaagd heeft om deze nieuwe weg te vinden. Tot nu toe — ik volg zijn betoog — kennen wij in de levende cel slechts enzymen die verantwoordelijk gesteld worden voor de opbouw en de afbraak van de materie. Maar, vraagt hij, is het verantwoord om de enzymen voor beide processen, zowel de opbouw als de afbraak, als oorzaak te zien? Dit kan op goede gronden betwijfeld worden. In het algemeen zijn de enzymen bij de afbraak van de materie betrokken. Het gelukt een enkele maal, maar onder zeer onnatuurlijke omstandigheden, om deze reacties om te keren, dus om een enzym voor de opbouw van een stof te gebruiken. Nemen wij nu aan dat zowel voor de opbouw als voor de afbraak van de materie in de cel enzymen gebruikt worden, dan krijgen wij de merkwaardige figuur dat een enkel enzym in beide richtingen moet werken. De ene keer bouwt het enzym op wat het een andere keer afbreekt. Dit is wat onlogisch en chemisch niet te verklaren.

JANSSEN zegt nu dat bij de vergelijking van de structuur van de stoffen die door levende organismen geproduceerd worden, merkwaardige regelmatigheden opvallen, die er op wijzen dat aan de productie van materie door een levend wezen (de biosynthese) een enkel algemeen geldend mechanisme ten grondslag ligt. Uit de structuurformules van de geproduceerde materie kan het mechanisme van de biosynthese afgeleid worden. De levende natuur vermeerdert haar eigen materie en bij deze biosynthese moeten twee phasen onderscheiden worden. In de eerste phase wordt het bouwmateriaal aangevoerd en voor het gebruik gereed gemaakt. Deze phase is uitvoerig bestudeerd en wij weten in grote lijnen hoe de plant bij de photosynthese glucose produceert, welke suiker in de vorm van zetmeel opgeslagen wordt. Ook bij het dierlijke organisme is glucose het eindproduct van de voedselafbraak en hier wordt het als glycogeen in de lever bewaard. De tweede phase is volslagen terra incognita en bestaat uit de opbouw van de materie van het organisme. Het is vooral deze laatste phase die de aandacht van JANSSEN heeft.

Hij verwerpt het idee dat enzymen ook hierbij een grote rol spelen en meent dat er in de cel bepaalde verbindingen (synthetisatoren) aanwezig zijn die als „matrijs" voor de te vormen producten fungeren. Deze matrijzen zijn de nucleoproteïnen die in het cytoplasma voorkomen. Het zijn dus de machines die bepaalde producten leveren. Op hun beurt worden de machines geconstrueerd in de machinefabrieken, dat zijn de nucleoproteïnen die in de kern aanwezig zijn (en die dus met de genen gelijkgesteld kunnen worden). Allereerst interesseert ons het werk van de machines die de celproducten leveren. Het ruwe materiaal voor de productie is de glucose. Vele glucosemoleculen vullen bij het begin van het proces de matrijs. Deze matrijs moet een langwerpige vorm hebben en nu loopt over de reeks glucosemoleculen een serie reacties, waarbij de moleculen aan elkaar gekit worden, terwijl uit de matrijs bepaalde atomen (stikstof, zwavel en phosphor) opgenomen worden. De gevormde moleculen laten daarna los van de vorm. Nu heeft de matrijs enige atomen afgestaan aan de afgeleverde producten en de matrijs herstelt zich; de ontbrekende atomen worden uit het cytoplasma opgenomen. Is dit gebeurd dan kan het proces van voren af aan beginnen. De energie die voor het proces nodig is wordt verkregen doordat een deel van de glucosemoleculen geoxydeerd wordt. In zijn voorstelling draagt elk glucosemolecuul daarom slechts drie koolstofatomen aan de gevormde producten bij. Alle natuurlijke verbindingen (eiwitten, vetten, lipoiden, sterolen, alkaloïden, koolhydraten etc. etc.) kunnen volgens JANSSEN op deze wijze met behulp van synthetisatoren van nucleoproteïne-natuur ontstaan gedacht worden. De machines zelf worden op volkomen analoge wijze op de nucleoproteïnen van de kern (machinefabrieken) geproduceerd. Er is dus in de hele biologie eigenlijk slechts één proces en slechts één type machines (fig. 23).

Bekende maar onbegrijpelijke feiten krijgen door deze theorie een plausibele verklaring. Daar is bijvoorbeeld de ontdekking van SVEDBERG dat alle eiwitten moleculairgewichten hebben die een veelvoud van

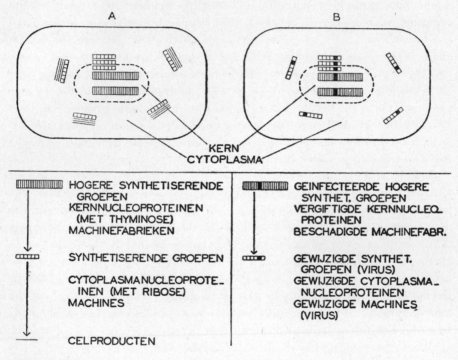

FIGUUR 23

Het schema van de biosynthese volgens JANSSEN. De door een virus vergiftigde cel kan de normale celproducten niet vormen.

34.500 zijn. Dat betekent dat van de oneindige hoeveelheid mogelijkheden die bestaan bij een groot molecuul zoals het eiwit (dat opgebouwd is uit vele aminozuren) er in de natuur slechts weinige gerealiseerd zijn. Ongetwijfeld omdat de machines waarop die eiwitten gesynthetiseerd worden een bepaalde grootte hebben. Omgekeerd kan de grootte van de synthetisatoren uit de afmetingen van de producten afgeleid worden. JANSSEN deduceert uit verschillende gegevens de structuur van de eiwitten en zijn theoretisch afgeleide structuur is in overeenstemming met de experimentele gegevens die langs andere wegen verkregen zijn.

JANSSEN gaat vervolgens na hoe een virusziekte gezien moet worden. Zijn aandacht richt zich primair op het mond- en klauwzeervirus. In een normale epitheelcel van het rund heeft de vorming van hoorn plaats. Lijdt het dier aan de genoemde ziekte dan is deze functie gestoord en er worden geen keratinefibrillen (hoornvezels) geproduceerd, terwijl de cellen het typische „schimmige" uiterlijk krijgen. Er treedt blaarvorming op. Wat is er nu gebeurd? Blijkbaar is de plaats van de keratinemachines ingenomen door de virusmoleculen. Dit gebeurt omdat de machinefabrieken vergiftigd zijn, zodat deze fabrieken virus in plaats van keratine-synthetisatoren gaan produceren. De stofwisseling van de cel is dus volkomen in de war. Het heeft weinig zin om hier van autokatalyse van het virus te spreken omdat de voorloper van het virus ontbreekt. Wij zien dus de virussen als gewijzigde synthetiserende groepen van het protoplasma en de virusziekten zijn besmettelijke stofwisselingsstoornissen van de cellen.

Het door JANSSEN ontworpen beeld heeft het grote voordeel dat het een eerste stap is in het onontgonnen gebied van de synthese van het leven. Tot nu toe werden pogingen in deze richting alleen gezocht in onderzoekingen naar de enzymen die bepaalde stoffen kunnen produceren of er werd gezocht naar analogieën tussen de levende cel en chemische modellen, opgebouwd uit de stoffen die kenmerkend voor het leven zijn. De door JANSSEN geconstrueerde voorstelling zal de werkelijkheid beter benaderen dan de opvatting van de cel als „een zak met enzymen" of als een „dood model van gelatine en arabische gom" zoals hij het zelf plastisch uitdrukt. Zijn hypothese moet gezien worden als een eerste poging om de cel te „karteren".

Zijn voorstelling geeft aanleiding tot het stellen van enige vragen, waarvan de oplossing ons weer meer over het virusprobleem leert. Wat is het verschil tussen een virus en een gewoon vergift? Wij spreken immers over een vergiftiging van de machinefabrieken en een dergelijke vergiftiging kan in principe ook door een normaal vergift plaats hebben. Natuurlijk kan ook een vergift de stofwisseling van de cel storen, maar het is pas een virus als het vergift door de zieke cel zelf geproduceerd wordt. Er zullen in het levende organisme dikwijls stoffen komen of ontstaan die de celstofwisseling in de war sturen. Wanneer zij zich niet vermeerderen dan zullen zij met een enkele of enige cellen te gronde gaan en wij zullen van het hele proces niets merken. Een virus komt dus als het ware uit zeer vele vergiften te voorschijn omdat het door de cel geproduceerd wordt. Wanneer een virus in een andere gastheer gebracht wordt dan kan het virus gewijzigd worden en de oorzaak van deze verandering ligt voor de hand: het tweede organisme heeft andere machinefabrieken dan het eerste. Het resultaat is dan ook dat het virus — zoals de bioloog zegt — muteert.

Ook voor het practische virusonderzoek levert de gevolgde beschouwing consequenties die waard zijn in aanmerking genomen te worden. De virussen zijn grote eiwitmoleculen, ontstaan door een gewijzigde biosynthese en niet door deling e.d. Neemt men dit aan, dan heeft het geen zin om te pogen een dier te immuniseren met ,,voorzichtig gedode" virussen, want het virus is helemaal niet levend. Het doel moet daarentegen zijn om het levenloze molecuul door physisch-chemische middelen zo te veranderen dat het zijn ziekteverwekkende vermogen verliest. Dit ziekteverwekkende vermogen moet aan bepaalde atoomgroepen van het molecuul gekoppeld zijn en de opgave is nu om deze groepen te blokkeren. Aan de andere kant moeten de groepen die aanleiding geven tot de vorming van antilichamen natuurlijk gespaard blijven. Het is alweer JANSSEN die — uitgaande van deze beschouwingen — de immunisatie tegen het mond- en klauwzeer bestudeerd heeft. Hij behandelde het virus met vele chemicaliën en ging dan de immuniserende werking van het preparaat na. Het was hem mogelijk om aan te geven welke atoomgroepen in het virusmolecuul gespaard moeten blijven en welke atoomgroepen geblokkeerd moeten worden, opdat een goede vaccinatie resulteert. Dit betekent dat het virusmolecuul nu zo veranderd is dat de normale biosynthese — dus de vorming van keratine in de huidcellen — niet gestoord is, terwijl aan de andere kant de vorming van de antilichamen tegen het virus in de lever nog wel plaats heeft.

Wie de van chemische zijde gegeven oplossingen van het virusvraagstuk objectief vergelijkt, kan niet anders dan onder de indruk komen van de door JANSSEN ontwikkelde theorie. De enzym-theorie is niet waarschijnlijk. Dit blijkt al uit de uitlating van STANLEY die het virus als een superkatalysator wil beschouwen. Met andere woorden gezegd: het virus is met de tot nu toe beschreven enzymen nauwelijks te vergelijken. Ook de opvatting dat het virus een polymerisatiekatalysator (PFANKUCH) is kan de toets van de kritiek niet doorstaan. Volgens deze hypothese zou het virus uit normale nucleoproteïnen van de plant gevormd worden doordat de moleculen zich tot reuzenmoleculen aaneenleggen. Dit spreekt tegen de experimenten van MARTIN, BALLS en McKINNEY over de veranderingen in het eiwitgehalte van tabaksplanten, nadat deze door mozaikvirus geïnfecteerd waren. De waargenomen veranderingen kunnen het beste verklaard worden als men aanneemt dat er een wedstrijd tussen twee eiwitsynthesen (die van normaal eiwit en die van virus) plaats heeft. Er zijn geen aanwijzingen dat het normale eiwit direct in virus omgezet wordt. Ook BORN komt uit proeven over de opname van radioactieve phosphoratomen in mozaikvirus tot dezelfde overtuiging. Het virus wordt niet opgebouwd uit de normale nucleoproteinen maar uit eenvoudigere bouwstenen.

Resumerende kunnen wij zeggen dat alle argumenten tegen de levende natuur van de virussen spreken [1]). Het virus moeten wij zien als een product van de zieke cel en bijgevolg als iets dat met physische en chemische middelen te onderzoeken is. Nu moet men deze conclusie vooral niet uitstrekken tot de levende cellen. Wij zijn er van overtuigd dat het leven door eigenschappen gekenmerkt is die wij niet in de anorganische wereld tegenkomen. Het virus mag dus zeker niet gezien worden als een overgangsvorm tussen de niet-levende en de levende materie. Het leven blijft een scherp begrensde enclave waarin echter de virussen niet thuis horen. Ik kan niet beter doen dan te besluiten met de woorden van JAEGER die hij al in 1937, dus vlak na de ontdekking van STANLEY, uitgesproken heeft:

„Wat de ultravirussoorten betreft, zo schijnt het wel zeker, dat de oude strijd tussen de aanhangers der leer, dat zij uit submicroscopische, levende organismen zouden bestaan en tussen hen, die, — evenals BEIJERINCK — die aanwezigheid van levende organismen daarin menen te moeten ontkennen, thans allengs meer en meer ten gunste der laatst-genoemden zal worden beslecht.

Men hoede zich er echter zorgvuldig voor om, — óók als men de „dode" natuur dier filtreerbare virus-soorten als bewezen wil beschouwen, — deze merkwaardige proteïnen te bestempelen als iets, wat als ene soort van „overgangsvormen" tussen „dode" en „levende" materie zou kunnen gelden, — zoals men dat, zowel van chemische als van biologische zijde, tegenwoordig wel eens hoort beweren. Ook als men de overtuiging heeft, dat het tabak-virusproteïne, de bacteriofaag, enz. inderdaad „dode" stoffen zijn, dan dient toch tevens bedacht te

---

[1]) Naar het gevoel van de schrijver (hoofdstuk VIII par. 3 en 4) kan een theorie van de virussen met de theorie van de biosynthese gecombineerd worden zonder dat daarmee de virussen als niet-levende agentia gezien worden.

worden, dat zij hunne merkwaardige, uiterlijk op levensverschijnselen sprekend gelijkende activiteiten, alleen openbaren, wanneer zij in aanraking en in wisselwerking zijn met levende cellen en met levende organismen. Zonder deze zijn zij tot niets in staat, waardoor zij zouden blijken zich van andere molecuulsoorten te onderscheiden. En zo blijft dan de grenslijn, die de ,,dode" van de ,,levende" materie scheidt, voor ons ook nu nog even ondefinieerbaar en onoverschrijdbaar als zij tot dusverre immer is geweest".

LITERATUUR

BAWDEN, F. C. and N. W. PIRIE. Some properties of purified preparations of plant viruses. Proc. 3d Int. Congr. Microbiol. N.Y. 279—280, 1939.

BAWDEN, F. C., N. W. PIRIE, J. D. BERNAL and I. FANKUCHEN. Liquid crystalline substances from virus-infected plants. Nature *138*, 1051—1052, 1936.

BERGMANN, M. and C. NIEMANN. Newer biological aspects of protein chemistry. Science *86*, 187—190, 1937.

DOERR, R. General characteristics of viruses, including bacteriophage. Proc. 2nd Int. Congr. Microbiol. London 68—70, 1936.

FINDLAY, G. M. and F. O. MacCALLUM. Experimental observations on yellow fever. Proc. 3d Int. Congr. Microbiol. N.Y. 348, 1939.

JAEGER, F. M. De analytische ultra-centrifuge en het onderzoek der filtreerbare virus-soorten. Chem. Weekbl. *35*, 419—431, 1938.

JANSSEN, L. W. Biosynthesis and the outlines of protein structures. Protoplasma *33*, 410—426, 1939.

JANSSEN, L. W. Vaccination gegen Maul- und Klauenseuche. Arch. Virusf. *3*, 85—110, 1943.

KAUSCHE, G. A. und H. STUBBE. Zur Frage der Entstehung röntgenstrahleninduzierter Mutationen beim Tabakmosaikvirusprotein. Naturwiss. *28*, 824, 1940.

KRUEGER, A. P. The ,,precursor" of bacteriophage. Proc. 3d Int. Congr. Microbiol. N.Y. 297—298, 1939.

MARTIN, L. F., A. K. BALLS and H. H. McKINNEY. Protein changes in mosaic-diseased tobacco. J. biol. Chem. *130*, 687—701, 1939.

McFARLANE, A. S., M. Y. McFARLANE, C. R. AMIES and G. H. EAGLES. A physical and chemical examination of vaccinia virus. Brit. J. exp. Path. *20*, 485—501, 1939.

NEUGEBAUER, TH. Ueber die autokatalytische Entstehung der Viren und verwandte Probleme. Naturwiss. *30*, 168—169, 1942.

NORTHROP, J. H. Chemical nature and mode of formation of pepsin, trypsin and bacteriophage. Congr. du Palais de la Découverte Paris VII, 35—46, 1937.

PFANKUCH, E. Ueber die Spaltung von Virusproteinen der Tabakmosaik-Gruppe. Bioch. Z. *306*, 125—129, 1940.

PURDY BEALE, H. Relation of Stanley's crystalline tobacco-virus protein to intracellular crystalline deposits. Contrib. Boyce Thompson Inst. *8*, 413—431, 1936.

SALAMAN, R. N. The potato virus X: its strains and reactions. Philosoph. Trans. Roy. Soc. London B *229*, 137—217, 1939.

STANLEY, W. M. Chemical studies on the virus of tobacco mosaic. VII. An improved method for the preparation of crystalline tobacco mosaic virus protein. J. biol. Chem. *115*, 673—678, 1936.

YAMAFUJI, K. und Y. KOSA. Zum Chemismus der Virus-Entstehung. Bioch. Z. *317*, 81—86, 1944.

HOOFDSTUK VII.

De biochemicus spreekt over:

IS ER EEN GRENS TUSSEN LEVEN EN NIET-LEVEN?

1. *Wat leren ons de beschouwingen van de bioloog en de chemicus?*

Toen de bioloog uitgesproken was had ik de overtuiging gekregen dat de virussen leven, maar deze overtuiging werd door de lezing van de chemicus volkomen vernietigd. Nu moet ik als biochemicus mijn standpunt ten opzichte van het virusprobleem bepalen. En voor mij rijst de vraag hoe het mogelijk is, dat de bioloog en de chemicus uit volkomen dezelfde feiten twee tegengestelde theorieën destilleren. Hier moeten verschillen in denkwijze aanwezig zijn en het is de moeite waard om de achtergrond van hun hypothesen beter te belichten en ons af te vragen wat de waarde van hun argumenten is. Het ligt voor de hand dat zij met verschillende begrippen werken. Voor een bioloog is het begrip cel verweven met alle voorstellingen die hij zich van het leven gemaakt heeft, terwijl aan de andere kant de term molecuul voor de chemicus een tastbare waarde heeft. Dit brengt met zich mee dat de bioloog het virus graag zal zien als een eenvoudige cel of een onderdeel van een cel, terwijl de chemicus de molecuuleigenschappen van het virus op de voorgrond zal stellen. De ware biochemicus is een tweeslachtig individu, bij wie zowel het idee cel als het idee molecuul integrerende bestanddelen van zijn geestelijke bagage moeten zijn en er is van hem te verwachten, dat hij de argumenten die van beide zijden aangevoerd worden op hun werkelijke waarde zal weten te taxeren. Daarbij komen geheel nieuwe mogelijkheden naar voren, mogelijkheden die in dit betoog nader ontwikkeld zullen worden.

Ter illustratie zullen wij een argument bekijken dat nogal eens in de virusliteratuur gebruikt wordt. BEIJERINCK leidde uit zijn experimenten af dat het mozaikvirus niet corpusculair zou zijn. Vandaar uit is het een kleine stap naar het „*contagium vivum fluidum*" — het virus zou een vloeibare verwekker zijn, dus iets, dat een heel andere natuur dan de zichtbare ziekteverwekkers (bacteriën e.d.) heeft. Het virus vertoont volgens deze zienswijze een verschil met de microben; wanneer wij nog een stap verder gaan dan zien wij het virus als een levenloze stof. Deze hypothese heeft — na de ontdekking van STANLEY — vooral

onder de chemici veel aanhang verworven. Van biologische zijde werd
daarentegen getracht om de corpusculaire aard van de virussen te bewijzen en toen het aan BARNARD gelukte om de grootste virussen met
ultraviolet licht te fotograferen werd dit resultaat als een argument
voor de levende natuur van de virussen geïnterpreteerd. Gebeurt dit
terecht? Naar mijn gevoel niet. Eigenlijk is het argument gebaseerd op
een verouderde voorstelling. Ten tijde van BEIJERINCK kende men globaal twee manieren waarop vaste materie zich in een vloeibaar milieu
kon gedragen. Of de deeltjes losten op en waren dus microscopisch niet
te zien (vandaar dat door BEIJERINCK de term *fluidum* = vloeibaar in
verband met het virus gebezigd werd) of de deeltjes bleven in vaste
toestand (corpusculair) in de vloeistof aanwezig. Neemt men nu bacteriën
dan zullen deze niet oplossen in water maar men ziet de microben als
discrete deeltjes in het microscoop. Een klontje suiker daarentegen
,,verdwijnt''; het lost op in het water. Bij de virussen kon men de deeltjes
niet met het microscoop waarnemen, maar men kon met indirecte methoden de afmetingen van de deeltjes vaststellen, dus — zo zei men — het
virus is corpusculair en hieraan werd in analogie met de bacteriën het
begrip levend vrijwel automatisch gekoppeld. Nu vergeet men dat ook
de opgeloste suikermoleculen in het water nog discrete deeltjes zijn, wel
veel kleiner dan de virusdeeltjes, maar in ieder geval nog deeltjes die
weer door indirecte methoden aantoonbaar zijn. Zijn deze deeltjes nu
niet corpusculair? En wanneer men wil bestrijden dat opgeloste suikermoleculen corpusculair zijn, waar ligt dan de grens van het begrip corpusculair? Is een eiwitmolecuul corpusculair of niet? Ieder zal deze vragen
naar eigen smaak kunnen beantwoorden en het is duidelijk dat wij aangeland zijn in het gebied waar de afmetingen van de deeltjes het belangrijkste moment voor de beschouwingen vormen. Het is dus beter om niet
te vragen: is het virus corpusculair of niet, maar het probleem te verleggen: is er beneden een bepaalde afmeting van het deeltje nog leven
mogelijk of niet. Voordat wij weten wat leven eigenlijk is kan deze vraag
niet beantwoord worden.

Nu zien wij dat de bioloog en de chemicus een verschillende opvatting
over de virusgroep hebben. De chemicus heeft uit de virusgroep enkele
vormen verwijderd (de saprophytische virussen van LAIDLAW en ELFORD
enz.) en de aanleiding tot deze verwijdering is duidelijk: de vormen
pasten niet in de voorstelling die hij zich van de virussen maakte. Dikwijls wordt bij de beschouwingen in een kring geredeneerd. Uitgaande
ᴀᴀn de eigenschappen van een enkel virus komt men tot een voorstelling

van de virussen in het algemeen. Elk virus dat zich niet bij deze voorstelling aansluit wordt daarna geschrapt, zodat een vrij homogene groep overblijft die door bepaalde kenmerken gekarakteriseerd is. Deze kenmerken worden dan weer gebruikt om de reeds gevestigde opvatting van de virussen te bewijzen. Weten wij zoveel van de virusgroep en zijn er algemene criteria waaraan alle virussen voldoen? Het tegendeel is waar. De grenzen van de virusgroep zijn vaag. Oorspronkelijk werden onder het virusbegrip alle ziekteverwekkers gerangschikt die door bacteriefilters te filtreren waren en daarnaast met het microscoop niet konden worden waargenomen. De eerste moeilijkheid was dat de criteria van de onzichtbaarheid en van de filtreerbaarheid elkaar niet dekken. De verwekker van de pleuropneumonie is wel zichtbaar en toch filtreerbaar. Is het een virus? Later werden nog vele ziekten ontdekt waarbij langs indirecte weg aannemelijk gemaakt kon worden dat een virus de verwekker was, terwijl toch deze verwekker niet filtreerbaar was (in deze gevallen kan de ziekte niet door een microbe veroorzaakt worden, want met het microscoop is niets te vinden). Zo wordt het virusbegrip langzamerhand iets dat op elke ziekteverwekker toegepast wordt. Wanneer er dan nog vormingen gevonden worden (LAIDLAW en ELFORD) die in rioolmodder een zelfstandig bestaan leiden en dus niet eens meer onder het begrip ziekteverwekker vallen, terwijl zij aan de andere kant wat hun afmetingen betreft in de virusgroep geplaatst moeten worden, dan is het begrip virus volslagen ondefiniëerbaar geworden. Nu is het zeer goed mogelijk dat deze ,,saprophytische virussen'' helemaal niet in de virusgroep thuishoren en dat dus de chemicus gelijk heeft als hij deze vormen uit de virusgroep schrapt. Alleen zullen daarvoor zwaardere argumenten gevonden moeten worden dan tot nu toe van chemische zijde geklonken hebben.

Willen wij over de natuur van de virussen iets naders te weten komen dan zullen wij eerst een overzicht van de virusgroep moeten hebben. Dergelijke systematische overzichten ontbreken niet, integendeel, er zijn er veel te veel. Aan welke klassificatie moeten wij de voorkeur geven? Degenen die vooral met de uitwerkingen van de virussen, dus de virusziekten, te maken hebben zullen geneigd zijn om de verschijnselen bij de gastheer als basis van hun indeling te nemen. Natuurlijk wordt door hen gevoeld dat hun systeem niet een systeem van de virussen, maar een systeem van de virusziekten is. Als zodanig hoeft het over de natuur van de virussen geen inlichtingen te verstrekken, want het is in principe zeer goed mogelijk dat twee volmaakt verschillende virussen praktisch dezelfde symptomen te voorschijn roepen. Toch — zo zegt QUANJER — moeten wij bedenken dat diverse virussen voor hun werkzaamheid verschillende weefsels uitkiezen. Nu ligt aan de vorm weer een chemisch proces ten grondslag en het is dus zeer goed denkbaar dat aan een systeem uitsluitend gebaseerd op de veroorzaakte symptomen grote waarde toegekend moet worden, want er moet een verband zijn tussen de structuur van het virus en het ziekteverschijnsel. Misschien is dit waar, maar de stap van de atoomgroepen van het virus tot aan het veroorzaakte symptoom is zo groot en wij weten van deze betrekkingen zo weinig af dat het prematuur lijkt om een systeem van de virussen daarop te baseren. Hetzelfde geldt ongetwijfeld voor de pogingen om de virussen te klassificeren naar de affiniteit die de virussen vertonen voor diverse weefsels. LIPSCHUTZ stelde een dergelijk systeem op voor de dierlijke virussen. De moeilijkheid is vooral dat een virus met een tropisme voor b.v. de huid (herpes) zeer gemakkelijk overgaat in een virus met een grote affiniteit voor het centrale zenuwstelsel. Van dezelfde auteur is een poging afkomstig om de virussen te klassificeren naar de insluitingen die in de gastheercellen veroorzaakt worden. Wij mogen ons ook hier afvragen of wij met een natuurlijk systeem van de virussen te maken hebben. Daar komt nog bij dat dergelijke systemen slechts een deel van de virusgroep omvatten. Bij LIPSCHUTZ komen de virussen die planten tot gastheren hebben en de bacteriophagen niet tot hun recht. ELZE deelde de plantenvirussen in naar hun relatie tot insecten. Het is best mogelijk dat dit een reële basis is voor een indeling van deze groep van virussen, maar waar wij uit theoretisch oogpunt het meeste behoefte aan hebben is een systeem van de hele virusgroep. Dan kunnen wij nagaan wat de eventuele verwantschap met de door iedereen erkende organismen is.

De biochemicus zal — zwevende tussen twee oudere vakken, de biologie en de chemie, — om zich heen zien en pogen de methoden van ordening van de bioloog en de chemicus te gebruiken. In de scheikunde ordent men de verbindingen naar hun chemische samenstelling. JOHNSON past deze methode op de virussen toe. In het algemeen zien wij dan dat met de grootte van de virusdeeltjes de ingewikkeldheid van de chemische bouw toeneemt. De grootste virussen zijn samengesteld uit *enkele* stoffen (nucleoproteinen, lipoiden en koolhydraten) terwijl de kleinste virussen eenvoudige nucleoproteinen zijn. De bioloog bouwt het systeem van de organismen op een heel ander fundament. Hier is de vorm van het organisme de grondslag van de ordening. Tot voor kort was de vorm van de virussen praktisch volslagen onbekend; het enige wat men uit indirecte metingen kon nagaan, was of een bepaald virus bol- of staaf-vormig is. De ontwikkeling van het electronenmicroscoop gaf nieuwe mogelijkheden. Vele virussen werden gefotografeerd (zie fig. 6) en nu kon RUSKA aan de hand van de vorm van de virussen een systeem van deze vormingen geven. Wanneer wij dit systeem kritisch bekijken dan merken wij op dat RUSKA zich niet los heeft weten te maken van de gewoonte om de virussen naar de gastheren in te delen. Er is mijns in-ziens geen enkele reden om de virussen van mond- en klauwzeer en van kinderverlamming, die als moleculen opgevat worden, af te zonderen van de eveneens moleculaire plantenpathogene virussen zoals RUSKA doet. Mij lijkt een indeling in vier grote groepen logischer. Een dergelijk systeem zou er ongeveer als volgt uitzien:

	kenmerken	voorbeelden
I. moleculaire virussen	het molecuul is een nucleo-proteïne; kogel-, staaf- en draadvormige virussen; af-metingen klein.	mozaïkvirus kinderverlamming
II. hoger georgani-seerde virussen	naast nucleoproteïnen andere verbindingen aangetoond; dobbelsteenvormig; grote vi-russen.	pokken konijnen-myxoom
III. bacteriophagen	nucleoproteïnen aangetoond; staaf-, kogel-, of knotsvormig; cytoplasmatisch; middelma-tige afmetingen.	phagen van verschil-lende bacteriën
IV. virusachtige organismen	in kunstmatig milieu te kwe-ken; celachtig; grootste virus-vormen.	pleuropneumonie ,,saprophytische virussen''

Onze vierde groep zal door velen niet tot de virussen gerekend worden en de naam drukt reeds uit waarom. De strijd over deze afdeling die door de chemicus uit de virusgroep geschrapt werd is slechts een klein deel van het grote conflict over de natuur van de virussen. Is het virus levend of niet? Het ziet er naar uit dat de oplossing van de vraag hoe de virussen zich in de levende cel vermeerderen (of zoals anderen liever zeggen: in de cel vermeerderd worden) ons nader zal brengen tot de beantwoording van de eerste vraag. Vele hypothesen zijn reeds opgesteld. Het is mogelijk dat de vermeerdering van de virussen plaats heeft zoals wij dat van bacteriën gewend zijn. Het bezwaar tegen deze opvatting is dat vooral de moleculaire virussen in hun bouw zo oneindig van de bacteriën verschillen. Hiertegenover staat de theorie dat de virussen door een proces van autokatalyse — dus zoals vele enzymen uit een inactieve voorloper — gevormd worden. Daartegen pleit weer dat van die voorloper in de meeste gevallen niets te vinden is. Een derde mogelijkheid is dat het virus zichzelf (met de nadruk op dit woord) uit kleinere moleculen opbouwt. Ten slotte staat hiertegenover de mening dat de virussen producten van zieke cellen zijn, in dier voege dat het virus de stofwisseling van het zieke organisme zo verandert dat de cellen het virus gaan produceren. Wij hebben de verdedigingen van al deze meningen in de vorige lezingen kunnen horen en zijn ons het conflict scherp bewust geworden.

Objectief gezien moeten wij toegeven dat de grootste virussen veel op microben gelijken, terwijl het aan de andere kant moeilijk is om aan de eenvoudigste virussen een organisme-karakter toe te schrijven. Nu is het mijn indruk dat zowel de bioloog als de chemicus dit conflict uit de weg gaan, zij het dat zij dit van verschillende kanten uit doen. De bioloog gaat van het feit uit dat enkele virussen hem aan bacteriën doen denken en doorredenerend komt hij tot de conclusie dat ook de eenvoudigste virussen levende organismen zijn. De consequentie van deze opvatting is diepgaand. Aangezien volgens hem het mozaikvirus een levende eenheid is en daarnaast in geen enkel opzicht op de bouwstenen van de organismen — de cellen — lijkt, moet de celtheorie door hem verlaten worden. De cel kan niet — zoals de celtheorie het uitdrukt — de fundamentele eenheid van het leven zijn. Dit zal door de biologen die zich niet met de virussen bezig houden niet zonder meer geaccepteerd worden. Het helpt weinig of men zoals GRATIA het virus een eenvoudige cel of micel noemt. De afstand van deze „eenvoudige cel" tot aan een cel die de bioloog gewend is te bestuderen, is te groot om door een woord overbrugd te worden. Meer zal de bioloog allicht voelen voor de redenering van FLU die in de natuur groepen opmerkt welke door sprongen van elkaar verwijderd zijn (hiermee wil niet gezegd zijn dat deze groepen in elkaar overgaan). Uitgaande van de eenvoudig gebouwde anorganische moleculen ziet hij als volgende groep de eiwitten, die zich door een veel ingewikkelder bouw onderscheiden. Dan volgen de enzymen, dus de katalysatoren die in de stofwisseling van de organismen een grote rol spelen. De groep van de virussen is dan als uiting van het primitiefste leven te beschouwen. Wij kunnen niet ontkennen dat zij zekere overeenkomsten met de enzymen en aan de andere kant bepaalde analogieën met de echte cellen vertonen. De organismen volgen als laatste groep en deze groep kan natuurlijk volgens de bekende biologische methode in één- en meercelligen onderscheiden worden. Belangrijk is dus dat de virussen door FLU beschouwd worden als anorganische materie met iets er bij en dat „iets" is het leven. Ik herinner hier aan de opvatting van CASPERSSON die de virussen ook als de eenvoudigste trap van het leven beschouwt.

Diametraal hiertegenover staat de opvatting van de chemicus. Op het mozaikvirus van de tabak blijken de chemische werk- en denkwijzen met vrucht toegepast te kunnen worden. Het virus is een homogene stof, waarvan diverse physische en chemische eigenschappen (o.a. het moleculairgewicht) bepaald kunnen worden. Dat een dergelijk molecuul niet levend genoemd kan worden spreekt volgens hem vanzelf. De moeilijkheid komt voor hem pas bij de grotere virussen die uit verschillende stoffen bestaan. Meestal worden die virussen door de chemici enigszins genegeerd, maar de enkele auteur die zich uit chemisch oogpunt voor het pokkenvirus interesseerde, komt tot de conclusie dat dit virus ongetwijfeld een meer complexe bouw bezit dan de plantenvirussen, maar dat er geen enkele reden is om aan te nemen dat aan de structuur andere physische principes ten grondslag liggen. Het is wel merkwaardig dat de bioloog, uitgaande van virussen zoals het pokkenvirus, tot de conclusie komt dat het mozaikvirus levend is, terwijl de chemicus, beginnende bij het mozaikvirus, dat naar zijn idee niet levend kan zijn, tot aan het pokkenvirus opklimt om ook daarvan het niet-levende karakter te bewijzen. Er moet gezegd worden dat dit bewijs ons niet bevredigt. Wanneer wij een bacterie op dezelfde manier zouden analyseren met physische en chemische middelen, dan moeten wij niet verwachten andere dan physische en chemische wetmatigheden te vinden. Er zou ook in dat geval te concluderen zijn dat „aan de structuur van de bacterie geen andere physische principes ten grondslag liggen dan aan de bouw van een mozaikvirus". Is dit een bewijs dat de bacterie niet leeft? Natuurlijk niet, de middelen waarmee men dit bewijs tracht te geven zijn voor het doel ongeschikt. Zoals BERNAL zegt: er kan niet verwacht worden dat physische onderzoekingen licht kunnen werpen op de veel besproken vraag of de virussen levend zijn of niet.

Wanneer wij ons het conflict realiseren dan moet de oplossing anders zijn dan ons door de bioloog of de chemicus gegeven is. Nemen wij eens aan dat het mozaikvirus niet leeft, terwijl het pokkenvirus wel leeft. Ligt dan de oplossing van het probleem niet in het feit dat de grens tussen leven en niet-leven dwars door de virusgroep loopt? De virusgroep is dermate heterogeen dat dit niet a priori uitgesloten geacht moet worden. In de volgende paragraaf zal deze opvatting nader onderzocht worden. Vooruitlopende op de conclusie van de volgende bladzijden moet ik nu reeds meedelen dat er tegen deze deling van de virussen in twee groepen ernstige bezwaren bestaan. Dus ook deze hypothese zal ons niet uit het conflict helpen. Min of meer wanhopig gaan wij dan aan alles twijfelen en vragen ons af of het conflict werkelijk bestaat. Wij zagen dat de bioloog — steeds logisch doorredenerend over het levende virus — tot de slotsom kwam dat het mozaikvirus geen echte cel was. Ook de vergelijking met de genen ging niet helemaal op, zodat hij op den duur het virus als een vrij cytoplasmagen beschouwde. Nu weten wij van deze cytoplasmagenen wel heel weinig af. De chemicus — voortbordurend op het virusmolecuul — zag in dat het virus toch geen gewoon molecuul is. Met enzymen was het ook niet volkomen vergelijkbaar en zo zien wij het idee ontstaan dat het virus een synthetisator is, een productie-centrum van stoffen dat zich in het cytoplasma bevindt. En nu stel ik de vraag of misschien niet deze „cytoplasmagenen" [1]) van de bioloog precies hetzelfde zijn als die „synthetisatoren" [2]) van de chemicus. Nu zegt de bioloog wel dat de „cytoplasmagenen" leven, terwijl de „synthe-tisatoren" volgens de chemicus uit niet-levende materie bestaan, maar dit is dan ook naar mijn inzicht het enige verschil dat er tussen deze twee celbestanddelen bestaat. En ik kan mij niet aan de indruk ontwor-stelen dat dit verschil alleen maar in de hoofden van de sprekers bestaat. Zo komen wij tot het idee om het begrip leven te analyseren en na te gaan of dit begrip in het natuurwetenschappelijke onderzoek bruikbaar is. Pas wanneer wij weten wat dit leven eigenlijk is, kunnen wij ons uit-spreken over de vraag of de virussen levend zijn of niet.

2.   Zijn er twee soorten virussen?

Wanneer wij zien dat de grootste virussen ongeveer 15.000 maal zo groot zijn als de kleinste en wij nemen daarbij nog in aanmerking dat de virussen in hun bouw sterk uiteenlopen, dan aanvaarden wij de mogelijkheid dat er twee zeer uiteenlopende groepen onder deze virussen te vinden zijn, nl. een groep van levende microbeachtige virussen naast een groep van niet-levende celproducten met merkwaardige eigenschap-pen. Nu zal ik mij nog niet wagen aan een poging om het leven te defi-

---

[1]) Zie bladz. 183.
[2]) Zie bladz. 230.

niëren, dus onze methode moet zo zijn dat wij de verschillende eigenschappen van de virussen bekijken en nagaan of er twee duidelijk te onderscheiden groepen waar te nemen zijn.

Bij het begrip organisme denken wij aan de variatie die bij levende dieren en planten te zien is, terwijl het begrip molecuul in ons idee meer verbonden is met de term homogeniteit. Vandaar dat JANSSEN uit zijn waarneming dat het virus van het mond- en klauwzeer met een scherpe grens sedimenteert in een ultracentrigufe (m.a.w. homogeen is), de conclusie trekt dat dit virus een levenloos eiwitdeeltje is. Het mozaikvirus van de tabak is meestal niet homogeen en de meningen zijn verdeeld over de afmetingen van het virus. Sommigen (PFANKUCH) zien slechts twee soorten deeltjes, waarvan het grootste twee maal zo lang is als het kleinste. Dus hebben wij naar hun opvatting te maken met moleculen die zich door lineaire aggregatie tot grotere moleculen kunnen samenvoegen. Anderen zien in een suspensie van mozaikvirus deeltjes van zeer verschillende lengte en denken daarbij aan de variatie die staafvormige microben kunnen vertonen. Dit zou dan op het organismekarakter van het virus wijzen (DOERR). Dit lijkt een aannemelijk argument, maar DOERR heeft enige jaren voor deze uitspraak beweerd dat een grote strooiing in de deeltjesgrootte van een virus tegen het idee zou spreken dat het virus een microbe is. Als wij dan nog horen dat volgens HERZBERG alle elementen van het pokkenvirus even groot zijn en dat hij dit als argument voor het levend-zijn van het virus gebruikt, dan raken wij een beetje in de war. Vanwaar deze tegenstrijdigheden? Omdat zowel organismen als niet-levende moleculen — wij denken aan condensatieproducten als kunstrubber e.d. — een zekere variatie vertonen. Deze variatie kan zeer klein en heel groot zijn. Ziet men nu bij een virus een grote variatie in de grootte van de deeltjes, dan kan dit zowel een overeenkomst met een organisme als met een macromolecuul zijn, m.a.w. beschouwingen over de variatie van de virussen brengen ons geen stap verder tot de oplossing van het probleem of het virus leeft of niet. Omgekeerd mag men uit het homogene karakter van een virus niet concluderen dat het virus niet leeft, want in de eerste plaats kunnen kleine variaties in de afmetingen niet met de ultracentrifuge waargenomen worden en daarnaast zijn er ook organismen met een zeer geringe variatie.

Het is duidelijk dat wij de variatie van de virussen niet als criterium kunnen gebruiken. Hoe staat het met de mutatie van de virussen? Mogen wij de veranderingen die bij de virussen ongetwijfeld op kunnen treden vergelijken met de mutaties van de hogere organismen? Het terrein dat wij met deze vraag betreden is nog te weinig bekend om met zekerheid tot een beslissing te komen. In de eerste plaats zijn er moeilijkheden over de veranderlijkheid van de virussen. Zoals gewoonlijk wordt de ene opvatting — de veranderlijkheid is niet te vergelijken met die van organismen — verdedigd door degenen die het virus met niet-levende materie willen gelijkstellen, terwijl de tegenovergestelde mening door de biologen geponeerd wordt. Waarom — zo vragen de chemici — moet die veranderlijkheid van de virussen vergeleken worden met de mutaties van hogere organismen? Bij organismen weten wij dat de mutaties plaats hebben in een bepaald apparaat, in de chromosomen waar de erfelijke eigenschappen gelokaliseerd zijn. De virussen — ook de meest ingewikkelde — hebben helemaal geen chromosomen-apparaat. Daarbij komt dat in vele gevallen aannemelijk gemaakt is dat de zogenaamde verandering van de virussen in feite een selectie uit heterogeen materiaal is, in welk geval wij natuurlijk in genen dele van mutatie mogen spreken. Verder weten wij dat het milieu op de erfelijke eigenschappen van organismen heel weinig invloed heeft. De aanhangers van de evolutietheorie van LAMARCK, die op de hypothese berust dat er wel een dergelijke invloed bestaat, kunnen voor hun opvattingen geen experimentele bewijzen aanvoeren. De ,,mutaties" van de virussen worden nu gekarakteriseerd door het feit dat zij vrijwel uitsluitend optreden door milieuveranderingen. Breng een virus in een andere gastheer en er kan een veranderd virus te voorschijn komen. Gebruiken wij dus het woord mutatie bij de verandering in de virussen dan moeten wij bedenken dat dit woord niet hetzelfde betekent als het begrip mutatie dat bij de erfelijkheidstheoretici in gebruik is.

Maar — merkt de bioloog op — wat zeggen de heren chemici van de veranderingen die bacteriën vertonen? Ook bij de bacteriën vinden wij geen chromosomen; ook daar is de invloed van het milieu groot. Ongetwijfeld zijn er bacteriologen die om deze redenen huiverig zijn om bij bacteriën van mutaties te spreken. Wanneer wij echter een mutatie definiëren als een plotselinge verandering in de erfelijke eigenschappen die blijvend is, dan is er geen bezwaar tegen om ook hier van mutatie te spreken. Al zien wij bij de bacteriën geen chromosomen, erfelijke eigenschappen hebben zij natuurlijk wel en deze moeten ergens gelokaliseerd zijn. In dat ,,ergens" treedt een verandering op en als wij die verandering een mutatie noemen, dan beweren wij daarmee eigenlijk alleen maar dat er organismen zijn waarbij de erfelijke eigenschappen niet in chromosomen geconcentreerd zijn. Niets meer en niets minder. Redeneren wij zo door dan verwondert het ons niet dat de mutaties van de virussen zo sterk van het milieu afhankelijk zijn. De betrekkingen van het virus met de cel waarin het leeft — dus het milieu — zijn zo sterk dat wij niets anders verwachten kunnen. Er is dus volgens de bioloog geen enkele reden om niet van mutaties te spreken.

Ik laat de strijd verder rusten en constateer slechts, dat er tussen de mutaties van hogere organismen en die van virussen verschillen aanwezig zijn. Wanneer nu de grens tussen leven en niet-leven door de virusgroep heen loopt, dan verwachten wij dat de levende virussen een ander soort mutatie vertonen dan de niet-levende (waar dan beter niet van mutatie gesproken kan worden). Overzien wij de virusgroep van dit oogpunt uit, dan moeten wij constateren, dat een typisch verschil niet aanwezig is. In alle gevallen vinden wij een sterke invloed van het milieu op de veranderlijkheid van de virussen. Daarnaast zijn ook bij de eenvoudigste virussen (b.v. het mozaïkvirus van de tabak) vele gevallen beschreven van spontane veranderingen en van kunstmatig verwekte mutaties. Wanneer wij tot het besluit zouden komen, dat er een scherpe grens in de virusgroep te vinden moet zijn, dan moeten wij bedenken, dat de waarnemingen over de veranderlijkheid van de virussen deze opvatting niet steunen.

De virussen grenzen aan de ene kant aan de bacteriën, terwijl zich aan de andere kant van de groep de eiwitten bevinden. Wat de afmetingen betreft, zijn beide grenzen vaag. Bij de grootste virussen bevinden zich vormen waarvan wij niet weten of wij ze als virusachtige organismen of als organisme-achtige virussen aan zullen spreken. De kleinste virussen worden in hun grootte nog overtroffen door de grootste eiwitmoleculen. Nu kunnen wij ons voorstellen, dat de grote groep van microben vormen omvat die met het microscoop niet zichtbaar zijn. Toch kunnen zij ook niet al te klein zijn, omdat beneden een bepaalde afmeting een deeltje niet meer alle levensfuncties kan verrichten. Ik denk hierbij aan de opvatting van ERRERA, dat een deeltje een doorsnede van ongeveer 100 mμ zal moeten hebben om levend te kunnen zijn. Natuurlijk is dit getal niet te zien als een absolute grens, het kan als een eerste benadering van de grens gelden. Scherp van deze groep van virussen moeten dan de infectieuze moleculen gescheiden worden. Deze mogen dan niet levend genoemd worden, maar zij worden door de cel geproduceerd en sluiten zich bij de eiwitten aan. Wanneer wij nu de afmetingen van de virussen vergelijken dan valt het inderdaad op dat er praktisch geen virussen zijn met doorsneden tussen 40 en 60 mμ. Hebben wij hier de gevraagde grens? Kunnen wij zeggen dat de microben onder de virussen groter dan 60 mμ zijn, terwijl de niet-levende eiwitten afmetingen beneden 40 mμ hebben? Het bezwaar is in de eerste plaats, dat deze scheiding geen verdeling volgens biologische eigenschappen betekent. Er zijn virussen aan weerskanten van de scheidingslijn, die in hun uitwerking zeer veel op elkaar lijken. En dan staan er in de kloof nog enkele bacteriophagen. Geen nood — menen sommigen — dan verwijderen wij de phagen uit de virusgroep (HERZBERG). Tegen deze amputatie, die alleen verricht wordt om een bepaalde theorie kloppend te maken, moeten wij bezwaren maken. Zolang de virussen nog zo vaag gedefiniëerd worden als nu noodgedwongen geschiedt, mogen wij niet terwille van een theorie vormen uit die groep verwijderen. WOLLMAN beschouwt de phagen als lysogene factoren (te vergelijken met erfelijke eigenschappen of genen van hogere organismen) die in het bacterielichaam hun oorsprong vinden. Zij moeten volgens deze opvatting in de groep van de niet-levende virussen geplaatst worden. Stellen wij ons op dat standpunt dan vervaagt de zojuist aangegeven grens weer. RIVERS ziet enkele virussen als een soort kleine microben, terwijl andere virussen zeker als moleculen opgevat moeten worden. De moeilijkheid is nu dat vele virussen niet direct tot een van deze groepen gerekend kunnen worden, zodat hij een middengroep van onbekende levensvormen aanneemt. Van een scherpe grens is, zoals men ziet, in zijn beschouwing geen sprake. Wij kunnen dan ook niet zeggen dat een vergelijking van de afmetingen van de virussen ons direct de grens tussen leven en niet-leven demonstreert.

Er is slechts één criterium, dat een scherpe scheiding in de virusgroep (zo algemeen mogelijk gezien) teweeg brengt. Wij kunnen ons afvragen welke virussen in kunstmatig milieu gekweekt kunnen worden. Dit lukt slechts bij enkele vormen; de grote massa der virussen is voor de vermeerdering op levende cellen aangewezen. Wanneer wij dan nog zien, dat de vormen die wel gekweekt kunnen worden, ademhalen en een celachtige structuur hebben, dan kunnen wij begrijpen dat zovelen — en heus niet enkel chemici — deze vormen niet tot de virusgroep willen rekenen. Een agens dat zich zelfstandig in rioolmodder bevindt kan geen virus zijn en er zijn vele bezwaren om een dergelijke vorm een ,,saprophytisch virus" te noemen. Met de term virusachtig organisme zijn zij afdoende gekarakteriseerd. Wanneer men dit standpunt huldigt, dan resulteert eindelijk een criterium voor de virussen: een virus is een agens binnen zekere afmetingen, onzichtbaar door het microscoop; een ziekteverwekker die niet in kunstmatig milieu te kweken is. Het is te hopen voor deze theoretici, dat er in de toekomst geen enkel virus op een kunstmatige voedingsbodem te kweken zal zijn, want dan zouden wij dit criterium kwijtraken. Voor de praktijk zou het evenwel van onschatbare waarde zijn als het wel zou lukken, zodat pogingen in die richting, ondanks de theorie, toegejuicht moeten worden.

De conclusie waartoe wij nu gekomen zijn is dus, dat het schrappen van de virusachtige organismen uit de virusgroep te verdedigen is. Dit brengt ons natuurlijk voor het probleem waarmee wij ons nu bezighouden geen stap verder. Integendeel, wij komen op die manier tot een eigenschap die voor alle virussen moet gelden en de groep komt ons nu homogener voor dan voordat wij deze conclusie trokken. Hoewel het pokkenvirus ongetwijfeld meer op een microbe lijkt dan het mozaïkvirus, het schijnt niet te lukken om tot een scherpe verdeling van de virussen te komen. Welk criterium wij ook gebruiken, het resultaat is hoogstens dat de virusgroep scherper begrensd wordt.

Hoe kleiner de afmetingen van de virussen worden, hoe meer afwijkingen van de microben wij vinden. Belanden wij ten slotte bij de kleinste virussen dan zijn er nog maar weinig overeenkomsten met de microben te vinden. De bouw van deze virussen is zeker niet cellulair en de samenstelling is heel anders dan wij dat van bacteriën gewend zijn. Deze geleidelijke overgang van microbe-achtige virussen naar moleculaire virussen kan op twee wijzen bekeken worden. RUSKA ordent de virussen naar toenemende organisatie terwijl DOERR meent, dat dit een totaal verkeerde manier is. DOERR ordent dezelfde virussen dan ook naar afnemende organisatiegraad. Het is duidelijk, dat wij meer van de natuur van de virussen af moeten weten om te beslissen welke methode de voorkeur verdient. De chemicus zal ongetwijfeld de eerste methode de meest voor de hand liggende noemen. Ondanks het feit, dat het biologische systeem van de organismen op dezelfde grondslag berust, komt de bioloog tot de omgekeerde volgorde omdat bij hem ideeën over afstamming meespreken. Hoe men ook tegenover dit vraagstuk staat, de geleidelijke overgang in de virusgroep mag wel als vaststaand aangenomen worden.

Het is instructief om in dit verband te wijzen op een strijd die in de chemie woedt in het gebied van deeltjes die juist dezelfde afmetingen hebben als de virussen. De chemie van de vorige eeuw bemoeide zich met de bouw van de materie door van elke stof na te gaan hoe de kleinste eenheid van die stof (het molecuul) er uitzag. De physica hield zich bezig met de eigenschappen van de materie door het gedrag van aggregaten van moleculen te bestuderen. Nu was er in die eeuw een groep systemen ontdekt waarmee men geen weg wist (de colloiden; ,,oplossingen" van zilverjodide, zwavel, lijm, zetmeel, eiwitten e.d.). ZSIGMONDY onderzocht een dergelijke colloidale oplossing van goud met behulp van het door hem uitgevonden ultramicroscoop en vond dat er in die goudoplossing deeltjes met een afmeting van ongeveer 10 mμ voorkwamen. Nu wist men dat de gewone moleculen en atomen veel kleiner waren en de oplossing van het vraagstuk lag voor de hand: de deeltjes uit een colloidale oplossing zijn opgebouwd uit enige atomen of moleculen en vele eigenschappen van deze oplossingen kunnen nu verklaard worden. Het spreekt wel vanzelf dat nu alle colloidale oplossingen uit dit oogpunt gezien werden. Het is weer de gewone gang van zaken: men is geneigd om de aan enkele voorbeelden gevonden verhoudingen te generaliseren. Het colloid-zijn werd als een toestand gezien. Een of andere stof is in een vloeistof niet oplosbaar (d.w.z. niet in moleculen uiteen te rafelen) en de colloïd-chemie houdt zich volgens de oude opvatting bezig met de opgave om dergelijke stoffen zo fijn te verdelen dat zij — met het microscoop gezien — een heldere oplossing vormen. Ook hier is net als bij de virussen de zichtbaarheidsgrens van het microscoop een magische grenslijn. Het gebied van de colloidchemie omvat de deeltjes met een doorsnede van ongeveer 6 mμ tot 200 mμ, getallen die ons aan de virussen ten sterkste herinneren.

Op zichzelf zou deze overeenkomst niet veel zeggen, maar er is meer. Het bleek dat vele colloiden (o.a. de eiwitten) zich slechts met moeite in het besproken schema lieten plaatsen. Naast de klassieke colloïd-chemie die de colloidale deeltjes als aggregaten van moleculen (men spreekt hier van micellen) opvatte, verdedigde een moderne stroming dat enige colloïden uit grote moleculen bestaan. Deze hoeven zich niet tot micellen te verenigen om colloïdale eigenschappen te krijgen, maar zij bezitten deze eigenschappen reeds uit hoofde van de grote afmeting van hun moleculen. Naast elkaar stonden dus de opvattingen van colloidale deeltjes als samengestelde vormsels en als zeer grote moleculen. Na een felle strijd leert men ten slotte inzien dat beide zienswijzen verschillende facetten van het probleem belichten. Zo zegt KRUYT: niets belet u om een micel van zilverjodide (opgebouwd uit vele moleculen) als één groot molecuul te beschouwen. Noch het ene noch het andere woord zeggen ons veel over de gedragingen van de colloiden.

Voor het virusprobleem resulteert hieruit de conclusie dat er waarschijnlijk geen scherpe grens tussen de begrippen micel en macromolecuul

bestaat. En nu denk ik aan de conclusie van de bioloog die na veel nadenken het virus als een micel karakteriseert, terwijl de chemicus stijf
en strak volhoudt dat er hier slechts van een macromolecuul gesproken
mag worden. Weer rijst de vraag: waar ligt het verschil? Natuurlijk in
het mystieke ,,leven'' dat naar de mening van de bioloog met zijn opvatting van het virus als micel verbonden is. Wij hebben getracht de grens
van dat leven naar de levenloze materie te vinden. Noch de bioloog die
alle virussen levend noemt, noch de chemicus die alle virussen tot de
levenloze materie rekent, hebben ons kunnen overtuigen. Wij hebben
getracht de grens in de groep van de virussen te vinden en ook daarin
zijn wij niet geslaagd. De uitersten in de virusgroep kan men gemakkelijk
onderscheiden, maar een scherpe verdeling in twee groepen is niet te
geven. Als dat mysterievolle leven werkelijk een enclave in de natuur
is, zou men dan niet verwachten, dat er een zeer scherpe grens naar de
levenloze materie aan te geven zou zijn? Zeker verwachten wij geen
vloeiende overgangen zoals een nadere kennismaking met de virussen ons
in vele opzichten vertoont. Gedreven door dit ontbreken van een scherpe
grens en de onmogelijkheid om over het al of niet levend zijn van de
virussen een uitspraak te doen, stellen wij de vraag die reeds zo vaak de
gemoederen verontrustte: wat is het leven?

3. Stof en leven

De kern van alle moeilijkheden zit in onze opvattingen over het begrip
leven. In de loop van de bespreking van het virusprobleem zijn wij verschillende criteria tegengekomen waaraan de auteurs pogen te toetsen
of de virussen levend zijn of niet. Van vele dezer criteria is de waarde reeds
onderzocht en het heeft geen zin om alle criteria nogmaals de revue te laten passeren. Een kritische bespreking van enkele argumenten volgt hier
ter demonstratie van de door velen gevolgde methodes.

Een uitzonderlijk criterium gebruikte GRATIA toen hij beweerde dat
de virussen leefden omdat zij niet met het zaad van planten overgebracht
worden. Later bleek dat vele virussen wel op deze wijze verspreid worden
en wij zouden GRATIA willen vragen: leven de virussen nu niet meer?
Ongetwijfeld zal hij dit niet willen beamen en hiermee is de waarde
van zijn argument tot de ware grootte teruggebracht. Men krijgt veelal
de indruk dat een bepaalde stelling ,,coûte que coûte'' verdedigd moet
worden, waarbij de zonderlingste bewijzen geleverd worden.

DOERR zag een verschil in de serologische reacties op microben en virussen. De microben worden door het bijbehorende antiserum samengeklonterd (er treedt agglutinatie op) terwijl de virussen in het zelfde geval door het optreden van een neerslag (precipitatie) gemanifesteerd worden. Nu treedt een zichtbare serologische reactie pas op bij een zekere dosis antigeen. Hoe kleiner de deeltjes, hoe groter deze minimale hoeveelheid zal zijn (MERRILL). Hebben wij met een virus te maken, dan zijn er veel meer deeltjes nodig om een positieve reactie te krijgen, dan wanneer wij bijvoorbeeld met bacteriën werken. En wat zeer belangrijk is: het beeld van de reactie — neerslag of samenklontering — hangt uitsluitend af van de afmeting van de deeltjes. Het is dus niet geoorloofd om uit het verschil in serologische reactie tot een verschillende natuur van virussen en microben te besluiten. Wij mogen alleen zeggen — en dat wisten wij al lang — dat virussen kleiner dan bacteriën zijn.

Wanneer BAWDEN het virus op grond van zijn eenvoudige bouw en zijn innerlijke structuur niet levend noemt, bestrijdt GRATIA deze bewering met het argument, dat de innerlijke structuur van het virus juist als een analogie met levende organismen gezien moet worden. Beiden denken bij het woord structuur aan iets anders. De een haalt zich een molecuul met zijn strenge innerlijke orde voor de geest en de ander denkt aan de wetmatige bouw van de organismen, waar zelfs een door een verwonding teweeggebrachte verstoring van de orde door het organisme hersteld kan worden. JANSSEN construeert op grond van zijn experimenten en overpeinzingen een model van het virus van het mond- en klauwzeer. Dergelijke pogingen om in de structuur van de virussen nader door te dringen hebben onze grote belangstelling. Maar hij gaat iets te ver wanneer hij beweert: aan deze structuurformule kan men onmiddellijk zien dat het virus niet leeft. Dit doet denken aan iemand die een paard tekent en dan zegt, dat hij aan de tekening kan zien, dat het paard niet leeft. Ik zou zeggen: het enige wat ik zie is, dat de tekening niet leeft.

Als JANSSEN het feit bespreekt, dat de hoeveelheid virus in een gastheer kolossaal toe kan nemen, wijst hij er op, dat men nu geneigd is om te zeggen, dat het virus zich vermeerderd heeft. Dit kan niet toegelaten worden want het woord ,,zich" suggereert, dat het virus autonoom is. Bijna automatisch komt men dan tot het idee, dat het virus leeft. Maar wij moeten bedenken, dat wij van de vermeerdering van de celmaterie niets afweten en dat het virus dus een niet levend product van de zieke cel zal zijn. Dit klinkt plausibel en wij kijken met belangstelling naar de oplossing die JANSSEN van het vraagstuk geeft. Plotseling treft ons een merkwaardige zinsnede en wij wrijven onze ogen uit. Nadat op de synthetisator de celproducten gevormd zijn en als de producten losgelaten worden, herstelt de synthetisator zich. Daarvoor worden atomen uit het milieu opgenomen. Wat — vragen wij verbaasd — is die niet-levende synthetisator, dat product van de cel, toch autonoom? Want er wordt niet gezegd, dat de synthetisator hersteld wordt (en wat zou dat weer kunnen doen?) maar de machine herstelt zichzelve. Hier komt dus de oude tegenstelling mechanisme — vitalisme weer eens om de hoek kijken. Wie het leven zuiver mechanistisch bekijkt, zit altijd met het bezwaar dat levende structuren eigenschappen vertonen die de eerste de beste machine niet vertoont. Nu wil ik hiermee niet zeggen, dat JANSSEN het leven mechanistisch opvat. Integendeel, hij ziet het leven als een scherp begrensde enclave in de natuur. Maar bij zijn poging om te bewijzen, dat het virus niet leeft, komt hij met zijn synthetisator-idee gevaarlijk dicht in de buurt van de enclave.

Zo heeft elk criterium, dat gebruikt wordt om het leven te definiëren zijn zwakke zijde en PIRIE komt tot de conclusie, dat het begrip leven zo vaag is, dat het geen natuurwetenschappelijke waarde heeft. Het is een begrip, dat afkomstig is uit de niet-wetenschappelijke wereld. Toen de wetenschap zich met het leven ging bemoeien bleef het begrip lange tijd voldoen. Nu zijn er echter systemen ontdekt, die noch uitgesproken levend zijn, noch tot de anorganische materie gerekend kunnen worden. Het wordt dan zinloos om te strijden over de vraag of de virussen levend zijn of niet.

Dikwijls worden groei en vermeerdering als kenmerken van het leven genoemd. In de vorige eeuw toen men uitging van de heersende materialistische wereldbeschouwing, trachtte men ook in de anorganische natuur groeiende vormen te ontdekken. Het meest geciteerde voorbeeld is het kristalletje kopersulfaat, dat in een oplossing van kaliumferrocyanide geworpen wordt. Er ontstaan merkwaardige vormingen met vertakkingen en uitlopers die men met het blote oog kan zien groeien. Ziet hier een model voor het leven, aldus de mechanisten. Volkomen verkeerd, is het antwoord van de vitalisten, want de bestanddelen van het „groeiende" materiaal zijn in het omgevende milieu reeds aanwezig. Dit is niet volkomen waar, omdat het gevormde koperferrocyanide alleen in het gevormde „groeisel" bestaat en niet in de omgeving. Wel zijn daar de ionen aanwezig waaruit de stof opgebouwd is. De tegenwerping zou van meer waarde zijn als een levend organisme in staat zou zijn om zijn chemische samenstelling constant te houden niettegenstaande aangebrachte veranderingen in zijn voedsel. Een hond is in staat om vet en vlees te veranderen in „hond". Maar wanneer wij de hond inplaats van vaste vetten vloeibare vetten (olie) voeren, dan zal het smeltpunt van zijn lichaamsvetten verlaagd worden. Met andere woorden, chemisch gesproken ligt het begrip „hond" niet vast. Het is afhankelijk van het milieu.

Ook FLU staat op het standpunt, dat: „Wat zich vermeerdert in heterogeen milieu met behoud van eigen individualiteit tot nader order... als leven beschouwd moet worden". Laat men — zo vraagt hij in een discussie over de natuur van de virussen — een voorbeeld geven van dode materie in heterogeen milieu die alleen door haar aanwezig zijn uit eigen kracht toeneemt. Het hierboven gegeven voorbeeld zal hem wellicht niet overtuigen. Want waar hij naar vraagt is naar vermeerdering en niet naar groei. Maar wel past in zijn definitie het niet-levende enzym trypsine, dat zich in heterogeen milieu (de voorloper trypsinogeen) met grote snelheid vermeerdert.

Dat beweging geen criterium voor het leven is, hoeft voor iemand die op de hoogte is van de ontwikkeling van de natuurkunde niet nader uiteengezet te worden. Wij hoeven niet op de beweging van sterren, op vuurspuwende bergen, op de eeuwigdurende beweging van de golfslag van de zee onder de invloed van de wind in te gaan. Het is voldoende om er op te wijzen dat in elke materie de moleculen bewegingen uitvoeren, hetzij dat zij zich zoals in een gas met grote snelheid verplaatsen, hetzij dat zij trillingen om een evenwichtstoestand uitvoeren. De stelling: „leven is beweging" mag zeker niet omgekeerd worden. Wat beweegt hoeft helemaal niet in het oude begrip leven te passen.

De aanpassing van het leven aan het milieu zou een bruikbaar kenmerk kunnen zijn, wanneer niet vele organismen een verwaarloosbaar klein adaptatievermogen hadden. Brengen wij sommige parasieten in enigszins gewijzigde omstandigheden dan sterven zij.

Is de stofwisseling een bruikbare graadmeter voor het begrip leven? Hier geldt weer dat er systemen beschreven zijn die zeker niet leven en toch ademhaling en stofwisseling vertonen. Aan de andere kant kunnen levende systemen lange tijd blijven „leven" zonder stofwisseling te vertonen. Blijkbaar kan er „leven" aanwezig zijn in een organisme dat naar buiten toe geen enkel levensverschijnsel vertoont. Ik denk hier aan het verschijnsel van de anabiose, een phenomeen, dat elke poging tot natuurwetenschappelijke definiëring van het leven bijvoorbaat onmogelijk schijnt te maken.

Tot voor kort was het verdedigbaar om een scheiding tussen leven en

niet-leven aan te brengen, omdat de wetten van het leven een fundamenteel ander karakter hebben dan de wetten uit de natuurkunde van, laten
wij zeggen, vóór 1900. In de natuurkunde: een strenge gebondenheid
tussen oorzaak en gevolg, in de biologische wetenschap daarentegen:
wetten waarin oorzaak en gevolg niet zo gemakkelijk in verband te
brengen zijn. Een enkele oorzaak kan bij een levend organisme vele
gevolgen hebben. Wij spreken in dit verband van statistische wetten:
wij kunnen nog wel min of meer voorspellen wat het gevolg van een
bepaalde factor op het gemiddelde gedrag van een grote groep organismen zal zijn, het is evenwel uitgesloten om de reactie van een enkel
individu te voorspellen.

Omstreeks 1900 voltrekt zich in de natuurkunde een grote verandering.
Hield men zich tot aan die tijd bezig met de eigenschappen van grote
groepen moleculen — de volumeverandering van een liter gas onder
invloed van de temperatuur, de geleiding van electriciteit door een
koperdraad enz. — langzamerhand wendt men zich tot de fijne structuur
van de materie en men probeert de wetmatigheden in één enkel atoom
te ontraadselen. Naast de macrophysica ontstaat de microphysica. Ik
kan niet ingaan op de innerlijke bouw van de atomen waaruit de materie
opgebouwd is. Ten slotte belandt de microphysica bij de bestudering
van de electronen — onderdelen van het atoom — die merkwaardig
genoeg beschouwd kunnen worden als zeer kleine deeltjes, maar eveneens
als electromagnetische golfbewegingen. In dit gebied gaan de begrippen
straling en materie in elkaar over. Voor ons is nu het belangrijkste resultaat, dat deze ,,deeltjes" niet meer de klassieke causaliteitswetten volgen.
Het gedrag van een enkel electron is niet te voorspellen en de wetten
waaraan deze deeltjes voldoen zijn statistische wetten. BOHR was de
eerste die op de — misschien uiterlijke, misschien fundamentele — overeenkomst tussen de wetten van de biologie en de microphysica wees.

Het is zeer de moeite waard om na te gaan of de statistische wetten
uit de biologie inderdaad tot een microphysische acausaliteit terug te
voeren zijn. Een dergelijk onderzoek stuit op zeer grote moeilijkheden.
Waarom reageren twee mensen verschillend op eenzelfde ervaring?
Dit ligt voor de hand, want de twee mensen zijn verschillend. Een groot
deel — vermoedelijk het allergrootste deel — van de statistische wetten
uit de biologie vindt zijn oorzaak in het feit dat het materiaal waarmee
wij werken niet homogeen is. Wanneer wij dus de interessante vraag
willen beantwoorden of de biologische en de microphysische acausaliteit
gelijk te stellen zijn, dan moeten wij van homogeen materiaal uitgaan.

Zijn onze objecten heterogeen, dan resulteren automatisch statistische wetten en dan wordt de vraag — die ons hier niet interesseert — hoe het komt dat het materiaal niet homogeen is.

Het bewijs dat de primaire oorzaak van een biologische reactie één enkele microphysische gebeurtenis is, is — zelfs als wij over homogeen materiaal beschikken en een enkele eenvoudige reactie bestuderen — moeilijk te leveren. De beste voorbeelden zijn gevonden bij de bestraling van eencellige organismen met Röntgenstralen. Hierdoor kan een organisme gedood worden. De statistische wetten die bij deze reactie gevonden worden zijn precies dezelfde als wij zouden verwachten wanneer een microphysische reactie de achtergrond van het verschijnsel zou vormen. Ook de kunstmatig (door bestraling) opgewekte mutaties van hogere organismen passen zeer goed in het schema. De reactie van een bepaald individu is niet te voorspellen. Wel kunnen wij van te voren aangeven welk percentage van de objecten gedood zal worden of hoeveel mutaties er bij de organismen op zullen treden. De gang van zaken is het beste zó voor te stellen, dat er in de cellen bepaalde „gevoelige" plekken zijn, die als zij door een treffer van een Röntgenstraal geraakt worden zo veranderen, dat de biologische reactie het gevolg is. Hier wordt dus (JORDAN) het verband gelegd tussen biologie en microphysica.

De moderne physica ziet ook de straling niet meer als iets, dat continu is, maar men is tot de conclusie gekomen, dat de stralingsenergie in zeer kleine scherp bepaalde hoeveelheden (quanten) afgeleverd wordt. Bestralen wij nu bacteriën met Röntgenstralen dan werkt slechts één op de millioen quanten dodelijk. Het opnemen van die enkele quant in de gevoelige plek van de cel heeft een biologische reactie ten gevolge die tot de dood van de cel leidt. Er moet dus in die cel — evenals in een radiotoestel — een mechanisme aanwezig zijn, dat deze kleine gebeurtenis geweldig versterkt. Meestal zal er bij bestraling van een cel niets gebeuren, maar wordt toevallig het versterker-mechanisme geraakt dan zijn de gevolgen voor de cel fataal. Als een lawine grijpt een reactie om zich heen en de cel gaat te gronde.

Zowel uit de chemie en de physica als uit de biologie kennen wij dergelijke explosieve processen. Breng een organisme in een gunstig milieu en er heeft een biologische lawine plaats. JORDAN beschouwt dan ook zowel de vorming van virus — dus de autokatalyse van een virusmolecuul in een gunstig milieu — als de vorming van antilichamen, als voorbeelden van dergelijke lawineprocessen. Onze conclusie is dan ook, dat vele biologische wetten ten slotte gebaseerd zijn op microphysische gebeurtenissen, waardoor geen streng verband van oorzaak en gevolg verwacht mag worden. Het virusonderzoek heeft ons de virussen leren kennen als een ononderbroken reeks van vormingen tussen de levende cellen en de echte moleculen in. Hierbij dalen wij dus af van biologische tot microphysische individuen, zonder dat er ergens een scherpe grens waar te nemen valt.

Is het na deze beschouwingen wonder, dat een deel van de onderzoekers — beu geworden van de eeuwige discussies over het al of niet levend zijn van de virussen — er op aandringt om het experimentele werk over de virussen op de voorgrond te stellen en het theoretische deel te laten rusten? Zoals ZINSSER opmerkte: het probleem leidt tot steriele pogingen om het leven te definiëren. Levende organismen zijn nu eenmaal uit dezelfde atomen opgebouwd als de levenloze materie en waarom moeten daar nu andere physische en chemische wetten gelden? Velen schijnen er in verband met hun wereldbeschouwing behoefte aan te hebben om het leven te zien als een scherp begrensde enclave in de niet-levende materie. Evenwel lukt het noch de bioloog, noch de chemicus om deze grens aan te geven. Ook in de virusgroep is geen grens te vinden. Al deze pogingen om een scherpe afscheiding te vinden kunnen niet anders dan op een fout in hun wereldbeschouwing berusten. De feiten spreken voor zichzelf — de wereldbeschouwing zal zich op de feiten moeten baseren.

Wij hebben gezien hoe het honderdjarige bouwwerk van de celtheorie ineenstortte toen de bioloog bewees, dat de virussen als levende organismen opgevat moesten worden. Wij zien, dat de chemicus, — om het virus als molecuul op te kunnen vatten — het molecuulbegrip sterk uit moest breiden. Om zijn theorie te bewijzen noemt hij vormingen moleculen die volgens de doorsnee-chemicus niet als zodanig beschouwd worden. Wanneer WESTENBRINK op een symposium over de structuur van eiwitten liever over een bouwsel als over een molecuul spreekt, dan hoeven wij hem niet te vragen of hij de nog veel ingewikkelder gebouwde virussen wel moleculen zou willen noemen. Hij laat in het midden of een natuurlijk eiwit een homogene stof is of dat het misschien beschouwd moet worden als een complex van variabele samenstelling.

Wanneer wij dan nog van chemische zijde horen, dat het begrip katalyse — zoveel genoemd in de beschouwingen over het virus — allerminst vaststaat dan begrijpen wij langzamerhand, dat onze kennis op het ogenblik nog bij lange na niet voldoende is om het brandende probleem op te lossen. Katalyse — zo wordt ons verteld — is een provisorische uitdrukking voor een reactie waarvan het mechanisme nog niet bekend

17

is. Kunnen wij achterhalen hoe de reactie precies verloopt, dan verdwijnt
automatisch het begrip katalyse. Wordt het woord in verband met het
virusprobleem gebruikt, dan is dit slechts een uitdrukking van de hoop,
dat wij het reactiemechanisme van de virusvermeerdering op den duur
zullen leren kennen. Nu zijn er mensen die deze hoop koesteren en anderen
die pessimistischer gestemd zijn. De eersten kunnen wij mechanisten
en de laatsten vitalisten noemen.

Ten slotte verplaatst de strijd zich naar de kwestie of de virussen endogeen kunnen ontstaan. In het algemeen huldigt men de opvatting, dat
wanneer de virussen endogeen kunnen ontstaan dit tevens betekent dat
de virussen niet leven. Is dit gerechtvaardigd? Volgens DOERR niet;
hij neemt aan dat een virus wel levend genoemd kan worden al is het
endogeen ontstaan, dus al moet het als een veranderd onderdeel van de
cel beschouwd worden. Daarmee geeft hij dan tevens aan, dat een oplossing van het vraagstuk van het endogene ontstaan van de virussen
geen bijdrage zal leveren tot de beantwoording van het probleem of de
virussen leven of niet.

Het is gevaarlijk om zich uitsluitend op één van de twee standpunten
te stellen. JANSSEN komt bijvoorbeeld naar aanleiding van zijn beschouwingen over de virussen tot de conclusie, dat het virus het resultaat is
van een veranderde biosynthese. Nu volgt daaruit volgens hem, dat het
geen zin heeft om een organisme te immuniseren met voorzichtig gedode
virussen. Deze opvatting leidt er toe om een gedeelte van de immunologie
bij voorbaat af te snijden, terwijl toch op dat gebied zeker mogelijkheden
liggen. De praktijk zal zich dan ook meestal niet aan soortgelijke theoretische beschouwingen storen. Aan de andere kant ontkennen vele
pathologen dat virussen endogeen kunnen ontstaan. Elke virusziekte
wordt door hen gelijkgesteld met een infectieziekte en volgens de daarvoor geldende regels bestudeerd en behandeld. Iemand die op een al-
gemener standpunt staat loopt natuurlijk minder gevaar om bij de
behandeling en het beschermen tegen dergelijke ziekten fouten te maken.

Zo kom ik tot de conclusie, dat het zinloos is om op het ogenblik uit
te maken of de virussen levend zijn of niet. Wij zullen nog veel moeten leren voor wij het virusprobleem in grote trekken kunnen begrijpen.
Onze kennis schiet volkomen te kort om over het leven een exacte natuurwetenschappelijke beschouwing te geven. Het ziet er naar uit, dat de
physische en chemische werkmethoden en opvattingen steeds dieper in
het biologische gebied door zullen dringen en dat dus de biochemie de
hogere synthese tussen chemie en biologie zal vormen.

LITERATUUR

CASPERSSON, T. Studien über den Eiweissumsatz der Zelle. Naturwiss. *29*, 33—43, 1941.

DOERR, R. Die Entwicklung der Virusforschung und ihre Problematik. In DOERR und HALLAUER: Handbuch der Virusforschung I, 1—125, 1938.

DOERR, R. Die Natur der Virusarten. In DOERR und HALLAUER: Handbuch der Virusforschung Erg. Band I, 1—87, 1944.

FLU, P. C. Het ultravirus als ziekteoorzaak, zijn eigenschappen en een critisch overzicht van de opvattingen omtrent zijn aard. Ned. Tijdschr. v. Geneesk. *84*, 3198—3211, 1940.

JORDAN, P. Die Stellung der Quantenphysik zu den aktuellen Problemen der Biologie. Arch. Virusf. *1*, 1—20, 1939.

JORDAN, P. Statistische Analyse biologischer Elementarreaktionen. Arch. Virusf. *2*, 171—214, 1939.

LYNEN, F. Das Virusproblem vom chemischen Gesichtspunkt aus. Kolloid Z. *85*, 222—234, 1938.

PIRIE, N. W. The meaninglessness of the terms life and living. Perspectives in biochemistry, Cambridge 1937, p. 11—22.

RUSKA, H. Versuch zu einer Ordnung der Virusarten. Arch. Virusf. *2*, 480—498, 1943.

WESTENBRINK, H. G. K. Some biological aspects of protein chemistry. Chem. Weekbl. *36*, 283—289, 1939.

HOOFDSTUK VIII

De schrijver spreekt over:

IN HET GRENSGEBIED VAN HET LEVEN

1). *Is de term leven zonder betekenis?*

Wij staan voor de puinhopen van de biologische en de chemische theorieën. De biochemicus heeft met vaardige hand beide opvattingen afgebroken en al belooft hij ons een toekomstige synthese, op het ogenblik zitten wij met de brokstukken. Met een bedroefd gemoed vragen wij ons af of er nu werkelijk niets van te maken is. Wij wenden ons een ogenblik van de ruïnes af om in diep gepeins nieuwe moed te vinden. Welk proces heeft zich voor onze ogen afgespeeld? Er is een groep ziekteverwekkers die wij virussen noemen en deze virussen onderscheiden zich van de gewone organismen door bijzondere eigenschappen. Maar degene die zich met het door de virussen veroorzaakte ziekteproces bezighoudt, ziet zoveel overeenkomsten tussen bacterieziekten en virusziekten dat hij de virussen vanzelfsprekend als een onderdeel van de groep van de microben beschouwt. Automatisch worden dan de begrippen virus en levend organisme als synoniem beschouwd. Aan de andere kant hebben chemici het virusprobleem aangepakt. Zij vonden zoveel overeenkomsten tussen virussen en normale eiwitten dat zij de virussen als niet-levende reuzenmoleculen zien. Bij nadere beschouwing blijken dan beide theorieën grote bezwaren te hebben, zodat enkele biochemici zich genoodzaakt hebben gezien om het hele begrip leven overboord te zetten. Het is volgens hen op het schip der natuurwetenschap nutteloze ballast. Deze conclusie stuit ons tegen de borst. Wie een lam door de wei ziet dartelen en het diertje vergelijkt met het hek dat het weiland van de weg afsluit, kan niet anders dan tot de slotsom komen dat er tussen deze twee objecten een typisch verschil in categorie bestaat. Het is moeilijk aanvaardbaar dat het leven een zinloos begrip is. Hoe is het mogelijk dat men deze uitkomst uit een natuurwetenschappelijke studie af kan leiden? Want de moeilijkheid is — daar zal ieder het over eens zijn — dat de redenering van de biochemicus er logisch uitziet. Een bepaalde natuurwetenschappelijke fout kan in zijn lezing niet aangetoond worden.

Er zijn naar mijn idee zowel in de lezing van de bioloog, van de chemicus en van de biochemicus fouten aanwezig; fouten die wij niet natuurwetenschappelijk bewijzen kunnen, maar die wij wel aanvoelen. Ligt de grond van de meningsverschillen niet in de manier van denken van de mens? Laten wij daarom de werking van het natuurwetenschappelijk geschoolde brein eens nader onderzoeken. In de prille jeugd van een tak van wetenschap staat de onderzoeker voor een ontzagwekkende veelvuldigheid van feiten of objecten en zijn eerste stap moet zijn om het materiaal te ordenen. De objecten worden in groepen met overeenkomstige eigenschappen geplaatst. Daarna is het materiaal voor de wetenschappelijke bewerking gereed, d.w.z. men kan nu de oorzaken van verschillen en overeenkomsten zowel in de groepen als tussen de groepen onderling trachten na te speuren. Aangezien onze hersenen niet ,,aan alles tegelijk kunnen denken'' is er steeds de neiging aanwezig om op de overeenkomsten van de leden van één groep en op de verschillen die die ene groep met andere groepen vertoont de nadruk te leggen. Anders gezegd: er is de neiging om een groep scherp af te grenzen, want dit vergemakkelijkt het denken. Wanneer ik het woord plant uitspreek, dan denkt iedereen aan een goudsbloem of aan een eikeboom, maar niemand — ook de best geschoolde botanicus niet — zal direct het idee bacterie of schimmel voor zich zien verschijnen. Aan de enkele groep wordt dan te veel waarde toegekend. Vandaar dat er in vroeger eeuwen grote disputen zijn geweest over de vraag of bepaalde groepen (eencellige zweepdiertjes, slijmzwammen) bij de planten of bij de dieren ingedeeld moesten worden. Langzamerhand verflauwde het interesse in deze strijd, omdat men in ging zien dat er tussen de groepen van de planten en van de dieren een geleidelijke overgang bestaat. Hiermee zeggen wij natuurlijk niet dat een plant in een dier kan overgaan, maar alleen dat onze starre indeling in groepen niet de juiste weergave van de natuur is. Natuurlijk is er een groot verschil tussen een denneboom en een hond. Maar wanneer wij zouden pogen om een natuurwetenschappelijke definitie te geven van de begrippen plant of dier dan zou ons dat absoluut niet lukken. En toch — moeten wij er direct aan toevoegen — de begrippen zijn zeker niet zinloos. Maar zij moeten gezien worden als een methode om de natuur te beschrijven. Het boek der natuur moet in ,,telegramstijl'' door de geleerde neergeschreven worden, want het aantal bladzijden is oneindig groot en het is daardoor onleesbaar. De wetenschap is dus een bewuste vereenvoudiging van de ware toestand, maar bij deze methode moet de waarheid zo dicht mogelijk benaderd worden. Dat is de hoge roeping van de onderzoeker. De indeling van het materiaal in groepen is een noodzakelijke voorwaarde voor de wetenschap, maar hierin zit tevens de mogelijkheid voor het optreden van fouten. Wanneer men de groepen absoluut maakt dan komen er in de grensgebieden grote moeilijkheden. Men moet dan pogen om een grensgeval tussen twee groepen in één van die groepen onder te brengen, waarbij conflicten onvermijdelijk zijn.

Het komt mij voor dat dit de achtergrond is van het grote conflict over de natuur van de virussen. Wij kennen de begrippen molecuul en organisme en — het hoeft na het voorgaande nauwelijks gezegd te worden — deze begrippen zijn geen van tweeën zinloos. Iedereen kent het verschil tussen een paard en een glas water. Maar wanneer wij dit verschil in natuurwetenschappelijke termen proberen te beschrijven lopen wij vast. Men kan verschillende criteria voor het leven opstellen. Ik denk aan groei, vermeerdering, stofwisseling, beweging, variatie, aanpassing e.d. Bij analyse van elk van deze criteria — de biochemicus heeft het ons gedemonstreerd — blijkt dat zij waardeloos zijn. Nu zouden wij een afspraak kunnen maken. Laten wij zeggen dat er tien criteria van het leven zijn. Vertoont een bepaald object nu vijf of meer van deze criteria, dan noemen wij het levend en anders niet. Zeer bevredigend is deze oplossing niet, al moeten wij er direct bij zeggen dat de scheiding tussen planten en dieren zoals die in de praktijk (leerboeken) gebruikt wordt eigenlijk ook op een dergelijke afspraak berust. Dit wordt gemakkelijk gemaakt doordat de ware botanicus zich vooral met ,,echte'' planten bezighoudt en de zoöloog veel met hoger georganiseerde dieren werkt. Het terrein tussen de planten en de dieren is het gebied van de microbioloog, die zich over het plant- of dier-zijn van zijn objecten weinig zorgen maakt. Zo zal het grensgebied tussen organismen en moleculen het arbeidsveld van de biochemicus zijn. Hij zal zijn werk weinig laten beïnvloeden door de discussies over het al of niet levend zijn van de virussen. Niet omdat het begrip leven zinloos is, maar omdat in het grensgebied een vloeiende overgang tussen de begrippen organisme en molecuul aanwezig is.

Wij bekijken een kikvors die welgemoed tussen kroos en waterpest heen en weer zwemt; dit object is ongetwijfeld levend. Een koelbloedige experimentator snijdt het dier de kop af. Dood is het beest. Maar het hart blijft nog enige tijd doorkloppen; dat is blijkbaar nog levend, want het vertoont vele criteria van het leven. Prepareren wij weer enkele cellen uit dat hart, dan kunnen wij die nog lang nadat het hart opgehouden heeft met kloppen (dus niet meer leeft) in een kunstmatig milieu voortkweken. Niemand twijfelt er aan of deze cellen leven, terwijl toch de kikker allang tot stof vergaan is. Nu gaan wij in gedachten nog verder en verdelen de levende cel. Bij een zeer ver gaande verdeling komen wij ten slotte tot suiker-, water- en andere moleculen, die zoals men algemeen aanneemt niet levend zijn. Maar als wij niet zo ver gaan, wat is dan het resultaat? Leeft de kern van de cel? Leeft een chromosoom in de kern? Leeft een gen in het chromosoom? Vragen die gemakkelijker te stellen dan te beantwoorden zijn. Er zijn biologen die de cellen als de kleinste eenheden van het leven zien, terwijl anderen de genen als zodanig beschouwen. Wie heeft gelijk? Het hele probleem doet mij denken aan de pogingen om de begrippen warm en koud te beschrijven. Wat de één koud noemt zal de ander warm vinden; de begrippen zijn subjectief. Pas na de uitvinding van de thermometer kan de temperatuur van een voorwerp objectief beschreven worden. Het is in een kamer 60° F. Dat vindt de één warm en de ander koud, maar dit verschil ligt in de personen die over het feit oordelen. Het is — natuurwetenschappelijk gezien — niet belangrijk. De twee personen hebben alle twee gelijk! Wanneer ik beweer dat het pokkenvirus groot is, dan heb ik gelijk, zeg ik het tegenovergestelde, dan kan ook niemand dat bestrijden. In het eerste geval vergelijk ik het virus blijkbaar met een gewoon eiwitmolecuul of iets dergelijks, dan is het natuurlijk groot. Maar als ik naar mijn schrijfbureau kijk, dan kan ik niet anders dan het virus klein noemen. Deze woorden (warm, groot e.d.) kunnen blijkbaar alleen gebruikt worden als wij precies zeggen waarmee wij het object op dat moment vergelijken.

Op dezelfde wijze beschouw ik het virusprobleem. Het is niet de vraag of het virus levend is of niet, maar wij moeten vragen welke graad van leven het virus heeft. En dan komen wij vanzelf tot de conclusie dat het pokkenvirus een hogere graad van leven heeft dan een mozaikvirus. Maar een bacterie heeft weer meer leven dan het pokkenvirus. Zo kunnen wij een steeds hogere organisatiegraad waarnemen. Dat wil niet zeggen dat de hogere organisatievorm steeds uit de lagere ontstaan is. Elke parasitaire vorm ontstaat uit een hoger georganiseerd organisme en verliest bij het parasiet worden verschillende eigenschappen; wordt dus a.h.w. minder levend. Ik zou dus zeker niet willen beweren dat de hogere organismen uit de virussen ontstaan zijn — er wordt slechts bedoeld dat de virussen eenvoudiger van bouw zijn.

Het grensgebied van het leven kan men van twee zijden naderen. De bioloog komt uit de wereld van de organismen en de chemicus verlaat zijn eenvoudig gebouwde moleculen om het virus te bestuderen. Is het wonder dat deze mensen met hun totaal verschillende denkwijzen tot tegenstrijdige theorieën komen? Het betekent slechts dat het object van hun studie met vrucht zowel van de biologische als van de chemische

zijde bestudeerd kan worden, maar dat het uitgesloten is om het probleem
slechts van één zijde te zien. Voor de bioloog is de vorm belangrijker dan
de stof, terwijl voor de chemicus de situatie juist omgekeerd is. In de
laatste jaren gaat de biologie zich voor de stoffelijke oorzaken van de
vormgeving interesseren, terwijl er in de chemie een tendenz is om aan de
vorm van het molecuul een veel grotere waarde toe te kennen dan vroeger.
Op dit punt kunnen biologie en chemie elkaar ontmoeten. En wij zullen
ontgroeien aan de tijd waarin de biologie de vorm beschreef als een gevolg
van geesten, entelechieën en dergelijke principes en waarin de chemicus
al analyserende de karakteristieke organisatie van het levende organisme
vergat.

Wij kennen degenen die het leven pogen te beschrijven uit eenvoudige
physische en chemische eigenschappen als de negentiende-eeuwse ma-
terialisten. Dit materialisme is vooral bezweken omdat het ter verklaring
van het leven hypothese op hypothese moest stapelen, waardoor het
bouwwerk, dat op een veel te smalle basis rustte, topzwaar werd. Minder
bekend is, dat er ook pogingen verricht zijn om de materie — levende
en niet-levende — uit biologisch oogpunt te beschouwen. De mathe-
maticus WHITEHEAD zegt dat alle dingen organismen zijn. De biologie
bestudeert de grotere organismen, de physica de kleinere. Het heelal is
een levend proces, geen levend organisme, maar een systeem, samengesteld uit oneindig veel levende organismen van zeer verschillende organi-
satietrappen. Het is eenvoudig om materialisme met mechanisme gelijk
te stellen en daarvan de absurditeit aan te tonen. Ook is het gemakkelijk
om te zeggen dat een atoom geen organisme is. Maar daarmee lost men
het probleem niet op. Men kan de materie (levend of niet) analyseren en
alle eigenschappen terug proberen te voeren tot zeer eenvoudige processen. Aan de andere kant kan men er de nadruk op leggen dat de complexe
vormen van de materie berusten op de relaties van de delen onderling,
waardoor het geheel meer is dan de delen. Dit geldt reeds voor een
waterstofatoom (het eenvoudigste atoom dat wij kennen) dus a fortiori
voor een zeer ingewikkeld systeem als een levende cel. Beide methoden
zijn manieren om de natuur te beschouwen en dus zijn het eenzijdige
werkwijzen. Voorlopig is het bij een levende cel volslagen onmogelijk
om de wisselwerkingen tussen alle samenstellende atomen na te gaan,
laat staan te berekenen. Nu kan men op het standpunt staan dat dit
in principe altijd uitgesloten zal blijven. Noch hiervoor, noch voor de
tegenovergestelde mening zijn bewijzen te geven.

Ik denk in dit verband aan de wetenschap van het weer, de meteorologie. Niemand betwijfelt dat het weer uitsluitend van physische factoren afhankelijk is (ik laat de geringe invloed van bebossing e.d. op het weer even buiten beschouwing). Toch is het aantal factoren dat hier ingrijpt zo groot en hun wederzijdse beïnvloeding zo ingewikkeld, daţ de meteorologische wetten veel op de biologische wetten lijken: een exacte voorspelling is uitgesloten. Niemand kan aangeven of er op 12 Mei 1950 om 12 uur boven het Binnenhof in Den Haag een wolk zal hangen of niet. Hoogstens kan men een paar dagen van te voren voorspellen of het licht of zwaar bewolkt zal zijn.

Staat men op het hier verdedigde standpunt, dan wordt de vraag wie er gelijk heeft onbelangrijk. Theorieën — zo zegt LUYET in een bespreking van de celtheorie — zijn gevaarlijk omdat zij de neiging hebben om doctrines te worden, maar aan de andere kant zijn het onvermijdelijke denknoodzakelijkheden. Het zijn gevaarlijke gereedschappen die eigenlijk alleen in de handen mogen komen van hen die sterk genoeg zijn om er nooit in te geloven. De celtheorie is een mooi voorbeeld van een wetenschappelijke ontwikkelingsgang. Bij analyse bleek dat de hogere organismen uit kleine compartimenten (cellen) opgebouwd zijn. Dan wordt — dit is het gevolg van de denkmethode van de mens — de cel gezien als de principiële bouwsteen van het leven. Op het begrip cel komt te veel de nadruk te liggen. Langzamerhand worden er feiten in twee richtingen bekend, die met de starre theorie in tegenspraak zijn. In de eerste plaats staan de cellen zeer sterk onder de invloed van elkaar, waardoor een organisme veel meer is dan een optelsom van alle cellen. Het dier of de plant is een samengesteld geheel; de cellen spelen slechts een ondergeschikte rol. Aan de andere kant worden er vele uitzonderingen op de cellulaire bouw gevonden. De slijmzwammen zijn niet in cellen verdeeld; of de bacteriën een cellulaire structuur hebben is de vraag; binnen in de cellen worden vormingen gevonden die men als „levend" kan beschouwen. Dus, zegt LUYET, er is een nieuwe theorie nodig. De opbouw uit cellen moet gezien worden als een methode om een grote massa protoplasma te verdelen. In het licht van LUYET's uiteenzettingen houdt de cel op de fundamentele eenheid van het leven te zijn.

Om nu langzamerhand weer tot het virusprobleem terug te keren: ik begrijp dat vele onderzoekers aanbevelen om slechts te experimenteren en niet te philosopheren. Toch kan ik dit standpunt niet delen. Zelfs als toegegeven wordt dat het leven een metaphysisch probleem is, dan zullen de grondstoffen voor de beantwoording van het probleem toch door biologie en biochemie verzameld moeten worden. En voor hem die met

het leven experimenteert en het tracht te beschrijven is het belangrijk
om zich een idee te vormen over de dingen die hij verricht. Ik denk hier
aan de woorden van PASCAL: al onze waardigheid bestaat in het denken.
De bestudering van het leven is een enorm zware taak doordat er in een
cel oneindig veel chemische verbindingen te vinden zijn, doordat er zeer
veel naast elkaar verlopende reacties plaats grijpen en door de aanwezigheid in de cel van vele reuzenmoleculen, stoffen die op zichzelf al moeilijk bestudeerd kunnen worden. Er zijn weer twee werkmethoden die
teruggevoerd kunnen worden tot de twee verschillende beschouwingswijzen van het leven. Sommigen proberen modellen voor de gebeurtenissen in de levende cel te vinden (ruim opgevat als elk elementair proces
wat men gescheiden van de rest van de levensprocessen bekijkt; er zijn
modellen voor de ademhaling, voor de structuur van de cel enz.). Anderen
experimenteren het liefste met het hele organisme. De beoefenaars van
de eerste methode zijn nogal eens geneigd om het model voor het leven
te houden. Zo vergeet JANSSEN dat zijn idee van het virus als synthetisator slechts een model is als hij zegt: ik kan aan het model zien dat het
virus niet leeft. De tweede methode geeft meestal een dergelijke onover-
zichtelijke massa feiten, dat de onderzoeker geneigd is om onstoffelijke
principes ter ,,verklaring'' van de waarneming aan te nemen. De juiste
weg, zegt BUNGENBERG DE JONG, aan wie wij veel modellen van het
leven te danken hebben, is: bestudering van het object; hierdoor wordt
een probleem gesteld; dan zoekt men naar een model dat dezelfde verschijnselen vertoont en bestudeert dit eenvoudige model uitvoerig; daarna
keert men met de verworven kennis naar het object terug en gaat nu na:
niet of het model hetzelfde is als het object, maar in hoeverre de eigenschappen van het object op die van het model lijken. Zo geeft BUNGEN-
BERG DE JONG modellen voor de bouw van de cellen en bestudeert deze
eenvoudige modelcelletjes om te zien welke eigenschappen van de levende
cel aan hun colloidchemische structuur toegeschreven kunnen worden.
Natuurlijk kan nu het model niet gelijkgesteld worden met de cel, want
tal van levensverschijnselen (bijv. de ademhaling) zijn in het model niet
te vinden. Daarvoor is dan weer een heel ander model nodig.

Wanneer wij ons nu een idee willen vormen over de natuur van de
virussen, dan moeten wij nagaan welke waardevolle elementen er in de
voorgaande hoofdstukken te vinden zijn. Ik stel mij dus niet op het standpunt dat er een scherpe grens tussen leven en niet-leven te vinden zal
zijn. Wel ben ik bereid om te zoeken naar de graad van leven die een
bepaald object vertoont. Wij weten nu dat de eiwitten niet in het orga-

nisme dienst doen totdat zij ,,versleten'' zijn, maar dat er een voortdurende vernieuwing en hergroepering in de moleculen plaats heeft. Er is dus geen bezwaar tegen om een eiwit in zekere zin levend te noemen. Alleen moeten wij bij deze uitspraak niet aan het zoveel meer gecompliceerde leven van een hond of zelf maar van een bacterie denken.

De virussen zijn dan een groep van vormingen die in hun afmetingen tussen de bacteriën en de eiwitten in staan. Ongetwijfeld is de groep heterogeen, maar toch zijn er in de groep geen scherpe grenzen aan te wijzen. De grootste virussen vertonen overeenkomst met micro-organismen, de kleinste kunnen als reuzenmoleculen gezien worden. Al naar het verband waarin het virus bestudeerd wordt, noemt men het levend of niet levend. De grote hoeveelheid gegevens die over de virussen bekend zijn worden door de chemicus anders gegroepeerd dan door de bioloog. Waarom? Omdat de bioloog met VAN RIJNBERK zegt dat de levende stof zich anders gedraagt dan men van de samenvoeging van verbindingen van levenloze materie zonder meer zou verwachten. Dit is waar, maar subjectief. De een verwacht nu eenmaal meer dan de ander. Ik geloof dat VAN LOGHEM de stand van zaken juist weergeeft in zijn geestige opmerking: ,,De epidemioloog en de ziektebestrijder toont zich misschien een hardnekkiger vitalist dan de biochemicus die reeds de werktekening reconstrueerde naar welke de natuur aminozuren, koolhydraten en phosphor tot een kurkdroge, hecht doortimmerde, mysterieloze, infectieuze molecuul heeft opgebouwd''.

Wie via het molecuul denkt komt automatisch tot andere ideeën dan degene bij wie het organismebegrip een voorname plaats in de gedachten inneemt. Het getuigt evenwel van eenzijdigheid wanneer men meent dat zijn manier van denken de enige juiste is. Vooral in een grensgebied als dat van de virussen wordt gedemonstreerd dat beide denkmethoden elkaar aanvullen.

Bij zijn pogingen om de natuur van de virussen te ontraadselen komt de bioloog ten slotte tot het idee dat althans een deel van de virussen genen of cytoplasmagenen zouden zijn. De chemicus zag overeenkomsten met enzymen of biosynthetisatoren.

Aangezien er naar mijn idee geen bezwaar tegen is om enzymen en biosynthetisatoren in zekere zin levend te noemen, terwijl ook genen en cytoplasmagenen slechts in zekere zin levend zijn, is mijn opgave om te zien of er verband tussen al deze begrippen bestaat. Misschien komen wij dan tot een andere opvatting van het virusprobleem.

2. Het verband tussen virussen, genen en enzymen

Wanneer men ziet dat enzymen in het algemeen als eiwitmoleculen opgevat worden, terwijl genen als levenseenheden, als enzymen of als reuzenmoleculen beschouwd worden, dan beseft men dat wij hier met dezelfde problemen te maken hebben als bij de virussen. Het gaat hier m.i. niet om de vraag levend of niet, maar om de kwestie welke graad van leven zij vertonen of anders gezegd welke beschouwingswijze ons — wetenschappelijk gesproken — verder brengt. Wie een virus vergelijkt met een gen en daarmee het levende karakter van het virus meent te hebben aangetoond, begaat een fout. Want ook het gen kan als een ,,molecuul" en als een ,,organisme" gezien worden.

Wanneer er dus analogieën tussen virussen en genen aangetoond kunnen worden dan is dit zeer belangrijk en wel omdat wij dan wellicht na kunnen gaan waar het virus in de cel aangrijpt. De overeenkomsten tussen virussen en genen zijn van verschillende aard. Er kunnen bij de virussen plotselinge veranderingen optreden, die te vergelijken zijn met de mutaties van erfelijke eigenschappen, dus in wezen met veranderingen in de genen. De invloed van Röntgenstralen op genen en virussen is volgens GOWEN en PRICE vergelijkbaar. Toch zijn er ook typische verschillen aan te geven, zodat HALDANE dan de virussen (speciaal mozaikvirus) bekijkt als veranderde cytoplasmagenen, dus als zieke dragers van erfelijke eigenschappen, die zich buiten de kern bevinden. De genen verdubbelen zich bij de celdeling, maar jammer genoeg zijn er te weinig gegevens om van het mechanisme van deze vermeerdering een voorstelling te geven. TIMOFEEFF-RESSOVSKY, die ons interessante experimenten geschonken heeft over de kunstmatig verwekte mutaties van genen, beschouwt het gen als een bouwsel van atomen, waarin een treffer door een Röntgenstraal verplaatsing van atomen veroorzaakt. Aan de andere kant ziet hij in de verdubbeling van de genen het centrale probleem van het leven en hij ziet in de toekomst de mogelijkheid om dit probleem met physische en chemische middelen op te lossen.

Wij hebben gezien, dat er een verschil tussen virussen en genen bestaat, want mutaties bij een virus treden vooral op onder de invloed van veranderingen in het milieu, terwijl het milieu op de mutaties van de erfelijke eigenschappen weinig invloed heeft. Wel kennen wij bijvoorbeeld het feit, dat *Primula sinensis* bij kamertemperatuur rood is, terwijl de bloemen bij een wat hogere temperatuur wit worden. Wij moeten er in dit geval aan denken dat tussen het minuscule gen en de veroorzaakte

bloemkleur een keten van biologische reacties moet verlopen en dat dus
de invloed van het milieu zeer goed ergens in die keten geplaatst zou
kunnen worden. Tussen het samenstel van genen en het organisme, dat
als resultaat van hun werking ontstaat, bevindt zich de ontwikkelingsgang van het organisme. En het is deze ontwikkelingsgang die ons in
verband met het virusprobleem interesseert.

In de erfelijkheidsleer zien wij dezelfde verandering van denkbeelden
die wij reeds voor de celtheorie besproken hebben. Het hele genenbezit
van de cel werd als een ,,blokkendoos met houten blokjes'' beschouwd
(SIRKS). Ieder gen heeft een eigen taak en is iets afzonderlijks. Later
gaat men zich afvragen hoe die genen de lange keten van de processen
tussen de bevruchte eicel en het volwassen organisme besturen en dan
blijkt dat de genen met elkaar een ,,levensgemeenschap'' vormen. Het
samenstel van genen is meer dan de som van de genen. Bij het nadenken
over deze problemen komt GOLDSCHMIDT tot het idee, dat de genen bepaalde stoffen produceren die in de stofwisseling van de cel ingrijpen en
daardoor de ontwikkeling van de cel beheersen. Zo komt ook de erfelijkheidsleer bij de biochemie aankloppen en vraagt van haar een experimenteel onderzoek naar dit ingrijpen van het gen in de stofwisseling. De
onderzoeker van het virus bevindt zich voor hetzelfde probleem: hoe
grijpt het virus in de stofwisseling van de cel in?

De meest kenmerkende stof van het levende organisme is het eiwit
en het ligt voor de hand om naar het verband tussen genen en de eiwitsynthese te zoeken. CASPERSSON merkt op, dat alle zichzelf reproducerende
elementen uit nucleoproteïnen bestaan. In het cytoplasma van de cellen
uit sterk groeiende weefsels vinden wij veel nucleoproteïnen (en wel van
het type ribose-nucleoproteïnen net als de virussen). Ook in eiwitvormen-
de klieren vinden wij iets dergelijks. Dus met een hoge eiwitproductie
gaat de aanwezigheid van veel nucleoproteïnen gepaard. Nu is de hoeveelheid nucleoproteïnen in het cytoplasma weer afhankelijk van de werkzaamheid van de kernnucleoproteïnen die geen ribose, maar thyminose
bevatten en die weer met de genen in verband staan. Hoe sterker het
weefsel gedifferentieerd wordt, hoe kleiner het aantal nucleoproteïnen
zal zijn. Wij krijgen dan het volgende schema van de cel (fig. 24).

Uit het werk van FISCHER over het kweken van cellen in verschillend
milieu krijgen wij de inlichtingen over de volgende stap van de eiwitsynthese. Zijn onderzoek sloot aan bij dat van WHIPPLE, die bewees dat
vastende dieren normaal hun weefsels op kunnen bouwen wanneer er in
hun bloedbaan geregeld eiwitten uit het bloedserum van een ander individu

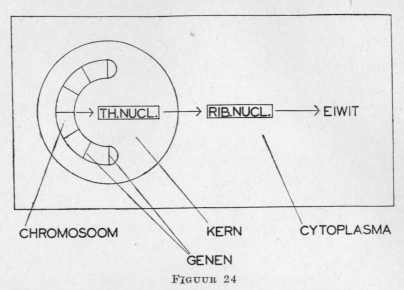

FIGUUR 24

Het resultaat van het werk van CASPERSSON: het verband tussen de genen en de eiwitstofwisseling.

(van dezelfde diersoort) gebracht worden. De dieren worden dus in leven gehouden, hoewel zij in het eigenlijke voedsel absoluut geen eiwit krijgen. Hoe belangrijk juist de eiwitten uit het serum zijn, blijkt zeer duidelijk uit het feit dat het WHIPPLE niet gelukte om de dieren door inspuitingen met de rode bloedkleurstof (het eiwit haemoglobine) in leven te houden. Daarom ziet HOWLAND de gang van zaken in het dierlijke organisme aldus: in het voedsel bevinden zich eiwitten die in de darm tot aminozuren afgebroken worden; in de lever — de chemische fabriek van het dier — worden hieruit de serumeiwitten opgebouwd, die als voedsel en bouwmateriaal voor de cellen dienen. De cellen krijgen al hun materiaal door het bloed netjes thuisbezorgd. Het geheel is in een constant evenwicht; wordt een bepaald eiwit verbruikt dan ontstaat automatisch een nieuw evenwicht. WESTENBRINK vraagt zich dan ook af of wij in het geval van de bloedeiwitten wel van één bepaald eiwit uit een groep van eiwitten mogen spreken. Hij meent, dat de betrekkingen tussen de diverse eiwitachtige verbindingen in het serum zo nauw zijn, dat een met chemische middelen geïsoleerd eiwit eigenlijk een kunstproduct is. Zeker weten wij, dat de eiwitten niet zo star zijn als wij lange tijd dachten. SCHOENHEIMER ging de lotgevallen na van radioactieve stikstofatomen die door een levend organisme in het eiwit ingebouwd werden. Hij kon aannemelijk

maken, dat de stikstofgroepen steeds in chemische reacties betrokken zijn
en dat er zelfs aminozuren — de bouwstenen van eiwitten — direct
midden in het eiwitmolecuul geplaatst kunnen worden. Dit is wel heel
iets anders dan de klassieke eiwitchemie ons leerde en het is voor Kögl
aanleiding om een eiwit te zien als iets, dat in zekere zin levend is, een
conclusie, waarmee wij na onze bespreking over het begrip leven ongetwijfeld in kunnen stemmen.

FISCHER nu kweekte cellen uit kippenweefsel in kippenserum, dat
hij met enzymen tot kleinere brokstukken afgebroken had. Hoe kleiner
de brokstukken, hoe minder de groei. Nam hij dezelfde proef met kippencellen in konijnenserum dan was het resultaat juist omgekeerd. Hij
trekt hieruit de conclusie, dat de cellen uit het bloedserum niet de kleinste
brokstukken van de eiwitten gebruiken, maar dat veel grotere brokken
(de z.g. polypeptiden, dit zijn verbindingen van vele aminozuren) benut

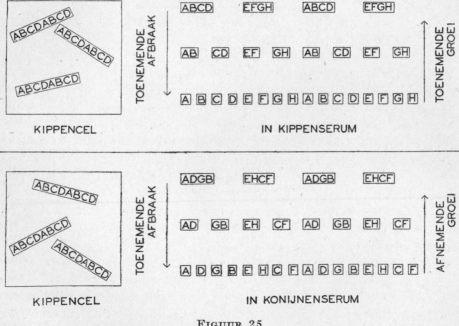

FIGUUR 25

Waarom groeit een kippencel beter in kippenserum dan in konijnenserum?
Omdat zich in het kippenserum polypeptiden bevinden waarvan de volgorde
van de bouwstenen dezelfde is als bij de eiwitten uit de kippencel. Breken
wij het kippenserum af dan wordt de groei van de cellen minder; doen wij
hetzelfde bij het konijnenserum dan bevorderen wij de groei.

kunnen worden. Een voorwaarde daarvoor is, dat de bouw van deze polypeptiden past in het schema van de eiwitten van deze cel. Daarom kan een kippencel niet gemakkelijk in konijnenserum groeien, want daarin zijn polypeptiden met een andere volgorde van aminozuren aanwezig. Die moeten dan eerst afgebroken en in de goede volgorde opgebouwd worden. Wij geven een zeer vereenvoudigd schema van de gang van zaken in figuur 25. FISCHER veronderstelt nu dat het voor de eiwitstofwisseling van de cel noodzakelijke enzym-apparaat overal volgens één plan werkt. De finesses van dit plan zijn van organisme tot organisme en zelfs in één organisme van celtype tot celtype verschillend en karakteristiek. Een huidcel van een kip verwerkt andere polypeptiden uit het bloedserum dan een cel van het nierweefsel.

Hier ligt naar mijn gevoel het bezwaar tegen de synthetisator-idee van JANSSEN. Zijn grote verdienste is dat hij het verband heeft gelegd tussen de virussen en de biosynthese, maar zijn voorstelling van de biosynthese is veel te eenvoudig. Niet elke cel bouwt zichzelf op uit glucosemoleculen en zouten. Meestal zullen veel ingewikkelder moleculen de bouwstoffen voor de cel vormen. In ieder geval lijkt het mij de aangewezen weg om het proces van de biosynthese in twee phasen te zien: 1. een synthese van reserve-eiwitten, dus eiwitten die de grondstof kunnen zijn voor de specifieke eiwitten en 2. een verbouwing van reserve-eiwit tot specifieke orgaaneiwitten, al naar de behoefte van de cel. Ik geloof niet dat deze twee phasen op één soort biosynthetisator plaats vinden. Het is principieel zeer goed mogelijk dat het eerste proces voornamelijk in een apart weefsel (de lever) geconcentreerd is, waarna het product reserve-eiwit (bij het dier de serumeiwitten) naar alle cellen getransporteerd wordt.

Een combinatie van de gegevens van CASPERSSON en FISCHER stelt ons in staat om het vroeger gegeven schema van de cel uit te breiden (fig. 26). Langzaam gaan wij voorwaarts in het grensgebied van het leven. Maar — zo luidt de volgende vraag — hoe moeten wij nu die ribose-nucleoproteïnen, die zo'n grote rol spelen bij de eiwitsynthese, noemen? Zijn het enzymen, cytoplasmagenen of biosynthetisatoren? De moeilijkheid zit hem weer daarin dat de genoemde begrippen zo vaag omlijnd zijn. Allereerst de enzymen. Het organisme breekt het voedsel af tot kleinere brokstukken, een reactie die een chemicus meestal niet bij de relatief lage temperatuur die in een organisme heerst, kan verrichten. Er moeten dus katalysatoren zijn — typisch voor het leven — die deze reacties bevorderen. In de spijsverteringsenzymen vond men de eerste voorbeelden van deze katalysatoren. Maar het levende organisme verricht zoveel reacties, die bij gewone temperatuur in een reageerbuis niet verlopen (ademhaling, opbouw van het organisme e.d.). Denkt men dus bij het woord enzym aan een algemene biokatalysator, dan mag het woord zeker op deze ribosenucleoproteïnen toegepast worden en zelfs kan de term voor de genen gebruikt worden. Evenwel heeft het gebruik van het woord in dit verband het bezwaar — dat ligt weer in de beperktheid van het menselijke denken — dat het begrip enzym te veel verbonden is met de relatief eenvoudige spijsverteringskatalysatoren.

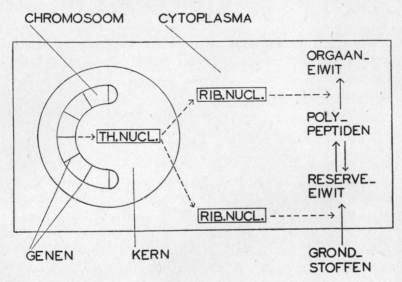

CHROMOSOOM   CYTOPLASMA

ORGAAN_EIWIT

RIB.NUCL.

TH.NUCL.

POLY_PEPTIDEN

RESERVE_EIWIT

RIB.NUCL.

GENEN   KERN

GROND_STOFFEN

FIGUUR 26

In het levende organisme zien wij naast elkaar een synthese van reserve-eiwitten uit de grondstoffen en een opbouw van de specifieke eiwitten van de organen uit deze reserve-eiwitten. De reserve-eiwitten zijn specifiek voor de soort, zij kunnen niet direct door een andere soort gebruikt worden.

Wanneer dan ook opgemerkt wordt dat het mozaikvirus van de tabak geen enzymwerking vertoont, dan bedoelt men eigenlijk alleen maar dat het virus niet de werkzaamheid van enkele eenvoudige enzymen laat zien. Het woord wordt dan in een beperkte betekenis (zoals in darmenzymen) gebruikt. Tussen twee haakjes, hier ligt weer een verschilpunt tussen eenvoudige en ingewikkelde virussen, want de laatsten vertonen wel enige enzymatische werkzaamheid.

Het woord biosynthetisator is ontstaan uit de behoefte om aan de

opbouw van de levende stof een mechanistische uitleg te geven. Dan heeft
men de behoefte aan een stoffelijk principe dat de basis van de biosynthese
kan zijn. Het is dus iets dat uit theoretische beschouwingen resulteert
en het moet in het cytoplasma aanwezig zijn. Zolang men zich geen zorgen maakt over het al of niet levend zijn van deze biokatalysatoren is er
tegen het woord geen enkel bezwaar; het kan als een afdeling van het
algemene enzymbegrip opgevat worden. Echter is het woord door zijn
voorgeschiedenis (hetzelfde geldt voor het woord enzym en voor vele
wetenschappelijke termen) met bepaalde affecten beladen. Als ik het
woord ,,molecuul'' uitspreek dan denkt iedereen: anorganisch, niet-levend,
terwijl toch deze begrippen niet automatisch met de term molecuul
verbonden hoeven te zijn. Eigenlijk durft nog niemand in verband met
het mozaikvirus van ,,levende moleculen'' te spreken, hoewel de term
zeker verdedigbaar is en misschien de tegenwoordige stand van onze
kennis het beste weergeeft.

Het begrip ,,cytoplasmagen'' stamt uit een heel andere tak van wetenschap, n.l. uit de erfelijkheidsleer. Wij weten dat de erfelijkheid van de
biologische eigenschappen zich volgens bepaalde wetten (naar hun ont-
dekker de wetten van MENDEL genaamd) voltrekt. Bij de kruising van
b.v. een rode met een witte bloemplant kunnen de nakomelingen rose
bloemen krijgen, d.w.z. zij staan in hun eigenschappen juist tussen de
ouders in. Meestal zal echter bij een dergelijke kruising één van de eigenschappen overheersen, b.v. er zullen in de eerste generatie alleen planten
met rode bloemen ontstaan. Belangrijk is hierbij dat het er absoluut
niet toe doet of de vader dan wel de moeder rode bloemen had. Het
resultaat — rode bloemen in de eerste generatie van nakomelingen —
is altijd hetzelfde. De eigenschap ,,witte bloemen'' is niet verdwenen maar
slechts onderdrukt en komt bij het verder kweken in de tweede generatie
weer te voorschijn.

De erfelijkheidstheorie ging op de basis van de wetten van MENDEL
een grote toekomst tegemoet, maar in de laatste jaren werden er steeds
meer geluiden vernomen die met de wetten in disharmonie waren. Men
vond dat het bij sommige kruisingen van groot belang was wie van de
ouders de bestudeerde eigenschap vertoonde, iets wat in tegenspraak is
met de eenvoudige wetten van MENDEL. De nakomelingen leken in die
gevallen meer op de moeder dan verwacht kon worden. Vanwaar deze
afwijkingen? Omdat — zo legt men de waarnemingen uit — de vaderlijke
geslachtscel slechts een kern zonder cytoplasma is, terwijl de moederlijke
eicel uit een kern omgeven door veel cytoplasma bestaat. In dat cyto-

plasma moeten zich dus ook erfelijke eigenschappen bevinden — zo rede-
neerde men — die de met de vaderlijke geslachtscel meegevoerde genen
als het ware neutraliseren. Het ligt voor de hand dat men zich voor deze
erfelijke eigenschappen ook een stoffelijke basis dacht en zo komt het
begrip cytoplasmagen (dus een gen buiten de kern) tot stand. Het cytoplasma en niet de kern is in dit geval belangrijk en daarom spreekt men
van een ,,plasmatische erfelijkheid''.

Bij nader inzien lijkt mij de term cytoplasmagen niet gelukkig. Laten
wij aan de hand van de tot nu toe ontwikkelde voorstellingen eens zien
wat er gebeurt. Wij weten dat een gen invloed uitoefent op de eiwitsynthese (dus op de bouw) van het organisme, via de ribosenucleoproteïnen van het cytoplasma. Daarbij zal een gen A slechts een uitwerking
hebben op de door één enkel ribosenucleoproteïne veroorzaakte reactie.
Laten wij dit ribosenucleoproteïne A noemen. Het product van deze

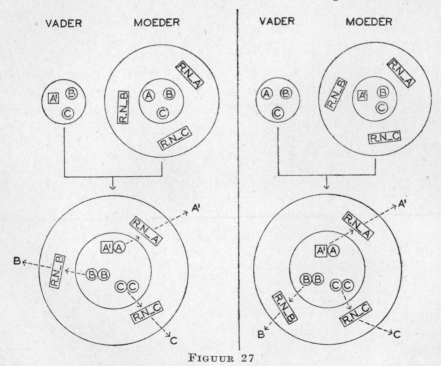

FIGUUR 27

Een geval van kruising tussen twee organismen die in één gen verschillen.
Het ene individu bevat het dominante gen A' en het andere het recessieve
gen A. Bij dit proces is het volmaakt onbelangrijk wie van de ouders het
dominante gen bezit.

reactie is A (b.v. een witte bloemkleur). Een gen A′, dat in zijn werking
vlak bij het gen A ligt, zal hetzelfde ribosenucleoproteïne A kunnen
beïnvloeden, alleen zal de reactie een ander product leveren, n.l. A′ (een
rode bloemkleur). Bevinden zich de beide genen A en A′ in eenzelfde
individu, zoals dat bij nakomelingen van in één eigenschap verschillende

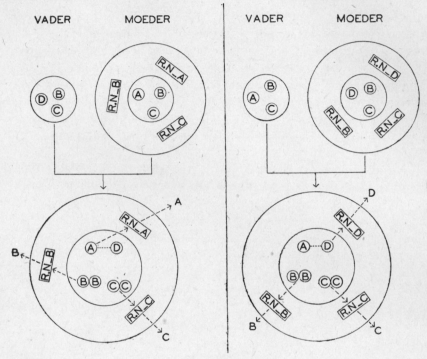

FIGUUR 28

Kruising tussen twee individuën die slechts in één gen verschillen, maar
waarbij het moederlijke plasma van de eicel niet in staat is om op het verschillende vaderlijke gen te reageren. Dit noemen wij de plasmatische erfelijkheid.

ouders gebeurt, dan wint het „sterkste" gen het pleit en in dit geval zal
de eerste generatie rode bloemen hebben (fig. 27).

Maar nu kan zich het geval voordoen dat er bij een kruising naast het
gen A geen gen A′ of A, doch een totaal verschillend gen D in de bevruchte
eicel komt. Dit gen zal door zijn volkomen andere bouw niet in staat zijn
om het ribosenucleoproteïne A te beïnvloeden, m.a.w. het van de moeder
afkomstige gen A heeft het alleen voor het zeggen. De nakomeling lijkt

in deze eigenschap op de moeder. Dat men deze gang van zaken aan het plasma van de eicel toeschrijft is begrijpelijk, maar niet geheel juist. Zeker gaan wij te ver als wij aan het plasma erfelijke eigenschappen toekennen. Ik zie het gen als een sleutel waarmee de reactie van het ribosenucleoproteïne ,,opengaat''. Op het reactiemechanisme passen slechts enkele sleutels die ieder een ietwat verschillende uitwerking hebben. Bij de reactie van het ribosenucleoproteïne A — om bij ons voorbeeld te blijven — past de sleutel A′ beter dan de sleutel A (of wel het gen A′ is dominant over het gen A). Maar de sleutel D past helemaal niet en zal dus bij de bouw van het organisme niet meedoen (fig. 28).

Nu begrijpen wij ook waarom kruisingen tussen verschillende diersoorten resultaten opleveren die met de wetten van MENDEL niet geheel

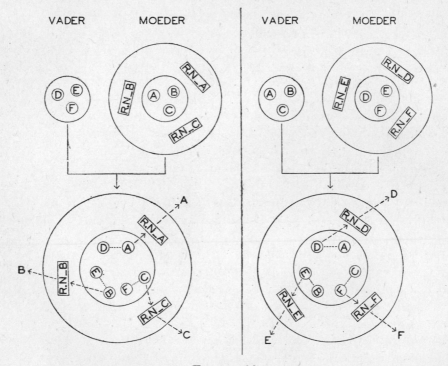

FIGUUR 29

Verschillen de vader en de moeder in vele eigenschappen, dan kan het zijn dat de nakomelingen veel meer op de moeder dan op de vader lijken (wij denken aan de kruising tussen een hengst en een ezelin, vergeleken met die tussen een ezel en een merrie). Blijkbaar kunnen de vaderlijke genen niet door het plasma van de eicel ,,gerealiseerd'' worden.

te rijmen zijn. Denk b.v. aan de kruising tussen een hengst en een ezelin tegenover die van een ezel en een merrie, waarbij de nakomelingen — muilezel resp. muildier — sterk op de moeder lijken. De vader brengt in de zaadcel vele genen mee die niet op het plasma van de moederlijke geslachtscel kunnen werken. Is het verschil tussen de kruisende dieren zeer groot dan zullen de chromosomen niet of niet geheel versmelten, waardoor een dergelijke kruising volkomen onvruchtbaar is (fig. 29). Het woord cytoplasmagen mag dus mijns inziens niet gezien worden als: drager van een erfelijke eigenschap in het cytoplasma, maar de enige juiste opvatting blijkt te zijn: uitvoerder van de wil der genen, schakel in de lange keten tussen het gen en de bouw van het organisme.

In enkele gevallen is er iets meer bekend van de manier waarop het gen de vorming van het organisme beïnvloedt. De genen blijken stoffen te produceren (genhormonen) die de synthese in de cel regelen. Door de afmetingen van de cellen is dit zeer moeilijk te bestuderen, maar HAMMERLING vond een fraai object in een wier *(Acetabularia)* dat enkele centimeters groot is en toch slechts uit één cel met één kern bestaat. Deze wieren zijn parasolvormig, waarbij de kern zich in de steel van de parasol bevindt. De vorm van het scherm is karakteristiek voor de wiersoort; er zijn twee soorten met verschillend gebouwde schermen. Wanneer hij nu een individu van de eerste soort doorsneed en op de steel daarvan een top van de tweede soort plantte, dan ontwikkelde zich het scherm volgens het bouwschema van de eerste soort. Het kan dus niet anders of er zijn door de kern (dus door een gen daaruit) stoffen afgescheiden die de bouw van het scherm bepalen. Deze stoffen hoeven niet tot een enkele cel beperkt te blijven, maar zij kunnen zich bij meercellige organismen door het gehele lichaam verspreiden en ook van deze mogelijkheid zijn voorbeelden gevonden. Dikwijls zal bij meercellige organismen een andere weg gevolgd worden. De genen regelen dan slechts de vorming van een bepaald orgaan, dat weer stoffen produceert die een harmonische ontwikkeling van het organisme bevorderen. Deze organen kennen wij als de klieren met interne secretie, die de hormonen afscheiden. Wij weten dat er van deze hormonen vooral niet te veel of te weinig geproduceerd mag worden, anders komt het tot storingen in de bouw van het organisme. Er is dus weer een gebied van de biochemie — namelijk dat van de hormonen — toegevoegd aan de terreinen die misschien voor ons onderzoek van de virussen belangrijk zijn. Vermoedelijk mogen wij veronderstellen dat de hormonen voornamelijk de verhouding van de hoeveelheden van de verschillende ribosenucleoproteïnen bepalen.

Ten slotte is er nog een gebied waar voor onze opvattingen over het virus wat te halen is. De ontwikkeling van de organismen uit de bevruchte eicel is lange tijd een onderwerp geweest dat uitsluitend biologisch bestudeerd is. Een ontdekking van HOLTFRETER heeft dit gebied binnen het bereik van de biochemicus gebracht. Er was een beroemd onderzoek van SPEMANN over het ontstaan van de organen in de loop van de tijd. Hij vond daarbij dat tijdens de ontwikkeling een orgaan de vorming van een volgend orgaan kan bewerkstelligen. Het eerste orgaan ,,induceert" het tweede. Een bekend voorbeeld is hoe het voorste uiteinde van de oerdarm in het omgevende huidweefsel het ontstaan van een mond induceert. Veelzeggend is hierbij dat men weer spreekt van een ,,slot — sleutel verhouding", dat wil zeggen: de inductiewerking zal alleen bij bepaalde gevoelige reactiesystemen plaats hebben. De ontdekking van HOLTFRETER bestond hierin dat de inductiewerking ook van gekookt, dus dood weefsel uitging. Zelfs werd in enkele gevallen een inductiewerking verkregen met gekookt weefsel dat vóór het koken volmaakt inactief was. Blijkbaar bevindt de ,,inductiestof" zich gemaskeerd in vele weefsels. Zeer belangrijk is dat de chemische structuur van deze stof zeer veel lijkt op die van hormonen, vitamine D, kankerverwekkende stoffen, dus allemaal verbindingen die de groei van cellen kunnen beïnvloeden. Er zijn zelfs stoffen gemaakt die zowel een inducerend als een kankerverwekkend vermogen hebben, terwijl zij daarnaast als geslachtshormoon kunnen fungeren.

Hoe werkt nu een dergelijke kunstmatige stof? Zoals WADDINGTON opmerkt zijn er twee mogelijkheden denkbaar. Of de stof lijkt op de echte inductiestof, zodat zij in plaats van de echte verbinding kan werken, of de kunstmatige stof maakt de werkelijke inductiestof uit het weefsel vrij, waarna deze zijn werk kan beginnen. Hier denken wij aan het experiment van HOLTFRETER volgens hetwelk de inductiestof door het koken van inactief weefsel vrijgemaakt kan worden. In inactief weefsel bevindt zich dus een inductiestof (zij het gebonden) en de werking van b.v. de kleurstof methyleenblauw als ,,inductiestof" kan eigenlijk moeilijk anders gezien worden dan als het vrij maken van de echte inductiestof.

Bij nadere bestudering van het ontstaan van de bouw van de organismen blijkt dat de harmonie in de structuur in stand gehouden wordt door zeer ingewikkelde betrekkingen tussen de organen en de cellen onderling. Het is — zo drukt HOLTFRETER het uit — alsof er in elke cel een alarmmechanisme aanwezig is. Bereikt een inductiestof op het juiste moment deze inrichting, dan gaat een biologische reactie verlopen, het weefsel differentieert zich in een of andere richting. Hierbij zien wij het verschijnsel dat er een steeds verder gaande specialisatie van de cellen optreedt. Dit betekent dat vele hormonen die een dergelijke cel bereiken geen ,,slot'' vinden dat geopend kan worden. Het kan wel niet anders of in de gespecialiseerde cellen zijn vele ribosenucleoproteïnen niet meer aanwezig. Dit lijkt mij een typisch verschil tussen embryonaal weefsel — waarin nog alle mogelijkheden aanwezig zijn — en gespecialiseerd weefsel, dat nog slechts enkele potenties overgehouden heeft.

Langzamerhand zijn wij zover gevorderd dat wij een schematisch beeld van de biosynthese in de cel kunnen ontwerpen (fig. 30) en daarmee kunnen wij proberen om de werking en de natuur van de virussen te analyseren. De meeste auteurs zien de virusziekten uitsluitend als infectieziekten en nu moet volgens hen het aspecifieke veroorzaken van een virusziekte berusten op een latente infectie van het organisme. Vooral bij de gezwellen die door virussen veroorzaakt worden, komt men met deze opvatting in grote moeilijkheden. Er kunnen door zeer verschillende

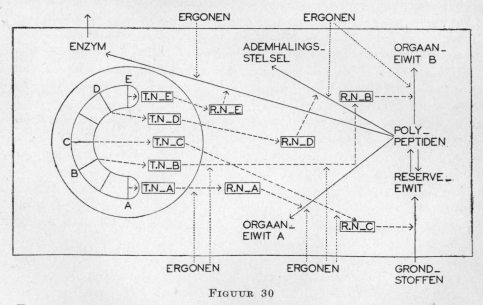

FIGUUR 30

Een zeer vereenvoudigd schema van de biosynthese. Het gen C controleert de vorming van reserve-eiwitten, waaruit alle mogelijke eiwitten gevormd worden. De ribosenucleoproteïnen fungeren als katalysatoren en zij staan op hun beurt onder de invloed van de genen. Ten slotte worden alle evenwichten in de cellen van buiten af door ergonen (biologische werkstoffen als hormonen, vitaminen) beïnvloed.

middelen een grote hoeveelheid gezwellen verwekt worden en die gezwellen vertonen allerlei verschillen. Men moet dan met Rous aannemen dat er in een gezond lichaam zeer vele virussen leven die onschadelijk zijn, maar in uitzonderingsgevallen (b.v. door behandeling met een teerproduct) actief kunnen worden. Dergelijke virussen zouden dus normaal in gezonde cellen voorkomen en Boycott vraagt in een discussie over kwaadaardige gezwellen of het wel zin heeft om nu nog over virussen te spreken. Zijn het geen normale bestanddelen van de cel die door een of andere oorzaak een ziekteverwekkend vermogen kunnen krijgen?

Het lijkt mij toe dat een beschouwing van dit standpunt uit, inderdaad het virusprobleem overzichtelijker zal maken. De harmonie in de cel wordt gehandhaafd door het evenwicht tussen de ribosenucleoproteïnen. Elk van deze eiwitten kan zichzelf vermenigvuldigen uit de reserve-eiwitten en wij kunnen ons voorstellen dat er ten slotte in de cel een evenwicht heerst waarbij van ribosenucleoproteïne A 10 moleculen, van B 50 moleculen, van C 3 moleculen, van D 100 moleculen en van E 5 moleculen te vinden zijn. Op vele manieren kunnen wij dit evenwicht verstoren en in de natuur gebeurt dit bijvoorbeeld door de werking van een hormoon, dat, laten wij zeggen, een vergroting van de hoeveelheid D bewerkt. Het is duidelijk dat de hoeveelheid hormoon niet te groot mag zijn, want dit kan voor de cel schadelijk zijn. Wordt de cel geïnfecteerd door een virus dan zal dit virus opgebouwd worden ten koste van de normale ribosenucleoproteïnen en het ziektebeeld zal bepaald worden door de veroorzaakte verschuiving in het celevenwicht. Het kan zijn dat de opbouw van het virus voornamelijk ten koste van ribosenucleoproteïne A gaat, waardoor het weefsel vergroeiingen gaat vertonen (immers de verhouding tussen de orgaaneiwitten A en B is dan gestoord).

De veronderstelling ligt nu voor de hand dat een virus een autonoom celelement is (ribosenucleoproteïne of een andere biosynthetisator) dat oorspronkelijk in het organisme een normale functie verrichtte. Het is dus een product van de cel en toch ook geen product. Het aantal vragen dat na deze stelling voor ons oprijst is heel groot. Waarom zijn zoveel virusziekten infectieziekten? Welke vormen vallen volgens deze zienswijze in de virusgroep? In de volgende regels zal ik trachten een verdediging van mijn opvatting te geven. Reeds nu kan vastgesteld worden dat vele virussen aan te tonen zijn met een antiserum tegen het normale weefsel, met andere woorden: het virus bevat bestanddelen van het gezonde organisme. Ook een onverklaarbare proef van Kausche kan zeer goed met de theorie verenigd worden. Hij poogde varianten van het mozaikvirus te krijgen door het virus (in het perssap van zieke planten) met Röntgenstralen te behandelen. Het resultaat was negatief. Wel kreeg hij een aantal mutaties als hij zieke planten bestraalde. Deze proeven zijn nog niet zo bijzonder interessant, maar heel merkwaardig is dat hij ook mutaties kreeg als hij gezonde planten bestraalde en hij die planten daarna met virus infecteerde. In het gegeven beeld van de biosynthese past dit experiment uitstekend. Blijkbaar is (fig. 30) de ribosenucleoproteïne C door een Röntgenstraal geraakt en nu wordt een reserve-eiwit afgeleverd dat een klein beetje veranderd is. Het virus bouwt zich uit dit reserve-eiwit op en zal daarbij „muteren". Ik hoop dat dit voorbeeld voldoende is om de mogelijkheden van de nieuwe voorstelling aan te geven.

3. *De natuur van de virussen*

Laten wij nu wat nader ingaan op het verband tussen de virussen en de normale synthese in de levende cel. De veronderstelling werd geopperd dat het virus iets te maken heeft met de vorming van eiwitten en daarom bestudeerden wij de eiwitsynthese. Het infecteren van een tabaksplant met mozaikvirus heeft tot gevolg — wij weten het uit de proeven van MARTIN en zijn medewerkers — dat de eiwitbalans in de plant verstoord wordt. Deze waarnemingen kunnen het beste verklaard worden met de veronderstelling dat de virussynthese in concurrentie treedt met de normale eiwitsynthese. Het is dus niet zo dat er orgaaneiwit in viruseiwit omgezet wordt, maar naast de normale biosynthetisatoren komt een nieuwe en onnatuurlijke biosynthetisator. Dit is voor de plant funest, want het virus maakt dat de normale levensfuncties van het organisme vertraagd worden, terwijl het virus — zelfs bij hongerende planten — niet in de eiwitstofwisseling opgenomen kan worden.

Met deze opvatting is in overeenstemming dat het mozaikvirus (volgens de onderzoekingen van BORN) uit kleine bouwstenen opgebouwd wordt. Wel moet er met nadruk op gewezen worden dat dergelijke waarnemingen vooral niet gegeneraliseerd mogen worden. Een ander virus kan heel goed uit veel grotere stukken opgebouwd zijn en het is dan te verwachten dat het een serologische verwantschap met de gastheer zal vertonen.

Door enkele Duitse auteurs wordt de stelling verdedigd dat het mozaikvirus in de chlorophylkorrels van de plant en onder de invloed van het zonlicht gevormd zou worden. Het zou zelfs met het electronenmicroscoop daarin aangetoond zijn. De foto's zijn niet erg overtuigend en de proeven van de Amerikanen HOLMES en WHITE zijn met deze opvatting in strijd. HOLMES infecteerde aardappelen die hij in een verduisterde kelder kweekte met mozaikvirus. Van tijd tot tijd werd het virusgehalte van de planten nagegaan en het bleek dat het virus zich ondanks de afwezigheid van het licht en het chlorophyl even sterk vermeerderde als in normale planten onder gewone omstandigheden. WHITE toonde zelfs de vermeerdering van het virus aan in stukjes tomatenwortel die in een kunstmatig milieu gekweekt werden. Voor onze opvattingen is nu heel belangrijk dat deze wortels na infectie met het virus absoluut geen ziekte-verschijnselen vertonen. Leert dit ons iets over het ingrijpen van het virus in de synthese van de plant?

Een cel uit een blad en een cel uit een wortel hebben het grote verschil dat de laatste geen chlorophyl kan synthetiseren. In de bladcel bevindt zich dus een biosynthetisator (b.v. C) die de vorming van het chlorophyl-apparaat verzorgt en die in een wortelcel niet gevonden wordt. Deze biosynthetisator moet natuurlijk uit enige kleinere polypeptiden opge-bouwd worden (b.v. a, c en f; in werkelijkheid natuurlijk uit veel meer onderdelen). Wanneer nu het virus voor zijn synthese één van deze poly-peptiden (b.v. c) nodig heeft dan zal er tussen de synthetisator C en het virus een strijd om dit polypeptide ontbranden en het virus overwint. Het gevolg is dat het chlorophylapparaat in zijn vorming gestoord wordt en dit uit zich in de gele vlekken op de bladeren. In de wortels worden dezelfde polypeptiden voor de synthese van het virus verbruikt, maar hier heeft het niet de fatale gevolgen die wij bij de groene bladeren waar-nemen (fig. 31).

Een oude uit het bacteriologische onderzoek voortgekomen hypothese (de ,,uitputtingshypothese") is wel eens in verband met het virusprobleem genoemd. Men veronderstelde oorspronkelijk dat een bacterie zoveel bouwstoffen aan het zieke organisme onttrok dat de ziekte eigenlijk een uiting van dit tekort in de cellen was. De hypothese is voor de bacterio-logie absurd gebleken; de grote storingen die op kunnen treden staan in geen verhouding tot het kleine aantal bacteriën en dikwijls treedt het ziekteverschijnsel op op een plaats waar geen bacteriën aanwezig zijn. Het blijkt dan ook dat de bacteriën specifieke vergiften afscheiden die een storing in het normale leven van de cel teweeg brengen. Nu zijn bij de virusziekten nooit dergelijke vergiften gevonden en daarom duikt de oude hypothese over de uitputting van de cel door het virus weer op. Maar — zo vraagt men direct — hoe zit het dan met latente infecties

en met milde stammen van gevaarlijke virussen? Het lijkt absoluut
uitgesloten dat hier van een verbruik van alle bouwstenen van de cel
sprake is. Het organisme leeft ondanks een aanval van een mild virus
rustig voort.

Nu hebben wij gezien (fig. 31) dat een virus slechts een enkele bouwsteen behoeft uit te putten om reeds een ziekteverschijnsel te voorschijn
te roepen. Er is dan ook een mogelijkheid dat de uitputtingstheorie tot
op zekere hoogte opgaat. Figuur 32 illustreert deze mogelijkheid. Wij
weten dat verwante virussen in hun bouw enigszins verschillen, zodat zij
zelfs serologisch te onderscheiden zijn. Wij veronderstellen nu dat de

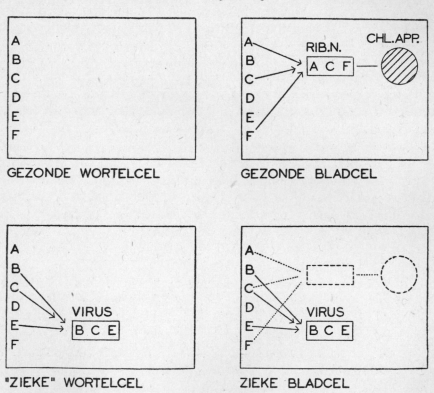

FIGUUR 31

Het chlorophylapparaat wordt gebouwd door een ribosenucleoproteïne C,
dat voor zijn eigen vorming weer polypeptiden *a*, *c* en *f* nodig heeft. Een
virus zal ook het polypeptide *c* gebruiken en zo via een storing van het ribosenucleoproteïne C het chlorophylapparaat beschadigen. In een wortelcel
bevindt zich het ribosenucleoproteïne C niet en dus vertoont een ,,zieke''
wortelcel geen verschijnselen.

milde stam een bouwsteen verbruikt waarvan slechts weinig aanwezig
is (of waarvoor het een zware concurrentiestrijd met een andere biosynthetisator moet voeren). Er kan dan slechts een kleine hoeveelheid
van deze milde stam geproduceerd worden en de voor de synthese van
het chlorophylapparaat noodzakelijke bouwsteen *c* wordt niet uitgeput.
Een gevaarlijke virusstam heeft een enigszins andere bouw, waardoor de
bewuste bouwsteen wel geheel gebruikt zal worden.

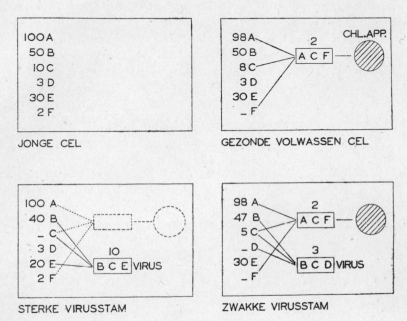

FIGUUR 32

Een sterke virusstam put een bepaalde vitale bouwsteen *(c)* volkomen uit
en de plant wordt zwaar beschadigd. Een zwakke stam verschilt in bouw
iets van de sterke vorm en heeft een andere — weinig vitale en in kleine
hoeveelheid aanwezige — bouwsteen nodig. Van de vitale bouwsteen blijft
voldoende over om een normaal chlorophylapparaat te vormen; de zwakke
stam is onschadelijk.

Ik hoef er niet op te wijzen dat de gebruikte voorstelling een zeer
vereenvoudigd beeld van de gang van zaken geeft. Het ontzaggelijk grote
aantal varianten van het mozaikvirus moet berusten op kleine verschillen
in de bouw van deze virussen. Het aantal bouwstenen dat voor de opbouw van de virussen gebruikt wordt moet dan ook groot zijn.

De hier ontwikkelde voorstelling kan bij de vraagstukken over het veranderen van de virussen in andere gastheren met vrucht gebruikt worden. De basis van de besprekingen wordt gevormd door de volgende feiten: 1. een virusmolecuul vermeerdert zich, waarbij het tweede molecuul zoveel mogelijk gelijk is aan het eerste en 2. ontbreekt de een of andere bouwsteen, dan bestaat in principe de mogelijkheid dat een heel andere bouwsteen in het virus ingebouwd wordt.

Wij gaan uit van een normale suikerbiet die voor zijn harmonische opbouw onder andere de vorming van een bepaalde hoeveelheid van eiwit A nodig heeft (fig. 33a). Wordt de plant met het virus van de „curly top" ziekte geïnfecteerd dan treedt de virussynthese in concurrentie met de vorming van het eiwit A en het resultaat is dat er van dit eiwit minder geproduceerd zal worden (fig. 33b). Er treden dan vergroeiingen in de plant op.

Natuurlijk is deze voorstelling weer sterk vereenvoudigd, want de virussynthese zal de vorming van vele eiwitten storen zodat vele defecten in de plant het gevolg kun-

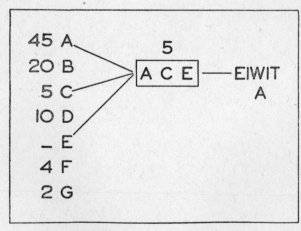

FIGUUR 33a

Een gezonde suikerbiet moet voor zijn opbouw over een bepaalde hoeveelheid eiwit A beschikken.

nen zijn. Nu infecteren wij het onkruid *Chenopodium* (de ganzevoet)
met het virus. Aangezien in de cellen van deze plant de bouwsteen *f*
ontbreekt kan het virus niet in de oorspronkelijke samenstelling
(b e f) gehandhaafd blijven. In de plaats van de oorspronkelijke

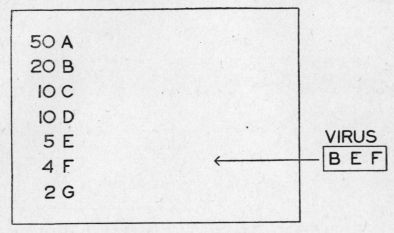

50 A
20 B
10 C
10 D
5 E
4 F
2 G

VIRUS
B E F

SUIKERBIET GEINFECTEERD

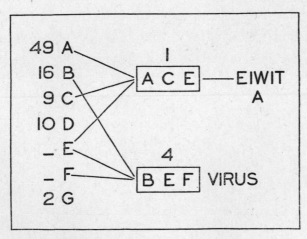

49 A
16 B
9 C
10 D
_ E
_ F
2 G

|
A C E — EIWIT
A

4
B E F VIRUS

ZIEKE CEL

FIGUUR 33b
Wordt de plant met het virus van de ,,curly top" geïnfecteerd dan zal er
minder eiwit A gevormd worden en de plant wordt ziek.

bouwsteen zal een ander polypeptide *(g)* in het virus opgenomen worden en het virus zal daardoor een ander karakter krijgen (fig. 33c). Want als wij het virus nu weer in de oude gastheer brengen dan

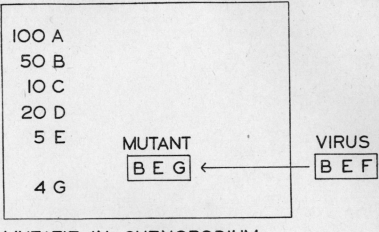

MUTATIE IN CHENOPODIUM

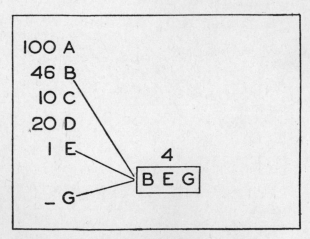

ZIEKE CHENOPODIUM_CEL

FIGUUR 33c

Nu infecteren wij de ganzevoet met het virus en aangezien de bouwsteen *f* niet aanwezig is muteert het virus van de vorm *b e f* in *b e g*.

zal het virus zichzelve in de nieuwe samenstelling reproduceren en
dit is voor de plant veel minder gevaarlijk, omdat er nu minder
virus gevormd wordt en er dus meer bouwstenen voor de vorming van

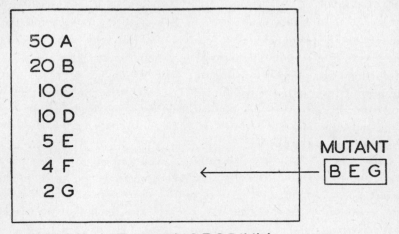

INFECTIE UIT CHENOPODIUM

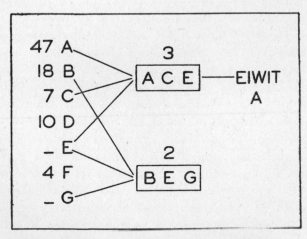

CEL MET VERZWAKT VIRUS

FIGUUR 33d

Brengen wij het gemuteerde virus weer in de suikerbiet dan blijkt dit virus
veel zwakker te zijn. Er kan meer eiwit A gevormd worden, dus de plant is
minder ziek.

19

het eiwit A overblijven (fig. 33d). Een consequentie van deze hypothese is, dat het ook mogelijk moet zijn om een virus te versterken.
Inderdaad is dit bij vele virussen gelukt. Wanneer het virus van de ,,curly
top'' ziekte na de verzwakking in *Chenopodium* verder gekweekt wordt in
Stellaria (muur) dan resulteert een virus met het oorspronkelijke ziekteverwekkende vermogen. Dit kan het gevolg zijn van twee oorzaken:
of er is in *Stellaria* niet de bouwsteen *g* maar wel de bouwsteen *f* aanwezig,
waardoor het oude virus ontstaat, of in *Stellaria* wordt een nieuw virus
gevormd van de samenstelling *(b e i)*. Wordt een suikerbiet met dit
nieuwe virus geïnfecteerd dan kan het virus niet in de nieuwe samenstelling gereproduceerd worden, zodat de bouwsteen *(f)* weer in het virus
opgenomen zal worden.

Het bekende feit, dat een groot aantal passages in een nieuwe gastheer ten slotte een virus op kan leveren, waarmee de oorspronkelijke
gastheer in het geheel niet meer geïnfecteerd kan worden past geheel in
de ,,bouwsteen theorie''. Steeds meer bouwstenen van de tweede gastheer worden in het virus gebruikt, zodat het op den duur sterk van
het uitgangsvirus af gaat wijken. Tenslotte zal het in de oude gastheer
niet voldoende materiaal vinden om zichzelve op te bouwen en het zal
zich niet vermenigvuldigen. Een belangrijke uitkomst van onze beschouwing is, dat plotselinge en langzame ,,mutaties'' van de virussen eigenlijk
op hetzelfde mechanisme berusten, n.l. op een verbouwing van het virus
die snel of langzaam kan verlopen. Over de achtergrond van de mutaties
bij de genen weten wij nog te weinig om te kunnen zeggen of de hier ontwikkelde voorstelling ook daar van toepassing is. Misschien kan de zo
dikwijls veronderstelde maar niet afdoende bewezen invloed van het
milieu op de erfelijke eigenschappen in hetzelfde licht gezien worden als
waarin wij de invloed van het milieu op de virussen zien. Dat de genen
praktisch geen invloed van het milieu (en hier is bedoeld het milieu om
het organisme) ondervinden, ligt natuurlijk aan het feit, dat deze externe
milieufactoren het eigenlijke milieu van de genen (de celkern) niet bereiken. Toch kan men zich voorstellen, dat de een of andere externe milieufactor steeds zeer kleine veranderingen in de bouw van het gen in één
richting veroorzaakt, zodat op den duur een waarneembare verandering
in de erfelijke eigenschap het gevolg is.

Natuurlijk zal een virus zich in verschillende gastheren in verschillende concentraties bevinden. De volgende tabel demonstreert hoe een
virus *(b e f)* in verschillende planten zich vermeerderen zal:

gastheer	. beschikbare polypeptiden						virusconcentratie
tabak	100a	20b	3d	10e	20f	5g	10 bef
tomaat	50a	50b	5d	5e	10f	20g	5 bef
aardappel	50a	100b	20d	5e	3f	10g	3 bef

Evenmin verbaast het ons, dat drie verschillende virussen in één enkele gastheer in diverse hoeveelheden aanwezig zijn. Nemen wij de bovenstaande — natuurlijk fictieve — samenstelling van tabak dan zien wij, dat er te vinden zijn bij:

virus	een concentratie
bef	10
bdf	3
beg	5

Het is waarschijnlijk, dat wij ook de verschillen in virulentie van de varianten van een virus in onze beschouwingen kunnen betrekken. De merkwaardige waarnemingen van OORTWIJN BOTJES over het Y-virus van de aardappel wil ik in dit verband noemen. In vele rassen komt het virus latent voor, bijvoorbeeld in Zeeuwse Blauwen, Thorbecke en Eigenheimer. OORTWIJN BOTJES ging de overdracht van de ziekte op gevoelige rassen na en kwam tot het zonderlinge resultaat, dat het percentage zieke planten afhangt van de variëteit waaruit het virus afkomstig is. Er moeten dus verschillen in dat virus aantoonbaar zijn, terwijl toch de veroorzaakte symptomen steeds eender zijn. Gedurende drie jaren onderzocht OORTWIJN BOTJES hoeveel zieke planten van de variëteiten Eersteling en Noordeling hij kreeg als hij de knollen entte met stukken weefsel uit de knollen van Zeeuwse Blauwen en Eigenheimers.

Infectiebron	% zieke Eerstelingen	% zieke Noordelingen
Zeeuwse Blauwen	86	13
Eigenheimer..........	51	37

Het eigenaardige is dus, dat Zeeuwse Blauwen veel gevaarlijker buurplanten voor Eerstelingen zijn dan Eigenheimers, terwijl de situatie bij
de Noordelingen juist andersom is. Wat is er aan de hand? Nauwkeurige
waarnemingen leren, dat het enige verschil tussen de virussen de ver-
breidingssnelheid in de aardappelplant is. Wat is er nu waarschijnlijker
dan dat de virussen uit Zeeuwse Blauwen en Eigenheimer een verschillende bouw hebben? Komt nu het virus uit de Zeeuwse Blauwen in het
ras Eersteling dan heeft er een ,,mutatie" in het virus plaats, doordat
steeds meer Eersteling-bouwstenen in het virus opgenomen worden.
Bij een klein deel van de planten (dit hangt van individuele verschillen
af) gaat deze mutatie zo langzaam, dat de planten uiterlijk gezond blijven. Brengen wij hetzelfde virus (dus het latente Y-virus uit Zeeuwse
Blauwen) in de variëteit Noordeling dan is de mutatie van het virus
nog veel langzamer. Blijkbaar worden de Noordeling-bouwstenen zeer
moeilijk in het virus ingebouwd. Het percentage zieke planten is dan ook
klein. Nemen wij dezelfde proeven met het ras Eigenheimer als ziekte-
bron, dan hebben wij te maken met een ander virus en de uitslag van de
proeven zal anders zijn.

Nu komen wij langzamerhand terecht bij het vraagstuk van het herstel
van planten na een infectie met een virusziekte. Zoals bekend verondersteld mag worden is er een typisch verschil tussen planten en dieren wat
betreft hun reactie op een virusziekte. Een dier zal na een infectie met
een virus afweerstoffen daartegen produceren zodat in het gunstige geval
het virus volledig uit het organisme verdwijnt. Zo'n volkomen herstel
komt bij planten niet voor. Zelfs is het de vraag of er afweerstoffen gevormd worden.

Toen OORTWIJN BOTJES de aardappelvariëteit Bravo met X-virus infecteerde zag hij hevige ziekteverschijnselen optreden. Na korte tijd
stierf de top van de plant af. Maar er kunnen zich uit de zieke plant
nieuwe zijscheuten ontwikkelen die er bijna gezond uitzien. De nabouw
van deze herstelde planten is ook weinig ziek, dus wij kunnen niet anders
dan concluderen, dat het virus zeer verzwakt is. Hoe is dat mogelijk?
Het meest waarschijnlijke lijkt, dat het oorspronkelijke virus voor zijn
opbouw een zeer belangrijke en in kleine concentratie voorhanden bouwsteen van de plant gebruikt. De cellen sterven daardoor en ook het virus
zou te gronde gaan, ware het niet, dat er een andere bouwsteen inplaats van de fatale in het virus ingebouwd wordt. Er treden dus twee
dingen naast elkaar op: 1. een afsterven van de cellen en 2. een veranderen
van het virus in een milde stam. Is de snelheid van het tweede proces

groter dan die van het eerste dan zullen zich nieuwe uiterlijk bijna gezonde zijscheuten aan de plant ontwikkelen.

Wij weten reeds, dat dergelijke planten waarin zich een milde stam van een virus bevindt niet meer door een gevaarlijkere variant van datzelfde virus aangetast kunnen worden. Wij spreken in dat geval met QUANJER van premuniteit. THUNG was de eerste, die deze premuniteit bij mozaikvirus van de tabak bestudeerde en zijn conclusie was, dat de zwakke variant blijkbaar bouwstenen van de plant verbruikte, die ook voor de bouw van het gevaarlijke virus noodzakelijk zijn. Hier geldt ,,die het eerste komt, het eerste maalt''. Er hoeft niet op gewezen te worden, dat zijn opvatting zich volkomen bij de hierboven ontwikkelde opvatting aansluit.

Evenwel is de situatie niet zo eenvoudig als het op het eerste gezicht lijkt. Wanneer men een plant achtereenvolgens met twee virussen infecteert en het eerste virus beschermt de plant tegen het tweede dan zegt men, dat deze virussen verwant zijn en deze verwantschap kan dan ook langs serologische weg bevestigd worden. Maar er zijn virussen gevonden waarbij wel serologische verwantschap doch geen bescherming van het ene virus tegen het andere te vinden is. Daarom moeten wij eens zien wat er zoal gebeuren kan als men een plant met twee virussen infecteert.

In de eerste plaats kan de plant gaan lijden aan een z.g. complexziekte. De verschijnselen zijn dan veel heviger dan men zou afleiden uit de symptomen die door de virussen alleen veroorzaakt worden. Dit kan als het eerste virus een bepaalde vitale bouwsteen slechts ten dele gebruikt. Die ziekteverschijnselen zijn dan niet ernstig. Heeft het tweede virus ook een deel van dezelfde bouwsteen nodig (dit vertoont dus alléén ook zwakke symptomen) dan zullen de twee virussen samen praktisch de hele voorraad van deze vitale bouwsteen uitputten en het gevolg zal een zeer hevige ziekte zijn.

Natuurlijk komt het hiernaast voor, dat de symptomen bij een menginfectie van twee virussen eenvoudig de som van de verschijnselen van de enkele virusziekte is. Een enkele maal zien wij bij een menginfectie van twee niet-verwante virussen een verzwakking van de symptomen. Dit kan voorkomen als de beide virussen weer een zelfde bouwsteen moeten gebruiken, terwijl een normale eiwitsynthese in de plant een behoorlijk deel van de voorraad in beslag weet te nemen. Dat betekent, dat de concentraties van de virussen lager zullen zijn dan wanneer zij ieder apart met de normale synthese kunnen concurreren, met andere woorden: de ziekteverschijnselen zijn minder. Zo vond McKINNEY, dat het optreden van de ziekteverschijnselen praktisch altijd vertraagd wordt als een plant eerst met een niet-verwant virus geïnfecteerd is. Wijst dit niet — zo vraagt hij zich af — op een zekere graad van verwantschap? Het aantal bouwstenen waaruit een virus opgebouwd is kan groot zijn en het kan heel goed zijn, dat een ,,niet-verwant" virus bouwstenen gebruikt, die ook andere virussen nodig hebben. De totale hoeveelheid beschikbare bouwstenen wordt dan door het eerste virus verlaagd en het tweede virus zal zich niet zo snel kunnen vermeerderen (de symptomen treden later op). Van een werkelijke bescherming tegen het tweede virus is hier natuurlijk geen sprake. De beste bescherming wordt gevonden als het beschermende virus een mutant van het aanvallende virus is. Bij een kleinere verwantschap tussen de twee virussen wordt de graad van bescherming minder. Een onderzoek naar de bescherming die de virussen tegen elkaar zullen verlenen kan dus buitengewoon interessante conclusies over de verwantschap van de virussen geven. Maar McKINNEY waarschuwt ons bij voorbaat, dat de relatie tussen de virussen in diverse gastheren wel eens verschillend zou kunnen zijn, omdat die gastheren niet eender zijn wat betreft hun polypeptiden-reserve. Men ziet, dat de verhoudingen verre van eenvoudig zijn.

Waarom — zo heeft men zich vele malen afgevraagd — is embryonaal weefsel zo geschikt voor het kweken van virussen? Wij denken daarbij aan CARREL die als eerste het ROUS-sarcoomvirus kweekte en een embryonaal kippenweefsel als substraat gebruikte. Op de chorio-allantois van het kippenei kunnen bijna alle virussen vermenigvuldigd worden, terwijl wij aan de andere kant weten dat virussen in de keuze van gespecialiseerde weefsels in het algemeen zeer kieskeurig zijn. Vanwaar dit verschil? Hangt deze vraag misschien samen met de waarneming dat embryonaal weefsel veel gemakkelijker te kweken is dan gespecialiseerde cellen? Blijkbaar kan dit weefsel meer, het heeft mogelijkheden die de gespecialiseerde cellen verloren hebben. Het is nu geen grote stap om bij embryonale cellen aan een meer gevarieerde hoeveelheid bouwstenen te denken. Dan zouden ook meer virussen een kans hebben. Echter is dit bij een organisme waarbij alle bouwstenen van buiten af (dus b.v. uit het bloed) in de cel opgenomen worden geen aannemelijke verklaring. Persoonlijk voel ik meer voor de opvatting dat de concurrentie voor het virus in het embryonale weefsel veel minder zwaar is. Er is nog geen speciale ,,gevestigde" eiwitsynthese; het weefsel kan nog alle kanten uit. Ten slotte zijn er ook aanwijzingen dat in het embryonale weefsel het afweermechanisme nog niet sterk ontwikkeld is.

Een interessant probleem ligt in de overbrenging van virussen via het
zaad van planten. Zoals men weet is deze wijze van overdracht zeldzaam
en men meende tot voor kort dat de meeste virussen het zaad niet bereiken konden. Nauwkeurige onderzoekingen ontzenuwden deze theorie.
Dikwijls kan in onrijpe zaden nog virus aangetoond worden, terwijl het
dan in het rijpe zaad ontbreekt. Hoe is het mogelijk dat het virus (b.v.
het zeer resistente mozaikvirus van de tabak) uit die zaden verdwijnt?
Hetzelfde virus verdwijnt uit tomatenzaad niet geheel, zodat daar een
klein gedeelte van de zaailingen ziek is. Wij hebben eigenlijk geen andere
keuze dan dat het virus in de eiwitstofwisseling van het tabakszaad
opgenomen en verbruikt wordt. Maar — is de tegenwerping — wij weten
dat het mozaikvirus in de normale eiwitstofwisseling van de tabaksplant niet opgenomen kan worden. Het geheel doet mij denken aan een
volkomen ander probleem en dat is de eiwitstofwisseling van zalmen
die in de paartijd de rivieren opzwemmen. Deze nemen nadat zij goed
gevoed uit de zee aankomen tijdens hun tocht in de rivier geen voedsel
meer op. Vele maanden duurt de reis en in die tijd worden de geslachtsorganen opgebouwd en wel ten koste van reservevoedsel en spiereiwitten.
Bij de ,,Chinook''-zalm gaat de afbraak van de spieren zover dat het dier
na de paring sterft. Hier zien wij dus dat het spiereiwit (normaliter
niet in de eiwitstofwisseling betrokken) onder invloed van een biosynthese die waarschijnlijk door geslachtshormonen gestimuleerd is ten dele
afgebroken kan worden. In zaden is de eiwitstofwisseling gericht op de
vorming van reserve-eiwit en alle aangevoerde eiwitten worden daarin
omgezet. Het schijnt dat daarbij zelfs het resistente mozaikvirus dat in
een normale eiwitsynthese van de plant niet aangetast kan worden ten
slotte ook het slachtoffer wordt.

Hoe moeten wij nu staan tegenover het probleem van de overbrenging
van virusziekten door insecten? [1]). Twee standpunten zijn gemakkelijk:
1. men kan ontkennen dat een virus zich in een insect vermeerdert en de
overbrenging is dus zuiver mechanisch en 2. het virus vermeerdert zich
in het insect, de relatie virus — insect is biologisch en dus niet exact
te benaderen. Het lijkt mij toe dat de bewijzen vóór een vermeerdering
van virussen in insecten het pleit gewonnen hebben. Dit betekent evenwel niet dat wij nu over de verhouding tussen het virus en het insect

---

[1]) Een uitgebreid relaas over deze kwestie vindt men op bladz. 129 e.v.

moeten zwijgen. Voor zover wij weten gaat de vermeerdering van een virus in het insect dat het virus verspreidt niet met ziekteverschijnselen gepaard. Heel bijzonder zijn de relaties die wij vinden. Het virus van de gele koorts vermeerdert zich in enkele warmbloedige dieren en in een paar muskieten. Wat is de achtergrond van deze bizarre combinaties? Enkele punten moeten wij bij onze beschouwingen niet vergeten. Het virus van de gele koorts wordt overgebracht door de muskiet *Aëdes*, maar het kan volgens FINDLAY ook in andere (niet bloedzuigende) insecten leven. Normaliter komt het virus daar natuurlijk niet en het kan ook niet via deze weg op zoogdieren overgedragen worden. Wel geeft deze waarneming aanleiding tot de opvatting dat insectenweefsel misschien enigszins als embryonaal (in de zin van: voor vele virussen geschikt) weefsel op te vatten is. Wij zouden dan moeten zeggen: wanneer een virus in insectenweefsel terechtkomt dan is er een grote kans dat het virus zich daarin kan vermeerderen. De vraag wordt dan natuurlijk waarom zoveel insecten toch geen vectoren voor virussen zijn. Naar mijn idee omdat een virus betrekkelijk weinig kans heeft om via het darmkanaal in een bepaald orgaan van het insectenlichaam te komen. Allereerst zijn daar de darmenzymen, die de virussen kunnen afbreken. Ontsnapt het virus aan dit lot dan moet het de darmwand kunnen passeren, iets wat passief vermoedelijk door de afmeting van de virussen onmogelijk is. Het virus moet dus actief de darmwand passeren en daarvoor is het nodig dat het reeds in het darmweefsel een geschikte voedingsbodem vindt. Is de darmwand gepasseerd dan kan het virus zich in een of ander orgaan van het insect dermate vermeerderen dat de concentratie van het virus in het hele insectenlichaam groot wordt. Maar het is mogelijk dat het insect — zoals wij dat bij dieren gewend zijn — afweerstoffen tegen het virus gaat vormen, zodat het virusgehalte na een zekere stijging weer afneemt. Is de concentratie van het virus hoog genoeg en zijn de monddelen van het insect daarvoor geschikt dan kan het virus overgebracht worden. Men ziet: een lange lijst van voorwaarden moet bij een insect-vector vervuld zijn, wanneer ten minste onze hypothese op waarheid berust. Nu begrijpen wij ook waarom er betrekkelijk weinig insecten als vector voor virusziekten kunnen optreden. De opvatting wordt waarschijnlijk gemaakt door de experimenten van SMITH die bewees dat virussen (hij werkte met het „curly top" virus van de suikerbiet) in rupsen blijven leven als het virus door een inspuiting in het lichaam gebracht wordt. Toch wordt dit virus nu niet op de planten overgebracht, want daarvoor zijn de bijtende monddelen van de rups niet geschikt. In het gewone geval (dus na een maaltijd op virushoudende planten) worden de rupsen niet eens virus-dragend omdat het virus in het darmkanaal volkomen vernietigd wordt. In ieder geval wijzen zijn experimenten er op dat aan de merkwaardige combinaties virus-gastheer-insect dikwijls heel gewone oorzaken ten grondslag kunnen liggen. In vele gevallen zou een virus zich wel in een grote serie van insecten kunnen vermenigvuldigen, maar door secundaire oorzaken kunnen wij het resultaat daarvan niet waarnemen.

Wij hebben vele virussen als ribosenucleoproteïnen leren kennen en nu interesseren wij ons voor de vraag waar deze verbindingen vandaan komen. Normaliter zijn deze stoffen bij de biosynthese van de gezonde cel betrokken. Daarnaast kennen wij het feit dat de virusziekten vooral bij cultuurgewassen woeden en dat daarbij sommige variëteiten van een gewas als „carrier" van het virus fungeren. Men zegt dan van een der-gelijke variëteit dat zij „schijnbaar" gezond is, maar — vraag ik mij af — is het niet veel waarschijnlijker dat deze planten volkomen gezond zijn? Misschien bevatten de planten biosynthetisatoren die — in een andere variëteit gebracht — daar de celharmonie volkomen verstoren. KLUYVER (die deze mening het eerst verkondigde) meent dan ook vol-komen terecht dat het waarschijnlijker is wanneer een synthetiserende groep van het carrierras de desorganisatie van een gevoelige variëteit veroorzaakt, dan dat de carrier onderdak zou verlenen aan een vreemd eiwit zonder de minste ziekteverschijnselen te vertonen. Laten wij niet vergeten dat bijna alle Amerikaanse aardappelen carriers voor het X-virus zijn.

Zeker niet alle virussen zijn te beschouwen als normale biosyntheti-satoren van andere organismen. Er zijn ook gevallen waarin een virus ontstaat door verandering van een normaal bestanddeel van een cel in een abnormaal en harmonieverstorend agens na het ingrijpen van een factor die buiten de cel ligt. Dit is het veel omstreden probleem van het endogene ontstaan van de virussen, een probleem dat ten onrechte bij de vraag of de virussen levend zijn of niet betrokken geworden is en waarover men daarom niet zonder sentiment strijdt. Wie het vraagstuk objectief bekijkt moet erkennen dat er steeds meer bewijzen voor het endogene ontstaan van de virussen bekend worden. De grote moeilijk-heid in de discussies over het vraagstuk is dat men de begrippen endogeen ontstaan en infectieziekte tegenover elkaar plaatst. Mijns inziens moeten wij de zaak zo stellen: alle virussen zijn in principe delen van levende organismen, die door een of andere oorzaak een viruskarakter gekregen hebben. Hoe komt het nu dat een deel van deze virussen infectieus is?

Het antwoord ligt voor de hand. Er zijn (of ontstaan) ontzaggelijk veel biosynthetisatoren die voor een zeker organisme gevaarlijk zouden zijn wanneer zij in de cellen van dat organisme gebracht zouden kunnen worden. Evenwel is de kans dat dit gebeurt buitengewoon klein. Een dergelijke synthetisator moet zich b.v. toevallig ook in een insect kunnen vermeerderen of met het perssap van planten overgebracht kunnen worden om gevaarlijk te zijn. De meeste biosynthetisatoren kunnen zich niet eens buiten de cel begeven waarin zij zich bevinden. QUANJER heeft een verzameling van abnormale aardappelrassen waarbij zich exemplaren bevinden die sprekend op viruszieke planten lijken, maar waaruit op geen enkele wijze (ook niet door enting op andere rassen) virus te isoleren is. Moeten wij hier nu van zieke of abnormale planten spreken? Wij kennen ook virussen (b.v. in het aardappelras King Edward) die zich op het veld in het geheel niet verspreiden en pas door entingen overgebracht kunnen worden. In zo'n geval is het natuurlijk de vraag of wij ten opzichte van de eerste gastheer van een virus mogen spreken. Voor de tweede gastheer waarin de biosynthetisator door enting is gebracht fungeert deze natuurlijk wel als een virus, want de normale celharmonie wordt gestoord. Enkele biosynthetisatoren kunnen door eenvoudig contact overgebracht, of via lucht of water verspreid worden. Ten slotte is er de groep virussen die zich ook in insecten kan vermeerderen en door deze vectoren verspreid worden. Wij krijgen dus een geleidelijke reeks van biosynthetisatoren, waarbij de voorwaarden waaraan zij moeten voldoen steeds ingewikkelder worden: normale biosynthetisator — abnormale synthetisator (niet buiten de cel te brengen) — ent-virus (slechts door enting over te brengen) — contact-virus (door nauw of vluchtig contact verspreid) — insect-virus (door insecten overgebracht).

Nu wordt het ons ook duidelijk waarom vooral de cultuurplanten zo geweldig te lijden hebben van virusziekten. Bij dergelijke gewassen hebben wij te doen met een groot aantal variëteiten die in ondergeschikte punten van elkaar afwijken. Met andere woorden: hun ribosenucleoproteïnen verschillen enigszins. Daarmee is de kans gegeven dat het ene ras een nucleoproteïne bevat dat voor een ander ras gevaarlijk is. Immers de biosynthetisatoren wijken weinig van elkaar af dus kan in principe een nucleoproteïne van het ene ras in de cellen van het andere ras opgenomen worden, terwijl aan de andere kant de andere samenstelling kan veroorzaken dat de voorraad vitale bouwstenen te snel uitgeput raakt. Kan er nu nog een methode gevonden worden waarop dit nucleoproteïne verspreid wordt dan is de ,,virusziekte'' ontstaan. Het gevolg is dus: hoe meer variëteiten, hoe meer virusziekten.

Misschien is deze opvatting ook van waarde voor een vraagstuk waarmee de palaeontologen reeds lang worstelen. Wij weten dat grote groepen dieren in voorhistorische tijden uitgestorven zijn en men vraagt zich af wat wel de oorzaak hiervan kan zijn. Nu vertonen deze groepen in het algemeen voor het uitsterven een buitengewoon grote vormenrijkdom. Dit doet ons denken aan de variëteiten-rijkdom van de cultuurgewassen (die ongetwijfeld slechts door het menselijke ingrijpen voor uitsterven aan virusziekten behoed worden). Kunnen wij — bijvoorbeeld bij de groep van bizarre monsters die als de *Dinosauria* bekend staan — niet aan iets dergelijks denken? De vormenrijkdom bevordert ongetwijfeld het optreden van virusziekten die in dit geval ongeremd om zich heen hebben kunnen grijpen. Natuurlijk is een dergelijke hypothese niet te bewijzen, maar zij kan — mij dunkt — met succes concurreren met de opvatting als zouden de enkele kleine zoogdieren uit dat tijdperk zich speciaal toegelegd hebben op het eten van eieren van de *Dinosauria*. Een plausibele uitwendige factor die het uitsterven kan verklaren is niet aan te wijzen (UMBGROVE); daarom ligt het voor de hand om aan een inwendige factor te denken. Het geheel — zo zegt UMBGROVE — maakt de indruk of de evolutie een laatste dosis levensenergie verbruikte om aan het onvermijdelijke uitsterven te ontkomen. Naar mijn gevoel kunnen wij beter zeggen: de grote vormenrijkdom van de groep maakte het uitsterven onvermijdelijk; groepen met een minder uitgesproken tendenz tot een grote ontplooiing in vele vormen lopen volgens de ,,virushypothese'' minder gevaar om uit te sterven.

Dikwijls zijn de nucleoproteïnen in een cel niet vrij, maar komen zij voor in bepaalde deeltjes (b.v. mitochondriën, zeer kleine vormingen in het protoplasma) die in de cel een min of meer autonoom bestaan leiden. Het past volkomen in mijn opvatting dat ook dergelijke vormen (die veel ingewikkelder gebouwd zijn dan de eenvoudige ribosenucleoproteïnen) viruseigenschappen kunnen hebben of krijgen. Het is waarschijnlijk dat de hoger georganiseerde virussen eigenlijk mitochondriën zijn. En — vraag ik mij af — moeten wij het virusbegrip tot deze onderdelen van de cellen beperken? Er is toch geen enkel principieel bezwaar tegen om het begrip uit te breiden tot volledige cellen die — in een ander organisme gebracht of in een organisme ontstaan — de harmonie van het organisme storen. Natuurlijk denk ik hierbij aan het kankerprobleem. Wanneer ik dus het kankerprobleem met het virusprobleem in verband breng dan beweer ik daarmee niet dat de kanker door een filtreerbaar virus veroorzaakt wordt, maar dat de kankercel als geheel in het door mij ontwikkelde virusbegrip past. Ik zie het virus niet als een parasitair organisme, maar als een cel of een onderdeel van de cel die niet in de harmonie van het organisme past. De verstoring van de harmonie kan door een milieufactor veroorzaakt worden of er komt uit een ander organisme een biosynthetisator die een dergelijke uitwerking heeft. Van dit gezichtspunt uit willen wij de groep van de virussen overzien.

4. De virusgroep

Uit het begrip virus vloeit voort, dat de vrij levende virusachtige organismen die in kunstmatig medium gekweekt kunnen worden niet tot de groep van de virussen horen. Deze vormen werden alleen tot de virusgroep gerekend omdat hun afmetingen in dezelfde orde van grootte zijn. Wij wisten reeds lang, dat hun eigenschappen sterk van die van de werkelijke virussen afwijken en sinds opnamen met het electronenmicroscoop getoond hebben, dat ook hun bouw heel anders is, kan er geen enkele reden aangevoerd worden om deze organismen tot de virusgroep te rekenen.

Ik zie dan in de virusgroep vier grote afdelingen die ik 1. moleculaire virussen, 2. mitochondrie-virussen, 3. bacteriophagen en 4. cellulaire virussen zou willen noemen en die achtereenvolgens de revue zullen passeren.

Over de moleculaire virussen kan ik kort zijn; die zijn reeds uitgebreid ter sprake gekomen. Het zijn ribosenucleoproteïnen die in de stofwisseling van de gastheercel in kunnen grijpen, zodat een ziekteproces het gevolg is. Voor hun opbouw gebruiken zij bouwstenen uit de cel, zodat er voor de vorming van de normale nucleoproteïnen te weinig bouwstoffen resteren. Deze virussen komen vooral bij planten zeer veel voor. Dat de andere virussoorten bij planten niet voorkomen (voor zover wij weten) zal aan de bouw van de plantencel liggen. Slechts zeer kleine deeltjes hebben de kans om via de plasmodesmen van de ene cel in de andere te komen. Bij dierlijke cellen ontbreekt de stugge cellulosewand en hier kunnen ook de andere virussen verwacht worden.

In zeer veel cellen vinden wij kleine deeltjes — meestal niet of nauwelijks zichtbaar met het microscoop — die op de een of andere manier bij de biosynthese een rol spelen. Deze deeltjes noemen wij mitochondriën (zij zijn onder vele namen beschreven). Het spreekt wel van zelf, dat

deze vormingen ook als de elementaire eenheden van het celleven opgevat zijn (ALTMAN). De vorm en de plaats van deze deeltjes zijn zeer
variabel. Uit het feit, dat cellen met een speciale functie (lever-, nier-,
darmcellen e.d.) veel mitochondriën bevatten concludeert men, dat de
deeltjes als het ware kleine laboratoria van de cel zijn. Voor ons is belangrijk, dat de chemische samenstelling veel op die van de hoger georganiseerde virussen (pokken b.v.) lijkt en dat zij in embryonaal weefsel zeer
talrijk zijn. Daar komt nog bij, dat het min of meer autonome celbestanddelen zijn, die zich waarschijnlijk zelfstandig kunnen delen. Wij krijgen
de indruk, dat sommige reacties in de cel niet door de vrije ribosenucleoproteïnen bevorderd worden, maar dat er reacties zijn, waarvoor ingewikkelder katalysatoren nodig zijn en wel de mitochondriën. Nu is onze
redenering weer als bij de ribosenucleoproteïnen: een normale mitochondrie van een organisme kan voor een ander organisme gevaarlijk zijn.

Wij zijn zeer vertrouwd met het idee, dat hormonen de afscheiding
van bepaalde stoffen (b.v. enzymen) kunnen bevorderen. Dan moet een
dergelijk hormoon in het „laboratorium van de cel" — de mitochondrie
— opgenomen worden om daar in de reactie in te grijpen. De meest plausibele veronderstelling is wel, dat het hormoon daar als werkgroep fungeert. In de levende cel bevinden zich allerlei hormoonachtige stoffen
(wij zagen het bij de bespreking van de ontwikkeling van de organismen)
die daar gebonden aan de celeiwitten „hun beurt afwachten". Wanneer
het nodig is wordt een dergelijke werkstof vrijgemaakt en kan zijn invloed uitoefenen. Voor de harmonische levensfuncties van de cel is het
gevaarlijk als een bepaalde werkstof op een verkeerd moment vrijgemaakt wordt, zoals dit door een invloed van buiten kan gebeuren.
Dan worden mitochondriën gestimuleerd tot een verkeerde reactie; deze
mitochondriën zullen zich ten koste van de anderen vermeerderen; de
celharmonie is verstoord en wij hebben een virusziekte endogeen zien
ontstaan. Dikwijls kunnen deze foutief werkende mitochondriën nog in
andere organismen overgebracht worden, zodat wij dan met een infectieziekte te maken hebben die endogeen ontstaan is.

Een dergelijk virus heeft natuurlijk andere eigenschappen dan de
eenvoudige moleculaire virussen. Het is veel ingewikkelder van bouw en
kan bijvoorbeeld oplosbare antigenen produceren. De bouw lijkt — dat
weten wij reeds uit de foto's die met het electronenmicroscoop gemaakt
zijn — enigszins op die van eencellige organismen. Evenwel is het de
vraag of de structuren die wij in een pokkenvirus (plaat III) waarnemen
vergeleken mogen worden met de kernen van hogere organismen. In

verband met dit probleem zou het van het allergrootste belang zijn om ook de mitochondriën aan een onderzoek met het electronenmicroscoop te onderwerpen. Ook de proeven van McFarlane over de invloed van verschillende voor organismen zeer funeste chemicaliën zijn nu wel te begrijpen; het virus heeft niet de karakteristieke protoplasmamembraan van een organisme en de activiteit van het agens kan dus ook niet vernietigd worden door chemicaliën die de protoplasmamembraan oplossen.

Hoe ingewikkeld de verhoudingen kunnen zijn laat ons het vlektyphusvraagstuk zien. Zoals men weet wordt deze ziekte door luizen verspreid. In 1916 vond Da Rocha Lima in de darmwand van besmette luizen eigenaardige vormingen die hij „rickettsiën” noemde naar Ricketts, een onderzoeker, die dergelijke vormingen reeds in het bloed van patiënten gevonden had en die bij de bestudering van de vlektyphus het slachtoffer van de ziekte geworden was. De vormingen zijn 300 tot 500 mμ groot en dus zijn zij met het microscoop nog juist te zien. Deze rickettsiën staan zeker in een of ander verband met de ziekte, maar zij kunnen bij patiënten dikwijls niet gevonden worden en aan de andere kant bevat de darmwand van onbesmette luizen wel eens rickettsiën (deze wijken dan van de echte rickettsiën af). Daarbij komt nog dat in de urine e.d. van vlektyphuspatiënten dikwijls bacteriën (bekend als *Proteus X* 19) voorkomen. De rickettsiën vertonen weer serologische verwantschap met deze bacterie. Het agens dat zich in het acute stadium van de ziekte in het bloed van de patiënten bevindt, is niet filtreerbaar, dus het is de vraag of wij hier van een virusziekte mogen spreken. Wat is nu eigenlijk de ziektekiem? Een virus, de rickettsiën — die wel in besmette luizen maar zelden in patiënten te vinden zijn — of de bacterie *Proteus X* 19 — die wel in patiënten aanwezig is maar waarvan een inoculatie bij een gezonde persoon de ziekte niet oplevert? Fejgin beschouwt op grond van serologische proeven het hypothetische virus, de rickettsiën en de *Proteus X* 19 als verschillende vormen van één ziektekiem, een opvatting die niet met de pathologische gegevens klopt.

Mijns inziens geeft een experiment van Fejgin de sleutel voor de oplossing van het vraagstuk. Hij kon bij Guinese biggetjes experimenteel vlektyphus te voorschijn roepen door de dieren met een bacteriophaag van *Proteus X* 19 in te spuiten. Hij meent, dat de bacterie vergiften bevat, die door de phaag in vrijheid gesteld worden en deze vergiften veroorzaken de ziekteverschijnselen. Dit lijkt niet erg waarschijnlijk, want de ziekte is van dier tot dier over te brengen. Is het niet mogelijk, dat wij hier te maken hebben met een synthetiserende groep van de

bacterie die in luizen normale mitochondriën in rickettsiën doet veranderen? Wij vinden immers in onbesmette luizen ook ,,rickettsiën", maar
die zijn niet ,,echt" en van de gewone rickettsiën te onderscheiden. De
luis brengt dan met de rickettsiën de bacteriesynthetisator in het lichaam
van de patiënt en daar wordt de harmonie van de cellen verstoord. In
principe is het niet uitgesloten, dat de mitochondrie-virussen — waartoe
wij de rickettsiën zouden willen rekenen — toxinen afscheiden, die de
oorzaak van de ziektesymptomen zijn. Uit dit voorbeeld van de vlektyphus zien wij, waarom de hoger georganiseerde virussen veel meer op
organismen lijken dan de moleculaire virussen. Het zijn daarom nog geen
organismen, maar onderdelen van cellen die in bepaalde gevallen aan het
organisatieverband van de cel ontsnappen en een ,,eigen leven" gaan
leiden. Wanneer men eenmaal aan het idee gewend is, dat deze mogelijkheid bestaat dan worden vele vragen uit het grote virusprobleem oplosbaar.

Merkwaardigerwijs is het vraagstuk van de bacteriophaag praktisch
van het begin af anders gezien dan het virusprobleem. Zoals men weet
ontdekte D'HERELLE in 1918, dat er in faeces e.d. agentia voorkomen,
die in staat zijn om jonge bacteriën op te lossen. Hij beschouwde dit
agens als een parasiet van bacteriën en noemde het de bacteriophaag.
Nu kende men reeds enkele processen waarbij het oplossen van bacteriën
door niet-specifieke middelen veroorzaakt wordt. Toen dan ook de grote
Belgische bacterioloog BORDET verklaarde, dat de bacteriophaag gezien
moest worden als een deel van het levende protoplasma van de bacterie,
werd deze mening door een groot deel van de bacteriologen met graagte
aanvaard. Nu waren dezelfde bacteriologen in het geheel niet bereid
om voor de virussen dezelfde gevolgtrekking uit de feiten te maken.
Er komt dan een tijdvak — en dat tijdvak is eigenlijk nog niet ten einde
— waarin een scherpe scheiding gemaakt wordt tussen virussen en phagen,
twee agentia die objectief gezien zeer nauw verwant zijn, maar waarvan
de eerste door de heersende mening levend en de tweede niet-levend
genoemd werden. Een zonderlinge situatie die duidelijk demonstreert
hoe gevaarlijk het is om begrippen die natuurwetenschappelijk niet gedefinieerd kunnen worden (als ,,levend") in biologisch onderzoek te
hanteren als exacte gegevens.

De strijd over de bacteriophaag heeft zich — zoals wij reeds verwachten
— voornamelijk bewogen om de vraag: ontstaat de bacteriophaag endogeen of niet? DEN DOOREN DE JONG verhitte sporen van *Bacillus
megatherium* tot 100° C. Nu wordt de daarbij behorende bacteriophaag

reeds bij 70° C. geïnactiveerd. Toch ontstond in de verhitte bacteriën na enige tijd een phaag en zo kwam hij tot de logische conclusie, dat deze phaag endogeen ontstaan was [1]). Het leek er op, of de hypothese van het endogene ontstaan van de bacteriophaag gezegevierd had. Evenwel — zeiden de tegenstanders — het is mogelijk, dat de phaag door de spore tegen die hoge temperatuur beschermd wordt. De spore fungeert als een brandkast ten opzichte van de bacteriophaag. Hier is wel iets voor te zeggen, want wij weten bijvoorbeeld, dat het inactivatiepunt van mozaik-virus (tabak) ligt bij 93° C. als het in het ruwe perssap voorkomt. Bij het gezuiverde virus ligt het punt veel lager (75° C). Blijkbaar is het virus in het plantensap — dus ook in de cel — beschermd tegen de invloed van de hoge temperatuur. Het verbaast ons dus niet, dat wij bij de bacteriophaag iets dergelijks vinden. Ondertussen blijft dus de vraag: „endogeen ontstaan of niet?" open.

Over de natuur van de bacteriophagen is men het niet eens. De meningen variëren tussen een ontkenning van het bestaan van de bacterio-phaag (MARBAIS) tot de opvatting van de phaag als een parasitair organisme (o.a. FLU). De afmetingen van de phagen liggen bij 35 tot 40 mμ. Er zijn veel kleinere getallen gegeven door BRONFENBRENNER, maar een bevestiging van deze gegevens moet nog volgen. Men meent, dat het moleculairgewicht van de bacteriophagen met de concentratie toeneemt, wat op een aggregatie van de deeltjes wijst. De bacteriophaag is — het spreekt vanzelf — vergeleken met een enzym (NORTHROP) en met een gen (WOLLMAN). Wat dergelijke vergelijkingen waard zijn hebben wij vroeger reeds gezien. Het is al weer het electronenmicroscoop, dat ons verder gebracht heeft. De vormen van de phagen blijken sterk uiteen te lopen van eenvoudige staafvormige phagen tot ingewikkelde sper-matozoo-achtige structuren.

Wel moeten wij nog even wijzen op de praktische toepassingen van de bacteriophagie. Het idee ligt voor de hand: phagen lossen bacteriën op, dus zij kunnen in de strijd tegen de bacteriën gebruikt worden. Reeds D'HERELLE trachtte typhus, cholera en andere ziekten met bacterio-phagen te bestrijden. Het succes was gering. Meer leverde de methode op bij plaatselijke ontstekingen (nier- en blaasontstekingen). Men isoleert dan uit de urine van de patiënt de bacteriestam die de ontsteking ver-oorzaakt. Uit rioolwater of een dergelijke bron kan dan weer de bijbe-horende bacteriophaag bereid worden en hiermee wordt de ontstoken

---

[1]) Dit experiment heeft voor het probleem van het endogene ontstaan van de virussen een grote rol gespeeld (zie bladz. 198).

plek gespoeld. De methode is ook wel toegepast ter verkoming van epidemieën. Ten slotte kunnen de bacteriophagen voor de diagnose van enkele bacterieziekten gebruikt worden omdat sommige bacteriophagen zeer specifiek voor bepaalde bacteriestammen zijn.

Hoewel het strikte bewijs voor het endogene ontstaan van de bacteriophagen nog niet gegeven is zijn er mijns inziens ook geen doorslaande bezwaren tegen de opvatting, dat sommige phagen een deel van de bacteriën zijn, aan te voeren. Wie op enkele foto's van RUSKA (zie fig. 6) de omgevende membraan van de bacterie als het ware uiteen ziet vallen in vele phagen kan tegen deze hypothese niet veel bezwaren voelen. Aan de andere kant zijn er organisme-achtige phagen. Het lijkt dan ook geen ,,tour de force'' om de voor het virus ontwikkelde beschouwingen — een geleidelijke overgang van eenvoudige naar ingewikkelde structuren — ook op de bacteriophaag toe te passen. Dat de bouw van de phaag weer enigszins van die van de virussoorten verschilt kan wel niet anders dan aan het andere bouwmateriaal liggen. Een bacterie is heel anders gebouwd dan de cellen van hogere organismen dus ook hun bestanddelen zullen verschillend zijn. Ten slotte moet de mogelijkheid opengelaten worden, dat er ook zeer eenvoudige, kristalliseerbare bacteriophagen bestaan.

En nu nogmaals: het kankerprobleem [1]). Ik zie een virus als een ,,op hol geslagen'' biologische eenheid. Elk deel van een organisme, dat een zekere autonomie heeft en zichzelf vermeerderen kan (ribosenucleoproteïnen, mitochondriën, eventueel plastiden, genen, chromosomen, of kernen), heeft in zich de mogelijkheid om onder bepaalde omstandigheden de wetten van het organisme te overtreden en de harmonie van het organisme te storen. Ook de biologische eenheid de cel kan zich op deze manier misdragen en er is geen enkele reden aan te wijzen waarom een dergelijke cel niet onder het virusbegrip valt. Natuurlijk kan bij vele gezwellen geen filtreerbaar virus gevonden worden en toch zijn er auteurs die alle mogelijke moeite doen om het kankerprobleem met filtreerbare virussoorten in verband te brengen. Tot nu toe waren hun pogingen vruchteloos en het ziet er niet naar uit, dat hier in de toekomst verandering in zal komen.

Het tumor-verwekkende agens van de kuiken-tumor 1 (ROUS) is geassocieerd met ,,korreltjes'' in het protoplasma, die bestaan uit een nucleoproteïne gecombineerd met verschillende lipoiden. MURPHY en

---

[1]) Dit kwam reeds ter sprake in hoofdstuk III § 4.

2

CLAUDE vonden dergelijke deeltjes ook in kuikenembryo's en in tumoren die niet door een filtreerbaar virus veroorzaakt waren. Deze waarneming wordt aangevuld door het werk van AMIES: het agens van de ROUS-tumor bevat verbindingen van de normale cel. Wat is er logischer dan dat normale mitochondriën door verschillende invloeden (o.a. door kankerverwekkende stoffen) in abnormale — dus virus — veranderd worden? Een duidelijk beeld van de verhoudingen levert het verschil tussen het FUJINAMI-gezwel en het ROUS-gezwel op eenden. Oorspronkelijk zijn beide gezwellen van kippen afkomstig. Enting op eenden met het FUJINAMI-gezwel lukt zowel met cellen als met een celvrij filtraat en het gevormde gezwel bestaat uit veranderde eendencellen. Met het ROUS-gezwel lukt overenting alleen met cellen en de tumor blijkt na enige tijd uit kippencellen te bestaan. In het eerste geval wordt het virus — de filtreerbare abnormale mitochondrie — in het eendenlichaam gebracht en stoort de harmonie in de eendencellen. In het tweede geval zijn de abnormale kippencellen de verstoorders van de harmonie van het organisme en zijn dus de cellen met het virus gelijk te stellen (vergelijk de figuren 14 en 15). Bij deze gezwellen is er van een eigenlijke infectieziekte geen sprake; de gezwellen ontstaan spontaan en sporadisch.

Nu wordt dikwijls beweerd, dat de gezwellen (vooral de kwaadaardige) chaotisch groeien. Wanneer men dit uit het gezichtspunt van het organisme bekijkt is dit ongetwijfeld het geval, de kanker stoort zich in het geheel niet aan de regels van het organisme. Wanneer men evenwel een kanker transplanteert dan zal de tweede kanker zich net zo ontwikkelen als het gezwel waaruit de cellen afkomstig waren. Gezien uit het oogpunt van het gezwel is de groei dus niet chaotisch, maar volgt daarentegen vaste wetten, al zijn die wetten anders dan die van het organisme. In een normaal organisme treedt ook dikwijls plotselinge groei van een of ander orgaan op onder de invloed van een prikkel (dikwijls een hormoon). Een dergelijke groei blijft — wanneer de prikkel niet te sterk is — binnen de harmonische verhoudingen van het organisme en de groei wordt geremd of gaat te niet als de prikkel ophoudt. Bij kanker is er van een remming van de groei geen sprake. Houdt de stimulerende werking op dan gaat toch de groei van het gezwel door met alle daaraan verbonden funeste gevolgen.

Wij hebben gezien, dat kanker door een langdurige behandeling met teer veroorzaakt kan worden. Nauwkeurig chemisch onderzoek leerde, dat vele teerproducten zonder werking zijn. De verbindingen die in hoge mate kankerverwekkend zijn lijken op verschillende stoffen die wij uit het levende organisme kennen en daar een specifieke biologische werkzaamheid ontplooien (hormonen, inductiestoffen, galzuren etc.). Het is aannemelijk, dat al deze op elkaar lijkende stoffen in de ribosenucleoproteïne-stofwisseling kunnen ingrijpen en dat er in alle cellen verschillende inductiestoffen in gebonden vorm aanwezig zijn. Kan het niet zijn, dat de kankerverwekkende teerproducten een of meer van deze stoffen losmaken uit hun verbinding, waardoor de stofwisseling van de cel gestoord wordt? Natuurlijk kunnen deze stoffen ook door heel andere middelen (b.v. bestraling) vrijgemaakt worden. Niet altijd zal dezelfde stof vrijkomen. De erfelijke aanleg van het organisme zal bepalen welke ,,inductiestof'' (wat dus in dit geval de echte kankerverwekkende stof is) het zwakste gebonden is. De zwakste verbindingen zullen op den duur breken en aangezien deze voor elk organisme anders kunnen zijn moet ook de verscheidenheid van de resulterende gezwellen groot zijn. Tevens zal een invloed van erfelijke factoren merkbaar wezen. Gezien de overeenkomst tussen hormonen en kankerverwekkende stoffen verbaast het ons niet, dat er een verband schijnt te bestaan tussen overproductie van hormonen (menformon) en het optreden van kanker.

De kwaadaardigheid van de kankergezwellen berust volgens de theorie van Kögl op het feit, dat de kankertumoren uit onnatuurlijke bestanddelen opgebouwd zijn. De normale natuurlijke verbindingen zijn l-verbindingen (zie pag. 100) en het kankergezwel bestaat voor een deel uit stoffen met d-configuratie. Vandaar dat het organisme de strijd tegen het kankergezwel bijna altijd zal verliezen: het beschikt niet over de mogelijkheid om de onnatuurlijke verbindingen af te breken. Het kankergezwel dringt dus tussen de weefselcellen door; het groeit infiltratief en een grote verwoesting is het gevolg.

Wanneer wij nagaan welk mechanisme aan de verandering van een normale cel in een kankercel ten grondslag ligt, dan blijkt het aantal moeilijkheden nog groot te zijn. In de eerste plaats wordt de strijd tussen de kankercellen en het organisme niet altijd door de kankercellen gewonnen. Zelfs heeft normaal weefsel een sterk kankeroplossend vermogen. Dit oplossende vermogen zien wij langzamerhand achteruitgaan in organismen die lang met kankerverwekkende stoffen behandeld worden (dit stadium noemen wij de prae-carcinomateuze periode en deze kan dikwijls heel lang duren). Het aantal manieren waarop kanker kan ontstaan is zeer groot en het is de vraag of de weg die daarbij gevolgd wordt steeds dezelfde is. Om drie voorname methoden te noemen: kanker kan langzamerhand uit bepaalde virusgezwellen ontstaan, de

ziekte kan het gevolg zijn van een langdurig contact met kankerverwekkende stoffen en ten slotte kan bestraling kanker tot gevolg hebben.

Om een kankergezwel te krijgen moeten er globaal gezien drie dingen
gebeuren. De normale cellen moeten een groeistimulans krijgen, er moeten
onnatuurlijke (d) synthetisatoren aanwezig zijn en ten slotte moet het
materiaal voor de opbouw aangevoerd worden (of eventueel ook door
de cel geproduceerd worden). Wij weten, dat bij bestraling l-stoffen tot
d-stoffen kunnen worden. Het is dan ook niet verwonderlijk, dat bestraling de gevoeligheid voor kanker zeer kan bevorderen, want de hoeveelheid d-materiaal waaruit het gezwel opgebouwd wordt neemt toe. Toevoeging van d-bouwmateriaal geeft natuurlijk ook een sterke groei-
bevordering van het kwaadaardige gezwel. Merkwaardig is nog, dat
bestraalde weefselextracten de groei en de vorming van kanker kunnen
remmen (VAN EVERDINGEN).

Welk idee krijgen wij nu van het kankervraagstuk? Een door een filtreerbaar virus veroorzaakt gezwel kan enkele malen tot een kanker
worden. Dit is eer uitzondering dan regel en het betekent mijns inziens,
dat er in de normale cellen wel d-,,synthetisatoren" zijn, maar deze kunnen niet werken omdat de betreffende ,,inductiestoffen" ontbreken
(d.w.z. gebonden in het protoplasma aanwezig zijn). Een enkele maal
wordt in een dergelijk gezwel de harmonie dusdanig verstoord, dat de
inductiestof van de d-synthetisator vrijkomt. Het resultaat is een kankerweefsel. LACASSAGNE en NYKA behandelden de oren van konijnen met
een kankerverwekkende stof en spoten daarna het konijn in met het
filtreerbare virus van het papilloomgezwel. Er ontstond een sterke
papilloomvorming die snel in kanker overging. Hier was dus experimenteel de betreffende inductiestof reeds vrijgemaakt (door de behandeling
met kankerverwekkende stof) zodat het gezwel vrijwel direct in kanker
kon overgaan. Hiernaast werden dezelfde experimenten genomen bij
konijnen waarbij de hypophyse (het productiecentrum o.a. van groei-
hormonen) verwijderd was. Hier heeft een injectie met het virus weinig
resultaat, waarschijnlijk omdat er door het ontbreken van het groei-
hormoon niet genoeg bouwmaterialen gemobiliseerd zijn. Hier komt de
derde voorwaarde voor het ontstaan van kanker — aanvoer van bouwstoffen — naar voren.

Behandeling met een kankerverwekkende stof alleen kan eveneens tot
gezwelvorming leiden. Steeds meer verkeerde ,,inductiestoffen" worden
vrijgemaakt en langzaam maar zeker wordt in de cellen de stofwisseling
in een onnatuurlijke veranderd. De door het organisme geproduceerde

regulatiestoffen kunnen op deze veranderde stofwisseling geen invloed meer uitoefenen. Op een gegeven moment — dit kan heel lang duren — gaat de cel zelf abnormale bouwstoffen en inductiestoffen produceren en de voorwaarden voor de vorming van kanker zijn gegeven. In het prae-carcinomateuze stadium heeft het toekomstige kankerweefsel geen oplossend vermogen ten opzichte van kankercellen meer. Dit wil zeggen, dat het in normale cellen aanwezige afbrekende systeem van onnatuur-lijke verbindingen gestoord is. In het kankerstadium bereiken de cellen de mogelijkheid om zichzelf uit abnormale bestanddelen op te bouwen.

De bestrijding van de kanker is tot nu toe gebaseerd op het zo snel mogelijk verwijderen van de gevaarlijke gezwelcellen. Een eigenlijke genezing kon nog niet bereikt worden. Wij kunnen de hoop koesteren, dat in de toekomst stoffen gevonden zullen worden, die de groei van kankerweefsel kunnen remmen. Deze stoffen zullen in de groep van de inductiestoffen, hormonen e.d. gezocht moeten worden. Het moet in prin-cipe mogelijk zijn om de abnormale stofwisseling uit te schakelen door de onnatuurlijke inductiestoffen te verwijderen. Of deze principiële moge-lijkheid tot praktische toepasbaarheid zal worden moet de toekomst leren.

Ik verdeelde de grote groep van de virussen in vier onderafdelingen. Natuurlijk zijn de grenzen van deze afdelingen niet scherp, maar worden er geleidelijke overgangen geconstateerd. Belangrijk is, dat de virusgroep volgens deze beschouwing weer een homogene groep is. In alle gevallen wordt de harmonie van organismen verstoord door cellen of delen van cellen. Deze verstoring van de harmonie kan infectieus zijn en daardoor overeenkomst vertonen met de echte parasitaire infectieziekten. Deze uiterlijke overeenkomst mag geen reden zijn om de filtreerbare virussen tot de parasitaire organismen te rekenen. Aan de andere kant kunnen de besproken vormingen ook niet als levenloze dingen gezien worden. De vraag ,,levend of niet?'' verliest in het grensgebied tussen leven en niet-leven zijn betekenis. Hier past ons slechts een vragen naar de graad van leven die een bepaald agens heeft.

Slotwoord

Zelfs als men het kankervraagstuk niet tot het algemene virusprobleem wil rekenen, dan nog is het virusprobleem een van de belangrijkste kwesties uit de biologische praktijk en theorie. Voor de bestrijding van de virussen is een oplossing van theoretische vragen een levenskwestie. Een nauw contact tussen allen die aan het virusprobleem werken is van

het allergrootste belang. Natuurlijk zijn de „bioloog", de „chemicus'
en de „biochemicus" die in de voorafgaande bladzijden aan het woord
geweest zijn geabstraheerde figuren. Maar wij kunnen bij besprekingen
over het virus dikwijls merken dat de vertegenwoordigers van de verschillende richtingen langs elkaar heen praten en elkaars argumenten
niet begrijpen. De oorzaak van deze meningsverschillen heb ik getracht
aan te geven. Het virusprobleem zal slechts nader tot de oplossing gebracht kunnen worden wanneer vertegenwoordigers van de verschillende
richtingen met begrip voor elkanders mening en met de dikwijls zeer
kostbare apparaten die voor de studie van het virus nodig zijn in één
centrum verenigd worden. Dan pas kan de praktijk hopen op resultaten
die voor de bestrijding van de virussen (dit geldt voornamelijk voor het
gebied van de landbouw) belangrijk zijn.

De biochemie was tot voor kort niet veel meer dan een studie van
producten van het levende organisme. Nu in de scheikunde problemen
van de structuur van de moleculen een grote rol gaan spelen wordt de
mogelijkheid gegeven om het verband tussen moleculaire structuur en
biologische werking nader te bestuderen. Het is bij de virussen dat de
begrippen molecuul en leven elkaar naderen. Wanneer WATERMAN de
virustheorie van de kanker bespreekt komt hij tot de conclusie dat het
probleem in de toekomst door een samenwerking van scheikunde, fer-
mentenleer en physische chemie opgelost zal moeten worden. Deze klan-
ken horen wij allerwegen: „By treating each problem of biology (in parti-
cular those problems in which proteins are involved) with all the resources
of mathematics, physics and chemistry a new synthetic approach may
prove possible. A concerted attack of so formidable a nature can hardly
fail". (WRINCH). Uit deze verklaringen spreekt een groot optimisme.
Men denkt een antwoord te krijgen op de vraag of en hoe de biologische
processen op te vatten zijn als het resultaat van een keten van eenvoudigere phenomenen, welke phenomenen later misschien in zuiver physisch-
chemische begrippen weergegeven zullen kunnen worden. Dit doel staat
zó ver voor ons dat wij ons dikwijls nog met biologische uitdrukkingen
moeten vergenoegen. De „laatste oorzaken" die aan biologische phenomenen ten grondslag liggen kennen wij nog niet en het mag betwijfeld
worden of wij die ooit zullen kennen. Maar wij doen ons best om
de voorwaarden voor het optreden van een bepaalde biologische
reactie te leren kennen en kunnen in bepaalde gevallen juiste voor-
spellingen doen. Bevinden de chemicus en de physicus zich eigenlijk
niet in dezelfde situatie waar zij met phenomenen als electriciteit of

magnetisme werken zonder deze verschijnselen te kunnen verklaren? (HOLTFRETER).

Velen zullen ons optimisme welwillend glimlachend beschouwen, terwijl zij ons vaderlijk vermanend er op wijzen dat er nog andere manieren zijn om het leven te bekijken. Diep in mijn hart ben ik er van overtuigd dat de poging om het leven tot physisch-chemische processen te herleiden een eenzijdig pogen is. Maar elke andere wijze van beschouwen is ook eenzijdig. Men bedenke dat wij biochemici geen andere methode kunnen volgen. Wanneer ik zeker wist dat mijn weg doodloopt dan was ik geen biochemicus. Wij moeten zeker weten dat de vragen die het leven ons stelt langs physisch-chemische weg benaderbaar zijn, dat wil zeggen: het moet mogelijk zijn om met physisch- chemische beelden of modellen een bepaald proces van het leven zo goed weer te geven dat het beeld de waarheid zeer dicht nadert. Meer dan dat — een zo goed mogelijke beschrijving van de natuur geven — mogen wij van de wetenschap niet verlangen. Altijd zal bij deze pogingen blijken dat ons model een „model" blijft, m.a.w. een te eenvoudige voorstelling van het leven geeft. De nu bekende feiten uit physica en chemie zijn zeker niet voldoende om „het leven" te verklaren. Maar door de pogingen in die richting raken meer feiten bekend. De wisselwerking tussen biologie en chemie doet beide wetenschappen vooruit gaan. De eerste schreden op deze weg zijn nog pas gezet. Hoever de weg ons zal leiden is de grote vraag.

Velen zullen zich met de in het laatste hoofdstuk ontwikkelde theorieën niet kunnen verenigen. Het leven een relatief begrip, een vloeiende overgang tussen leven en niet-leven, deze opvattingen passen niet in veler gedachtegang. Voor anderen is het moeilijk om de begrippen verstoring van de celharmonie en infectieziekte met elkaar te verenigen. Naar mijn mening volgen de verdedigde theorieën harmonisch uit de waarnemingen. Toegegeven moet worden dat de veronderstelde oplossing slechts een persoonlijke kijk op het probleem is. Natuurlijk werd daarbij veel ontleend aan de gedachten van anderen, maar het kan goed zijn om deze ideeën eens in een ander licht te zien. De hoeveelheid feiten waarover wij beschikken is echter te gering om een overtuigend betoog op te zetten. Laat ons vertrouwen op de toekomst.

LITERATUUR

AMIES, C. R., J. G. CARR and J. C. G. LEDINGHAM. The filterable agents of avian sarcomata and serological experiments in connection therewith. Proc. 3d Int. Congr. Microbiol. N.Y. 335—336, 1939.

BARNARD, J. E. Towards the smallest living things. J. Roy. Microsc. Soc. III, *59*, 1—10, 1939.

BOYCOTT, A. E. In Discussion on experimental production of malignant tumors. Proc. Roy. Soc. London B *113*, 291—292.

BUNGENBERG DE JONG, H. G. Protoplasma- en celmodellen, betekenis der coacervatie voor de biologie. In KONINGSBERGER: Leerboek der algemeene plantkunde I, 59—84, 1942.

CASPERSSON, T. Studien über den Eiweissumsatz der Zelle. Naturwiss. *29*, 33—43, 1941.

EVERDINGEN, W. A. G. VAN, Veranderingen in de physisch-chemische constitutie van organische verbindingen door stralenwerking, mede in verband met het kankerprobleem. Ned. Tijdschr. v. Geneesk. *87*, 406—411, 1943.

FEJGIN, B. Sur la nature du virus typhique. Proc. 3d Int. Congr. Microbiol. N.Y. 396, 1939.

FINDLAY, G. M. and F. O. MACCALLUM. Experimental observations on yellow fever. Proc. 3d. Int. Congr. Microbiol. N.Y. 348, 1939.

FISCHER, A. Neuere Untersuchungen über den Eiweisstoffwechsel der Gewebezellen in vitro. Naturwiss. *30*, 665—674, 1942.

HÉRELLE, F. D'. Le bactériophage. Paris. 1921.

HOLMES, F. O. Increase of tobacco-mosaic virus in the absense of chlorophyll and light. Phytopathology *24*, 1125—1126, 1934.

HOLTFRETER, J. Grundphänomene der Embryogenese. Congr. du Palais de la Découverte Paris VIII, 35—48, 1937.

KAUSCHE, G. A. und H. STUBBE, Zur Frage der Entstehung röntgenstrahlen-induzierter Mutationen beim Tabakmosaikvirusprotein. Naturwiss. *28*, 824, 1940.

KLUYVER, A. J. 's Levens nevels. Handel. 26e Ned. Natuur- Geneesk. Congr. 82—106, 1937.

KÖGL, F. und H. ERXLEBEN. Zur Ätiologie der malignen Tumoren. 1. Mitteilung über die Chemie der Tumoren. Z. physiol. Chem. *258*, 57—95, 1939.

LOGHEM, J. J. VAN. Het raadsel der vira. Ned. Tijdschr. v. Geneesk. *88*, 284—286, 1944.

LUYET, B. J. The case against the cell theory. Science *91*, 252—255, 1940.

MARTIN, L. F., A. K. BALLS and H. H. MCKINNEY. Protein changes in mosaic-diseased tobacco. J. biol. Chem. *130*, 687—701, 1939.

MCFARLANE, A. S., M. Y. MCFARLANE, C. R. AMIES and G. H. EAGLES. A physical and chemical examination of vaccinia virus. Brit. J. exp. Path. *20*, 485—501, 1939.

MCKINNEY, H. H. The „aquired-immunity" test and its limitations for establishing relationship between virus mutants, and nonrelationships between distinct viruses. Proc. 3d Int. Congr. Microbiol. N.Y. 316—317, 1939.

MURPHY, J. B. and A. CLAUDE. The nature of chicken tumors. Proc. 3d Int. Congr Microbiol. N.Y. 335, 1939.

NEEDHAM, J. Morphogénèse et métabolisme des hydrates de carbone. Congr. du Palais de la Découverte Paris VIII, 1—24, 1937.

OORTWIJN BOTJES, J. G. Verzwakking van het virus der topnecrose en verworven immuniteit van aardappelrassen ten opzichte van dit virus. Tijdschr. o. Plantenz. 39, 1—14, 1933.

OORTWIJN BOTJES, J. G. Verschil in virulentie bij het virus van de stippel-streep-ziekte in de aardappelplant. Tijdschr. o. Plantenz. 43, 1—10, 1937.

SMITH, K. M. and W. D. MacCLEMENT. Viruses and non-vector insects. Proc. 3d Int. Congr. Microbiol. N.Y. 312, 1939.

TIMOFÉEFF—RESSOVSKY, N. W. Le mécanisme des mutations et la structure du gène. Congr. du Palais de la Découverte Paris VIII, 83—104, 1937.

TURNER, J. P. The question of the cell theory. Science 91, 404—405, 1940.

UMBGROVE, J. H. F. Leven en materie. 's-Gravenhage 1943.

WADDINGTON, C. H. Morphogenetic substances in early development. Congr. du Palais de la Découverte Paris VIII, 25—34, 1937.

WHITE, P. R. Multiplication of the viruses of tobacco and aucuba mosaics in growing excised tomato root tips. Phytopathology 24, 1003—1011, 1934.

REGISTER